送給： 俞堅、鍾平

上帝為愛祂的人所預備的，

是眼睛未曾看見，

耳朵未曾聽見，

人心也未曾想到的。

(聖經哥林多前書二章9節)

建華、泓波 敬贈

Merry Christmas and
Happy New Year.

Jim & Holly

活出全新的你

Become a **Better You**

天天活出生命巨大潛能的**7**把關鍵之鑰！

JOEL OSTEEN

約爾‧歐斯汀 *Joel Osteen* **著** 程珮然 **譯**

獻給我一生摯愛的維多利亞

謝謝你對我有信心並激發我變得更美好。你的愛意、友誼與體貼，以及溫柔的心，使我與你共度的每一天，都成為一種恩賜。若沒有你播撒在我生命中的種子，就不會有今天的我。

我敬重你，愛慕你，期待與你白首偕老。

獻給吾兒強納森

感謝你是這麼美好的兒子！你仁慈、尊重人，還有極佳的幽默感。你的智慧、洞見與天賦令我驚嘆；我珍惜與你相處的時光。你將為世界帶來意義深遠的影響，我很榮幸作你的父親。

獻給我的掌上明珠雅麗珊卓

你不僅秀外慧中、溫柔善良，充滿恩慈與憐憫，更是聰慧有趣，而且還有天使般的歌喉。當你歌唱時，總使人感受到上帝的愛。我以你為榮，永遠是你的頭號歌迷！

致　謝

　　寫書就好像收集一些原料，把它們精煉加工，變成一輛精緻的高性能汽車，這需要技術純熟的團隊與專業的人員看見設計的概念，然後將它們製造出來。我很蒙福能夠與如此優秀的團隊一起努力，成就這本書，我感謝所有對本書有貢獻的人。

　　首先，要感謝許多將屬靈智慧灌注在我生命中的人。生長在牧師家庭的我，很榮幸能夠和許許多多人會面談話，他們包括了各樣「改變世界的人」、來自世界各地的人與牧者及其家屬，還有想要追求生命意義，讓世界有所不同的男男女女，以及那些相信我們最好日子還在前方的人。許多拜訪我們或在我們牧區牧會的人，都非常風趣幽默，而且都有各式各樣奇妙的故事，其中充滿了人生原則與真理。感謝他們與我的父母，幫助我為今日的成就打下如此堅固的基石。

　　其次，我也要感謝那些用書籍與信息，幫助我塑造生命的偉大作家與講員。這些導師們為我「打下了基礎」，對我後續的受教貢獻良多，我也感謝你們投資在我身上的一切。每一位被我的著作、演講、廣播或電視佈道觸動的人，你們都功不可沒；一切我所知的成功與我可能擁有的永恆影響力，都是你們傳承的一部分。

　　特別感謝卡洛琳‧雷迪(Carolyn Reidy)、多明尼克‧安福索(Dominick Anfuso)，以及賽門與舒斯特出版集團(Simon & Schuster)的瑪莎‧李帆(Martha Levin)。感謝他們對這本書的

計畫抱持信心，並多盡一份力量而成就這樁美事。也要感謝傑森‧麥汀(Jason Madding)設計出如此棒的封面。

　　我非常感謝都普雷／米勒作家經紀代理商(Dupree/Miller)的珍‧米勒(Jan Miller)與仙儂‧馬文(Shannon Marven)。他們抓住本書所能成就的願景，並耐心照管一切的協調工作。

　　特別感謝合作編輯肯恩‧亞伯拉罕(Ken Abraham)，他對我的內容提供了關鍵的編輯協助與可貴的洞見和觀點。

　　同時感謝湖木教會數以千計的忠實會友，他們包括每週參加教會者，觀看我們的電視、網路服事、數位廣播及收聽電台廣播的人們。我真感謝湖木教會致力奉獻的同工，感謝你們使這個計畫的許多研究與細節順暢運作。感謝我的執行助理米雪兒‧崔維諾(Michelle Trevino)，她幫我整合了寫書過程中的諸多重要層面。還有，我的大能勇士群實在居功厥偉，他們包括保羅‧歐斯汀(Paul Osteen)、凱文‧寇姆斯(Kevin Comes)、唐‧伊洛夫(Don Iloff)與當肯‧達茲(Duncan Dodds)。這些人順暢地管理大量的服事工作，讓我能專心從事我所擅長的。

　　誠心感謝我的母親，她深愛著我，為我禱告，總是鼓勵我。感謝嬌瑾‧伊洛夫(Georgine Iloff)，她是一個男人所能擁有最棒的岳母！感謝我姊姊麗莎‧寇姆斯(Lisa Comes)，她的卓越與正直激勵了我；感謝高點教會的蓋瑞與四月‧賽門斯(Gary & April Simons)以及信心家族教會的吉姆與塔瑪拉‧葛瑞夫(Jim & Tamara Graff)，他們是我的姊妹及其夫婿。上帝充充足足地透過他們來祝福我。最後，但也是最重要的，感謝我的小姨子賈桂琳‧伊洛夫(Jackelyn Iloff)與我大嫂珍妮佛‧歐斯汀(Jennifer Osteen)，謝謝你們的支持與鼓勵。

目錄
Become A
Better You

Become A
Become A
Better You 目錄

目錄

Become A
Better You

特別給華文讀者的祝福

　　我和維多利亞很興奮地得知，我們的華文讀者朋友們正在研究要如何使自己變得更美好！無論你處在何種狀況之中，不管是好的還是壞的，你必須知道上帝與你同在。祂在幫助你，而不是抵擋你。祂了解你的憂慮，並在幕後為你的益處打點你的未來。當你學習更全然信靠祂，就可以不再擔心，並拒絕一切負面傾向的思維、言語與行為。要記得，當你相信，你就啟動了天父的大能、大力。你能夠說：「上帝，我要信靠祢。我知道祢對我的生命有個偉大計畫。」

　　當你這麼做，就會感覺重擔大幅減輕。你不僅會更享受生命，還會看見上帝更多的祝福與恩惠。你會變得更加美好！

約爾·歐斯汀
Joel Osteen

簡 介

　　無論生命對我們而言是一帆風順，還是在眼前四分五裂，我們都想要過得更好：我們渴望更認識上帝，渴望成為更好的配偶與父母、更好的情人、更好的鼓勵者、更好的社群領袖、更好的員工、更好的老闆與經理人。上帝已在我們內心深處放了一種激發我們更像他的渴望，因此，我們會在內心深處聽見有個聲音說著：「你天生就該更好，你被命定要活出比現在更高的層次。不要滿足於次等的，你能夠更好。」

　　問題是，要怎麼做呢？要做什麼才能變得更好呢？

　　在我的第一本書《活出美好》裡，我提出了七個充分活出生命潛能的步驟；因此今日有許多人正為他們的未來發展更遠大的願景，並經歷上帝更多的福分與恩惠。然而，即使你正活出美好人生，不要因此停滯不前是很重要的，因上帝始終要讓我們增長，祂要在我們身上透過我們行更大的事。祂始終渴望讓我們更深刻地發掘自我，之後高舉我們到更高的生命層次。祂並未把我們造得平庸，也不要我們妥協於「過得去」；祂渴望我們不斷伸展，不斷進取地跨入下一個階段。

　　現在，我要透過本書幫助你成就這些，帶領你進入更深的境界，幫助你檢視自己的內在，發掘出上帝放在你心中的偉大無價種子。我要在書中揭示七個關鍵之鑰，使你能夠藉以剝開這些偉大的種子，讓它們在你豐盛蒙福的生命裡綻放光華。而這些關鍵要訣並不複雜也不困難；事實上，其簡單

的程度，常會被人忽視。儘管如此，它們卻是幫忙造就我的七個關鍵原則，不斷讓我在個人生命、人際關係、家庭生活與事業工作中，期待美好的事物。我知道這些原則能夠奏效，因我在自己的生活中擁有第一手的經歷。

太多人在自己的思想、態度或行為上對平庸妥協，現在該是除去那些負面心態並更上一層樓的時候了。要記得，上帝已經在你裡面放置使你活出得勝生命的一切所需。現在，要不要將其取出運用則操之在你。我們不可因錯誤心態、負面過往或別人的意見，使得我們灰心喪志或放棄，以致停止繼續向前。而渴望充分活出生命潛能的人已經發現：「很好」往往是「最好」的敵人。

你可曾注意過某個人並想著：他的態度真棒！她是個成功的母親；他是個優秀的員工。極有可能的是，這位你所敬佩的人，就是某位渴望成為更好之人的活生生榜樣。

變得更好意謂著什麼？首先，須了解上帝要你成為他創造你時的樣式。其次，很重要的是明白，上帝會進行他所要做的，而你也必須盡到本分。因此，要使自己變得更好，就必須：

- 不斷進取向前
- 積極正面地對自己
- 建立更好的關係
- 養成更好的習慣
- 欣然擁抱你的處境
- 培育你的內在生命
- 對生命懷抱熱忱

大多數人都努力在這些方面改進，但若要真正看到我

們渴望的長足進步，就必須開始更用心地聚焦在這些層面。在本書前面幾頁，我將深入解釋上述每個原則，使你知道它們如何發揮效益，而你又能如何運用它們，以改進你的生命並影響後代。我將幫助你檢視你目前的狀態，也檢視你以往的狀況，以及你未來的方向。當我們一起成長，上帝會不斷把各樣益處傾倒在我們的生命中，並將實實在在地帶領我們至我們做夢也想不到的境界。

如果你正經歷困苦，要剛強壯膽，因為前方是更美好的日子！上帝要帶著你度過這一切，帶領你邁向更好的境地，歸還你所失落的一切，而且還要加添更多給你！

如果你正發達興旺並享受生命，你也可以運用這些原則協助你保守心靈，並保持蒙上帝喜悅的態度與生活方式。要敏銳地洞悉上帝在你生命中的良善，牢記你所享受的是祂的賜福；你蒙福乃是為了要成為別人的祝福，而上帝將會不斷用難以測度的愛、喜樂與平安充滿你的生命。

預備就緒！你將啟程探索自己之前鮮少或從未嘗試過的內在旅程。每一步都攸關你的頭腦、心志與靈魂，但你會驚訝地看到，你的內在歷程將如何影響到你的「外在」生活，使其營造出更好的關係品質，並更豐盛地運用天賦與恩賜，最終活出更好的生命。

我必須警告你：操練本書七個關鍵要訣，可能會是個改變生命的歷程！雖然我無法保證你將致富或成名，但如果你採行這些計畫，我可以確保你活出更豐盛、滿足的生命。

這是一本關於成長、學習與改進的書。你愈學習信靠上帝，就會變得愈好。祂會持續擴張你的境界，而你將變得更棒！

第 I 部
不斷進取向前

第 *1* 章

擴張跨入下一個境界

著名的建築師法蘭克·洛伊·萊特(Frank Lloyd Wright)，曾經設計出許多美麗的大樓、住家與其他宏偉的建築。在他事業生涯的後期，有位記者問他：「在你諸多出色的設計之中，你最喜歡哪個作品？」

法蘭克·洛伊萊特毫不考慮就回答：「我的下一個作品。」

法蘭克深知擴張境界的道理是要不斷求進步，永不自滿於過去的成就，因為整個世界都在引頸企盼你的下一樁探索。

太多人沒有活出潛能，儘管他們擁有諸多的天賦才幹與許許多多的資源，但是他們慣於安逸，妥協於現狀，變得太容易滿足。

我常聽到人們為自己停滯不前的個人成長找藉口：

「我也盡力小有成就了。」

「和別人比起來，我的事業做得還算不錯。」

「我已經達到我父母的成就水準了。」

這樣很好，然而上帝想要你再進一步。祂是不斷進步的上帝，而且祂渴望每個世代都更快樂、更成功並更具意義。無論你的生命現狀如何，上帝都為你預備更多。祂絕不要我們停止成長，而我們始終都應在能力、靈性、財務、事業與人際關係上，達到更高的境界，因我們都有尚待改進的空間。我們可能已經有了某種程度的成就，但始終都有新的挑戰和另一座須攀越的高峰。總有一些新的夢想與目標是我們可以去追求的。

無疑地，上帝在你的過去已成就許多事，祂已為你開了任何人都無法開啟的門。也許祂賜你美滿的家庭與家人，也許祂讓你榮獲升遷，讓你在雇主或上司面前蒙受恩惠。這很棒，你也應當感謝上帝為你成就的一切。但要小心，有時當你正享受人生時，你很容易變得自滿、得意地想著：「是啊，上帝對我這麼好，我不可以抱怨。我已經達成目標，我已經達到極限了。」然而上帝根本還沒在你的昨日大展神威呢。

上帝根本還沒在你的昨日大展神威呢。

也許上帝在過去行了神蹟，但你什麼都還沒見識到，因為最棒的還沒成就！別讓你的生命乏味黯淡；要不斷與上帝一同夢想，盼望，一同籌畫新的計畫、經歷與探索。

我發現上帝很喜愛超越自我。祂渴望在你今日的生命中彰顯比昨日更大的恩惠，又想在明日給你比今日更多的福

分，祂要你對世界擁有比之前更偉大的影響。這表示，如果你是個老師，你還沒教到最棒的一課；如果你是建築商，你還沒蓋出最美的華屋；如果你是生意人，你還沒談成最好的交易。現在就是你提升盼望層次的時候；要擴大你的視界，為上帝提升你視野的新事做好準備。你最美妙的日子不在你的背後，乃在你的面前。

如果我們希望這些成就，就得不斷前進，擴張自己。要丟掉低落的期待，不要為生命訂定小鼻子、小眼睛的計畫，不要只懷著瑣碎的夢想。不要成天只想著：每個人都有大好機運，只除了我；我已經到達極限；我可能永遠得不到升遷；我真不知道為什麼就是不如別人能幹。

不對，要丟棄這種失敗者的心態。你乃至高上帝的兒女，上帝已對你吹入祂的生命氣息，又在你裡面播下偉大的種子。你擁有完成從上帝而來的命定之一切所需，因為上帝已將才幹、創意、自律、智慧與決心放在你裡面。你擁有一切，充滿了潛能，但你也必須盡到本分，參與其中。你必須更善用上帝賜給你的恩賜與才幹。

聖經說我們的內在擁有貴重的珍寶，所以你擁有恩賜，也能付出別人無法付出的。你在母腹中未成型之前，祂就認識你，並且為了某種理由而將你放置於此，因此你不是偶然出現在地球上，而是被全能上帝親自揀選的。在地上，你有個任務，上帝要你完成某個使命，可能是有人需要你去接觸，也或許是有人需要你所擁有的。

不要讓這珍寶被埋沒了，不要帶著這份內在的珍寶黯淡消逝而白活一場。要不斷向前，生發出上帝在你心中的夢想與渴望。

神經學家發現，一般人使用的心智還不及其所擁有的十分之一。這表示，有超過九成的心智能力都還在休眠狀態，從未運用。惟願我們能明白自己擁有的是什麼，那就是上帝已將祂自己的一部分放在你裡面，而到了你出生之時，上帝便說：「讓我在這兒賜你一些恩賜，在那兒給你些才幹，還有一些創意。」你的內在擁有全能上帝的種子，你絕不是被塑造為庸庸碌碌，你受造也絕不是為了達到某種境界而後卻停滯不前；你受造乃是為了成就卓越。你生命的高峰無所限制，你的成就不可限量，只要你學習甩開自滿，然後自我伸展至下一個境界。

然而這一切都必須從我們的心靈起始，我們必須相信自己擁有成就這些的一切所需。儘管人們可能會試圖壓制你，而環境也許會玷污你生命的樣貌，但我們必須相信我們的內在擁有天賦珍寶。

也許你曾嘗試在生命中有所成就，但卻一再碰壁，此時你要再試一次。也許有人曾對你說了千百次「不」，那麼你就再要一次。不斷追求，直到你得到企盼已久的「好的」。你得不斷堅持，因為有太多人對遠遠低於上帝要賜給他們生命最好的一切，感到滿足。有時他們灰心喪志，但多數時候，他們其實只是慣於安逸。他們不再擴張境界，不再操練信心；就像一副不再運動的強健肌身一樣，他們變得鬆弛無力。這種自滿的主要原因之一就是，人們並未真正了解他們內在所擁有的；他們不明白自己天賦異稟。

幾年以前，我有個朋友與一位乘客共同疾馳在歐洲大陸橫越德國的高速公路上。歐洲高速公路不像美國的高速公路，它是沒有速限的。你愛開多快就開多快。

　　我的朋友興奮不已地踩下加速器，把車開到時速八十、九十、一百、一百一十哩，覺得自己好像是公路之王似的，呼嘯掠過左右的車輛。

　　幾分鐘之後，另一輛車疾馳到這條公路上，這輛車的型號與我朋友的一模一樣，但和這輛咻一下便呼嘯而去的車子比起來，我朋友簡直就像靜止不動。第二輛車的時速想必已達一百七十哩。

　　與我朋友同行的乘客大笑著說：「看吧，你根本沒有全力加速，你只是隨心所欲在開車。」

　　請思考一下，我朋友的車擁有強大的潛能，同樣也能開到時速一百八十哩，因為製造商已將這種性能植入汽車之中。我朋友所開的車速與車子的性能無關。換句話說，這種性能並不會因為車主不去使用而減少，不過即便車子具有這種性能，卻也影響不了車主的前途。

　　相同的道理也適用於我們。我們的潛能乃是我們的創造者——造物主，即全能的上帝——放進去的。我們用或不用都不會使它縮減，卻會影響我們的未來。過去發生的事不會降低你的潛能，別人如何待你或說過什麼關於你的話，也不會改變你的潛力。也許你經歷過失望，遭遇過不公平的事，但這些都絲毫不能撼動你的潛能。因為宇宙創造者已經將它永久植入你的裡面。當我們相信，我們就跨出信心的步伐伸展自己；這是我們充分發揮的時候，也是我們晉升到更高境界的時刻。

　　能力就在你裡頭；但根本的問題是，你是否願意突破自我設限，開始跨越而更上一層樓呢？

　　我們太常讓過去的經歷阻撓我們進步。也許是我們的生

意夥伴、教練、親戚或朋友曾說：「嘿，你眞以爲你辦得到？也許這機會根本就不屬於你，要是你的嘗試失敗了怎麼辦？要是不奏效怎麼辦？」

這些負面話語可能會縈繞在你的心頭，妨礙你往前進，但你要明白，那些說法全都不能改變你內在的潛能，因這些潛能仍在你裡面。不要讓別人的話語使你無法運用上帝給你的恩賜，或是阻止你去行上帝要你去做的大事。

許多人都受過負面的批評，像是「你根本條件不夠，你沒那麼能幹。我想，你不會成功」這類的話。

如果我們不小心謹愼，就會讓那些負面話語不斷在腦海中重複播放。久而久之，它們終究會造成堅固的營壘。

一個名叫雪莉的年輕女子來找我，尋求我的忠告。多年來，她一直忍受一段受虐的關係，不斷聽到：「你一無是處，你眞笨、眞慢，毫無魅力。」在聽了這麼久之後，她的身心靈完全崩潰。她沒有喜樂，沒有自信心，而且自尊心極爲低落。

我向她說了我上面所說的：「你的價值、天賦與才幹，乃是全能上帝放在你裡面的，和其他任何人怎麼講你毫無關聯。好消息是，上帝有最終的權柄，祂說你的內在擁有珍寶，祂說你有恩賜，祂說你是寶貴的。你得停止老調重彈，要開始歡唱新歌。你必須浸潤在下列思想中：『我有創意，我有才華；我很珍貴，我的前途無限，我最好的日子正在前方開展。』你必須引導你的心走向新方向，因爲陷溺在自我的負面思想中，會讓你無法成爲上帝造你的樣式。」

不管是誰對你的生命說了負面的話，不論他們是你的父母、配偶、教練還是老師，你都必須棄絕這些話語。因爲話

語是帶著能力的，它們能夠在你的心與靈中造成障礙，因此有時一小段話便可能使我們持續好幾年都倒退不前。

我有位身為助理的朋友，他經常陪同一位知名牧師旅行。有一天，有個人來到他們下榻的旅館，希望牧師能為他禱告。我這位朋友告訴此人：「很抱歉，我不能讓牧師受到打擾，他正在休息以準備晚上的聚會。」

但這人拒絕接受「不」的回答，他非常積極又堅持。我的朋友保持親切有禮，試著安撫這位不速之客，但這位仁兄卻咄咄逼人。

最後我朋友終於說：「不然這樣如何？我來為你禱告。我每天與這位牧師同工，我很樂意為你禱告。」

這位令人不愉快的仁兄聽完之後卻嗤之以鼻地說：「我可不這麼認為。你不行的。」

這句「你不行的」真是傷人，因為內含的訊息就是說：「你不夠好，你的禱告沒有果效。」

我朋友後來訴說那些話語是如何日復一日地拷打著他的心靈。夜半臥床時，他總會想著：「你不行的。你條件不夠，你不像這位知名牧師一樣有恩膏，你根本無法幫助靈魂。」

這位年輕人本來就已有自信心不足的問題，而現在他還讓這些負面話語不斷在他的潛意識中播送著。他無法甩掉它們，反而讓這些負面話語壓制了他好幾年。

太多人沒有他們應有的自信與自尊，因為他們不斷陷在對自我的負面思維裡。我不自大，但是在我心中，我成天就提醒著自己：我有恩膏，我有創意，我有才幹，我很成功。我擁有上帝的恩惠，人們喜愛我；我是得勝者，不是受害

者。

你也來試試看！如果你不斷這樣想，那麼低落的自尊、貧乏的自信或低人一等的心態，都無法趁虛而入。挺起胸膛，露出笑容，尋找能夠伸展並跨越至更上一層樓的機會吧。

回想伊甸園時代，在亞當、夏娃偷嚐禁果之後，他們躲了起來。天起了涼風，耶和華上帝在園中行走，說：「亞當、夏娃，你們在哪兒呢？」

他們說：「因爲我們赤身露體，我們便藏了。」

我很喜愛上帝回答他們的話。上帝說：「誰告訴你們赤身露體呢？」換言之，上帝是說：「誰說你不對勁兒呢？」因爲上帝立即知道是仇敵對他們說了話。

誰說你不對勁呢？

今天上帝也正對你說：「誰說你沒有成功的本事？誰告訴你，你在學校能獲得最好的成績是乙等，而不是優等呢？誰說你在人際關係中的魅力不夠，沒有能力使事業興隆呢？誰說你的婚姻不能白頭偕老呢？」

那些全是仇敵的謊言。你必須拒絕這些意念，你要去發掘上帝所說關於你的話語。

「唉喲，約爾，我想我這輩子別想得到升遷了。」

誰對你說的？上帝說：「只要你行在正道上，祂沒有一樣好處不給你。」

「唉，約爾，我想我結不了婚了。我已經很久沒約會，也不巴望有人會愛我的眞面目，我大概也配不上別人。」

誰告訴你的？上帝說：「當你在祂裡面悅納自己，祂會

賜你所求、所想。」

「唉，我想我進不了管理階層，我根本當不了主管。」

誰講的？上帝說：「靠著基督凡事都能。」潛能就在你裡面，不會因為你不相信，或是只因你在以前遭遇過負面的經歷而改變，因為宇宙的創造者已將這份潛能永遠放在你裡面。聖經裡說：「上帝的選召和恩典是從不改變的。」[1]這表示，上帝絕不會撤回祂注入在你裡面的潛能。祂絕不會說：「我真是受夠你了。你屢試屢敗，犯這麼多錯，我還是把恩賜收回吧。」

不可能，你生命中擁有的這些恩賜與呼召，會伴隨著你，直到你離世的那一日。不過，是否要深入並善用它們的決定，則操之在你。

惟願你明白

約翰福音第四章記載，耶穌遇到一個撒瑪利亞婦人，而向她要水喝。她吃了一驚，因為在當時，猶太人與撒瑪利亞人素不往來。因此她說：「你怎麼向我要水喝呢？」

耶穌說：「要是你知道我是誰，你就會求我，而我將會把活水給你。」

女人以為耶穌說的是實質的水，因此回答：「先生，你沒有打水的器具，井又深，去哪裡取活水呢？」

我在想，上帝已好多次告訴我們：祂渴望在我們生命中行大事，要我們健康幸福，要我們擺脫債務；而我們也強烈地感受到了，但就像這位婦人一樣，我們開始想著自己缺少的條件及一路上的攔阻。不久之後，我們就會說服自己遠離

上帝所賜最好的一切。

「我不會遇到這種好事。我沒受過好教育；我沒有才能；也缺乏自律；我永遠擺脫不了這個癮頭；永遠也無法實現夢想。」不對，你必須停止專注在你沒有的事物上，而要開始相信萬事都可能。

我做夢也沒想過，我會做我今日正在做的事，就是去鼓勵世上的人。十七年來，我父親試著讓我在家鄉所屬的教會證道，但我沒興趣。我生性安靜保守，寧可從事幕後工作。

然而當我父親回天家，我知道我得踏出去。雖然我以前從未證道過，沒讀過神學院，也沒受過正式的訓練，但我說：「上帝啊，我不要定睛在我沒有的，我要仰望祢。我知道祢會在我的軟弱上，彰顯祢的剛強。」於是我踏出了信心的一步，而上帝就引領我到從未夢想過的境界。

祂也能爲你成就相同的大事。不要困在你的心態、事業或婚姻的窠臼之中；你擁有驚人的潛能，遠比你所知的更多！上帝不受自然律限制。祂能夠行人所不能，而關鍵就是，你要把眼目從問題上移開，轉向仰望祂。

當上帝在你的心中放下一個夢想，這個夢想在常理看來也許是不可能的，因一切的聲音都會告訴你，這不會成眞：「你永遠擺脫不了這個癮頭，你永遠無法達成夢想，你永遠不會快樂。」但如果你相信並保持信心，期待好事發生，你也能對抗逆境。

我曾與一位來自七代馬戲團世家的知名走鋼索人聊天，並問他：「走鋼索的訣竅是什麼？你看起來駕輕就熟。」

他說：「約爾，訣竅就在於，把注意力放在你要前往的地方。你絕不要往下看，因爲你的頭朝哪裡，你的身體就跟

著去那裡。如果你往下看，就非常可能會摔下去。因此你得不斷看往你要前進的方向。」

這個原則也適用在我們的生命中。有些人不斷回頭看，聚焦於受過的傷害與痛苦。還有些人往下看，活在自憐之中，埋怨生命不公平。然而步步高升的關鍵，卻是不斷定睛在你想前往的方向。要做大夢！不要專注在你目前的景況；要正面思考，看見自己實現目標，達成使命。

彼得這位年輕人，他在成長的過程中熱愛棒球。但當他試著進入球隊時，教練甚至連機會都不給他。他說：「孩子，我很遺憾，你個子太小。你永遠無法進入這個球隊。」

彼得傷心欲絕，因爲他的心思全在棒球上。他母親開車去學校接他時，可憐的彼得與朋友爬進汽車後座後，他還得用盡一切力氣面不改色，努力不要哭出來，但接著這位比彼得高大許多的朋友卻說道：「嘿，你有沒有和令堂說你因爲太矮而進不了球隊？」

朋友的話對彼得如同利箭穿心，他痛恨長得矮，以致帶著低落又沮喪的感受回家。然而過了幾天，學校卻發佈一個特別公告說：「由於太多男孩想要進入球隊，所以我們將成立第二個棒球隊；就是乙組。」因此彼得又去參加甄試，這次進了乙組。

在那個球季中，兩隊都入圍季後冠軍賽，而第二隊，也就是乙組，打敗了甲組。來猜猜誰是最佳投手？沒錯，乙組奪冠正要歸功於彼得的投球技巧。

現在來思考一下這個問題：在彼

別人不能決定你的潛能。

得被甲組拒絕時，他的潛力有多大？和他開始幫乙組投球時有任何不同嗎？

重點就是，別人的意見不會決定你的潛能。他們說的或想的，不會改變上帝賜給你的內在恩賜。不要讓負面話語或態度在你心裡生根，使你無法前進。也許上帝今天就在問你：「誰說你太矮？誰說你不聰明？誰說你沒有所需的才幹？」

如果上帝沒賜你達成夢想所需的一切，祂就不會把這個夢想放在你的心裡。也就是說，如果我有個夢想與渴望，而我知道這來自於上帝，我就無須擔心自己有沒有足夠條件來使夢想成真。我知道上帝不會出錯，祂不會呼召我們去做某些事，卻不給我們能力或必要的資源。

你必須明白，上帝把你與你的世界搭配得相得益彰。換句話說，即使你有時不覺得自己能達成夢想，你還是得超越這種感覺，並在內心深處明白：我擁有全能上帝的種子。要知道，上帝絕不會把一個夢想放在你心中，卻不先幫你準備好你所需要的一切裝備。如果你覺得自己沒有必備的智慧、才幹、能力或資源，只要提醒自己：上帝讓我與我的世界搭配得相得益彰，祂已幫我預備一切所需。

有一次，一位牧師給一個年輕人一張二十元的紙鈔，請他把紙鈔藏在妻子的聖經中，並強調：「要確保她沒看到是你放的。」

過了一會兒，在講道時，牧師請這位女士起立，並對她說：「這位女士，你信任我嗎？」

「當然信任。」這位女士回答。

「那你願意做我叫你做的事嗎？」

「是的，我願意。」她回答。

「很好，那麼請打開你的聖經，把裡面的二十元交給我。」

女士遲疑了一下說：「唉呀，真抱歉，我沒有二十元的鈔票呢。」

「我以為你說你信任我？」牧師假裝懷疑地問道。

「我信任啊。」女士回答。

「那就打開你的聖經，把裡面的二十元鈔票給我。」

這次女士毫不猶豫地翻開聖經，她大吃一驚，發現聖經裡真的夾著一張二十元紙鈔。她眼睛一亮，看著牧師問道：「聖經裡怎會有鈔票呢？」

「我給你的。」牧師笑著說：「現在，請你取出這張紙鈔，用這二十元做善事。」

同樣地，上帝不會向你要求祂沒有存放在你裡面的東西。如果你放膽跨出信心的一步，就會發現你從來不知道已經擁有的內在恩賜。

有些人幾乎錯失了上帝要在他們身上或是藉著他們去行的大事，因為他們說服自己別去相信更好的。聖經舊約記載，當上帝告訴摩西去對抗埃及的統治者法老，命令法老釋放祂被奴役的百姓時，摩西推諉：「主啊，我做不到，」他說：「我素日不是能言善道的人，我本是拙口笨舌的。」

我很喜愛上帝對摩西的抗議與藉口的回應。上帝問說：「摩西，誰造你的口呢？誰賜你聲音呢？」

上帝用這一針見血的問題來提醒祂的人說：「摩西，我已賜你一切所需，現在你要汲取我所賜給你的，並為著我的榮耀、你親友與你自己的益處來使用它們。」

上帝也對另一個舊約英雄基甸說類似的話，上帝告訴基甸去拯救以色列民脫離壓制，祂甚至稱呼基甸為大能的勇士。

然而，基甸因恐懼與不安而怯懦地說：「主啊，怎會是我呢，」他哀叫道：「我在我父家是至微小的，我身邊的每個人都比我有本事。」

但是上帝卻給了基甸一切條件，去行他蒙召要做的事。

不要因你所夢想的太大，或是上帝呼召你去成就的太偉大而嚇到了。不僅如此，也不要讓路上那些說負面話語的人阻礙你前進。當人們意圖阻擋使徒保羅，試著說服他別做夢了，並說他做不到的時候，保羅回應：「就算他們不信又如何？他們的不信，豈會讓上帝的應許在我生命中失效呢？」

保羅的意思是說：「如果其他人不想為著生命中更美好的事物相信上帝，沒關係；但這可不會讓我也不信。我知道上帝的應許在我裡面。」

這也是我們應該抱持的心態。別人說我不能成功又怎樣？有人試圖壓制我又怎樣；有人不信又如何？我才不要讓他們的行為、態度或評斷，來讓我放棄上帝賜予的夢想，我可不要讓他們的不信影響我的信心。

別被拒絕打倒

當我們遭遇某些拒絕或失望時，經常會灰心喪志到對現狀感到認命，而試圖合理化這些遭遇：「我想，事情本來就與我所想的有出入。」或者，我們會說：「我以為我能和那個萬人迷約會，但也許我長相不夠俊俏。」或是：「我以為

我能升遷，但我努力卻失敗了。也許我才幹不夠，這不會成功的。」

當失望與拒絕擊倒你，你要重新站立並繼續向前。我們太輕易就會放棄夢想了。我們必須了解，就如上帝會以超自然的方式開啟一些門，有時祂也會以超自然的方式關閉一些門。若上帝關門，這都是因為祂有更好的預備。因此在你走投無路之時，不會是你該放棄之時。你要去開拓新的路徑，不斷向前。

我們最遠大的方向往往出自於最嚴厲的拒絕。

我們最遠大的方向往往出自於最嚴厲的拒絕。當你來到一扇關閉的門面前，或是遇到生命中一件無法搞定的事時，你不但不能將這視為死巷絕路，反而要將其視為上帝正在推動你朝更好的方向邁進。沒錯，有時這令人難受，有時我們可能不喜歡這樣，但我們卻不能錯誤地退縮不前或妥協於現狀。

回顧一九五九年，我父親當時正是知名教會的牧師，會眾迅速增加。他們才剛建好一座新會堂，而我的父親前途似錦。約在那時，我姊姊麗莎出生，卻患有類似腦性麻痺的病症。父親極渴慕上帝更新的觸摸，因此他離開一陣子，去與上帝獨處。他以新的方式研究聖經，開始看見上帝是多麼良善的上帝，是醫治的上帝，而且當今仍在行神蹟奇事。之後我父親回到他的教會，開始帶著新的火熱、新的熱忱來證道。他以為每個人都會興奮不已，然而會眾的反應卻剛好相反。他們不喜歡他帶來的新信息，因為與他們的傳統不合。在父親遭受許多逼迫、心碎與痛苦之後，他明白自己最好的

作法，就是離開那所教會。

　　自然而然，我父親非常失望，他不明白為何這樣的事會發生。但要記得，拒絕會產生方向。當一扇門關閉，上帝就要開啟另一扇更大、更好的門。

　　我父親來到街上一間棄置的飼料舖。在那兒，他與九十個人便在一九五九年的母親節創立湖木教會。批評者說這撐不久，但到了今日，在將近五十年後，湖木教會已經成長為美國最大的教會之一，並且持續成長中。

　　當初父親若留在那受限的環境中，我不相信他還會喜愛自己的服事，我也不相信他還會成為上帝創造他的樣式。關鍵在於此：你心中的夢想可能比你所處的環境還要遠大。有時你得脫離那環境，才能看見夢想實現。

> 你心中的夢想可能比你所處的環境還要遠大。

　　來思想橡樹的例子。如果你把它種在一個花盆中，它的成長就會受限。一旦它的根佈滿盆中，就無法繼續長大。問題不在於樹，而在環境，環境扼殺了生長。也許你心中想著的是比當下環境所能容納的、更遠大的事，而這就是為何上帝有時會把你搖出安全地帶。當你經歷逼迫與拒絕，這不會全是因為某個人要針對你。有時，這是上帝要引導你進入祂完美旨意的方式。祂正試著讓你伸展以跨越到下一個境界，而祂知道，若不推你一把，你是不會行動的，因此祂會讓你在現狀中不得安穩。但有時我們會犯的錯就是變得尖酸負面；我們聚焦於那些無法成功的事，而當我們這麼做，就是在阻止新

門大開。

幾年以前，湖木教會試著購入某項地產以供建堂。我們尋覓了好幾個月，最後終於找到一塊一百英畝的極佳廣闊土地；我們非常興奮。然而，就在我們要講定這筆交易的當天，賣方就背著我們賣出這塊地。

儘管我極度失望，但必須告訴自己：「約爾，上帝關上這扇門必有原因；祂一定預備了更好的。」當然我倍受打擊，也承認自己灰心、沮喪，但我必須甩開這些心態並說：「不，我不要在此認命，我要不斷前進。」

幾個月之後，我們又找到另一塊地。這塊地原本也應該很好，但是一連串類似的事件又讓風聲走漏，使地主拒絕出售這塊地給我們，以致又是一次失望。我無法理解，但我說：「上帝，我信靠祢。我知道祢的道路不同於我的道路。這看來不對勁兒，也不公平。但我要保持信心，不斷期待好事發生。」

就在那事件不久之後，一扇通往康柏中心(Compaq Center)這個擁有一萬六千座位的體育館之門開啓了，它位於休士頓市中心，坐落在本市最繁忙區域的中心地段。一切都撥雲見日，使我們明白為何上帝要把另外兩扇門關上。我們要是買下了前兩塊地的其中之一，可能就錯過了上帝所預備最好的。

我們這一生可能無法完全了解一路上發生的事，但我們必須學習信靠上帝，必須相信祂將我們托在祂的手掌心上，祂引領並指導我們，因祂總將我們最大的益處擱在心上。

我認識在人際關係中遭受過拒絕的人。也許他們的婚姻不成功，他們花了好幾年投入其中，現在卻受到傷害、沮

喪，渾身挫敗而不再期待任何好事發生。

我不相信離婚是上帝最好的旨意，但不幸的是，有時這卻是無法避免的。如果你曾離過婚，你要了解，上帝對你的生命仍有其他計畫。有人拒絕過你或離開你的生命而徒留傷痛給你，不表示你就應該退縮並認命於此。這些拒絕不會改變上帝放在你身上的恩賜，也不表示你不能快樂起來。當一扇門關上，如果你保持正確心態，上帝還會再開另一扇門。但你必須盡本分並且不斷向前。太多人卻變得苦毒，變得憤怒，並開始責怪上帝。不能如此，反而要放開傷害。你也許無法明白，但你要信靠上帝，繼續向前活出生命。不要將這視為絕境，而要將之視為新的開端。也許有人拒絕了你，但你仍可以抬頭挺胸，並深知：上帝接納你，上帝讚許你，祂為你預備了更好的。

朋友，不要帶著內在的珍寶白活一場。要不斷向前，不斷達到新的高點。要催生上帝放在你心中的一切，別讓他人說服你遠離夢想。要聽上帝所說關於你的話語，不要去聽那些負面聲音。當你面對拒絕與失望，不要停滯在那兒。要知道上帝另有計畫，這扇關上的門僅表示，上帝要給你其他更好的。過去你也許還沒經歷上帝的恩惠，但這是嶄新的一天，你還沒見識、還沒聽聞或想像到上帝為你預備的美妙事物。不要被生命中的紛擾與失望壓倒；相反地，要不斷伸展至下一個更高境界，發揮你最大的潛能。如果你這麼做，我可以滿有信心地告訴你，美好的日子就在你前面。上帝要向你彰顯更多的福分與恩惠，你會變得更好，比自己能夠想像的都還更好。

第 2 章

給夢想一個新開始

幾年以前，我走進一棟政府大樓，它裝置著兩道前後相隔十五呎的兩扇式大門。門在我靠近時會自動開啓，但基於安全理由，當我穿越第一道門時，必須在第二道門開啓前，先讓它完全關上，否則不論我在第一道門那兒待多久，第二道門就是不會開啓。

在許多方面，生命也像那些自動門一樣運作著。你必須放開失望，放開失敗，讓那些門在你後方完全關閉。然後往前邁進，進入上帝爲你預備的美好未來並明白：你對過去的失望無能爲力。你無法改變過去，但你能爲未來努力。在你前方的，遠比在你後方的重要太多，而你要前往的所在，也比你從何方而來又停留何處，更具意義。

如果你保持正確心態，你在未來孕育的會比過去所失去的更多。不要再回頭看，這是嶄新的一天。也許你的夢想似乎已死，但上帝卻能使你逝去的夢復甦，或是給你一個全新

的夢想。因祂是超自然的上帝，只要我們相信，萬事都可能。

上帝沒有放棄你；祂知道祂已在你心中植入偉大的種子。你能付出別人所不能給的；祂給了你壯麗的夢想與渴望。然而，我們卻太常讓逆境、失望與挫折攔阻我們，要不了多久，我們就會發現自己不再進步，不再擴展，也不相信自己還能進入更高層次。

你在未來孕育的，會比過去所失去的更多。

諷刺的是，有些最具天賦與才幹的人，卻遭遇到最不公平與最不幸的經歷，像是離婚、受虐與被忽視。遭受這等經歷的人當然很容易會這麼想：為何我會遭遇這種事？我做了什麼要遭受這樣的待遇？

不幸的是，仇敵同樣了解你內心的一些狀況。祂知道你擁有的潛能，因此祂盡一切所能不讓這潛能的種子生根。祂不要你的天賦才幹大放異彩，也不要你實現夢想；祂要你活得平平凡凡，庸庸碌碌。

但你要了解，上帝不會在創造一個人的時候，不把極其寶貴的東西放在他裡面。生命也許試圖以失望、挫折來壓制你，以致在天然的情況下，你不知道自己怎麼可能高升、進步，也不明白你怎麼還能快樂得起來。但你要堅守立場，並說：「我知道我的內在擁有什麼，我乃至高上帝的孩子。我充滿了祂『能夠做到』(can-do)的大力，而且我要成為上帝創造我成為的樣式。」

使徒保羅敦促他的年輕助手提摩太，要「激起自我的內在恩賜」。同樣的，你也必須激起自我的恩賜、才幹、夢想

與渴望，簡而言之，就是要激起你的內在潛能。也許這些特質、性向正埋藏在灰心沮喪，以及人們說你辦不到的負面聲音之下，或是埋藏在軟弱、失敗與恐懼之下。

但上帝賜下的好東西卻始終在那兒。現在你可得盡力而為，開始將它們全部挖掘出來。

你也許受夠了不公平待遇與負面經歷。但要明白，上帝要做新事，祂要給你一個新的開始，因此不要放棄，不要成天想著你已經達到巔峰、已達到了生命的極限。「唉，約爾啊，你不了解我的狀況。我的教育水準就只能讓我有這種表現，你不知道我的難處。」

上帝要做新事。

對，也許我一無所知。但我卻了解上帝，還知道祂無所不能。祂為你預備了更多，而我要問的是：「你能感知這些嗎？你能容納這些嗎？」它的起始地正是你的思想，如果你的思想受限，那麼你的生命也會受限。

「但約爾，我已破產。我努力過卻失敗了。」

既然如此，那就放手吧，因為這是新的一天。

「我的婚姻失敗，我好失望。我從沒想過會在一生的這個節骨眼落入這步田地。」

這很不幸，但不是絕境。當一扇門關閉，上帝總會再開另一扇門。如果所有門都關上了，祂還會乾脆開一扇窗給你！上帝始終都渴望給你嶄新的開始，祂對你的生命仍有美好的計畫。你知道這什麼時候會開始嗎？就是從你不再回首過去開始，是當你停止哀悼自己所失去的一切開始。沒有任何事物能像哀悼過去一樣，使你遠離上帝為你預備的上好事

物。

你也許會覺得生命已用失望與不公平的遭遇擊倒你，但不管你做什麼，就是不要倒地不起。重新站立，撣掉塵埃。如果你找不到人鼓勵你，那就學習自我激勵。早晨一起床，就挺胸振作，看著鏡子說：「我已經停滯太久，我也許已被擊倒，但我不會出局。我要重新出發，我知道我是得勝者，不是受害者。」

如果你要看見新的門開啟，就必須保持高昂的鬥志。我認識太多活在「過得去」之境的人們。

「約爾，我不喜歡我的工作，但這還能過得去。」「我丈夫與我合不來，但還過得去，我們還撐得下去。」「我學非所用，也不喜歡我所從事的行業，但也算過得去，至少我還有份工作。」

不行，千萬不可以用「過得去」的心態得過且過。要不斷前進，不住相信。你受造不是為了成為平庸；你被造乃為了活出卓越，要在這世代留下影響。在每一天新的開始，就要提醒自己：「我有才幹，我富創意，我大大蒙恩。我準備就緒，我十分有能力，我要眼見夢想成真。」用信心宣告這些話語，要不了多久，你就會在真實生活中親眼看見。

要明白，我們終其一生都會遭遇阻礙的力量，試圖阻止我們成為上帝創造我們要成為的樣式。許多時候，逆境、不公平的境遇是仇敵作工的結果，試圖挫敗我們並欺騙我們，使我們放棄夢想。今天，你也許覺得生命是一場空，沒什麼好事發生，你遭遇了重大困難。但上帝要使你康復，要激勵你，要用祂的盼望充滿你。祂要使你的夢想復活，祂希望做新事。

要持續提醒自己，你內在天賦異稟，你有才幹，有創意。因為這正是仇敵試圖要壓制的，牠要讓你的恩賜、創意、喜樂、笑容、個性與夢想無法見到亮光，牠喜愛看見這些在你的一生都休眠。但感謝上帝，這不是操之在仇敵，乃是取決於你。

當然，也許你生命一開始就不順遂，你已經受夠了不公平的待遇。然而重點不是你怎麼開始，而是你如何結尾。甩開過去，甩開沮喪。要提醒自己：上帝仍完全掌管你的生命，如果你不斷信靠牠，牠應許：攻擊你的器械必無法產生效用。也許你處在不公平的景況中，情勢也許困苦，也許那些對抗你的力量看來好像佔了上風，但上帝說牠要翻轉你的情勢，為你的益處使用它們。

不要讓「過得去」的心態使你得過且過。

不要自滿，不要讓「過得去」的心態使你得過且過，而要不斷自我進步。幫助你的力量會比阻撓你的力量更大，因為聖經說：「一宿雖然有哭泣，早晨便必歡呼。」[1]

你必須找回你的夢想，找回你的火熱。不要只讓婚姻過得去就好，要在今天展開新視野。不要只是拖著腳步從事千篇一律的工作；要開始踏出信心的步伐。你內在擁有的不止於此，你要多多督促自己。你所盼望的在過去也許沒有成就，但今天是嶄新的一天。如果你不斷前進，盼望，相信，你不僅會更上一層樓，還會看到事情為了使你得著恩惠而改變。

「約爾，我試過但是失敗了。我的夢也碎了。」

既然如此,那就再懷抱另一個夢想。

「但我損失慘重,飽受重創。」

重新站立,再度向前,這是我們都必須做的。

想像一下:在亞當與夏娃發現兒子該隱殺害次子亞伯時的失望與心痛。聖經創世記四章25節記載,他們儘管痛苦難當,卻仍然說:「上帝另給我立了一個兒子。」他們其實是在說:「這種事發生在我們家實在太駭人聽聞,我們心神俱創,但我們不要永遠哀悼下去,因為我們深知上帝另有一顆種子。」

在你困苦的時候,在你覺得情況不可能更慘的時候,上帝仍在說:「要剛強壯膽,我會播下另一顆種子,我要成就新事。」

也許你從醫生那裡得知負面的檢驗報告;或者,也許你遭逢關係上的失敗。對於你失去的一切、被盜取的一切、被奪走的一切,你都要知道,上帝另有計畫,祂還有其他種子。

上帝之所以會用「種子」這個詞,是因為這意味著即將來臨的。要記得,如果你盡本分放開舊有的一切,開始前進,你在未來孕育出的會比過去失去的更多。

許多人很難放開過去,他們總是專注於誰傷害過他們,或自己遭到何等不公平的對待:「為何這會發生在我身上?」而在此同時,他們的天賦、才幹與夢想卻受到了壓制,以致他們一切的潛能都只能休眠、靜止。

我父親也幾乎曾這樣。父親非常早婚,不幸的是,這段關係無法成功。我父親為此心碎,他認定自己的服事將就此結束,永遠也無法再建立家室。他武斷地以為自己的人生已

經毀了，而他渴望帶來的一切影響力也已毀朽，以致他長期陷在沮喪、失敗與拒絕之中。

接著有一天，他做了我要你做的事。他不願認命地得過且過，也不再專注於自己的錯誤與失敗，卻決定放手。幾年之後，他告訴我說，對他而言，最困難的事就是接受上帝的憐憫。但聖經說，當我們認自己的罪，上帝不僅赦免我們，祂也不再記念我們的過犯。如果有人不斷提起你的過去，你必須明白，這不是來自於上帝。如果上帝都已經放手了，你何不也放手呢？

而這就是我父親做的。有一天，他站立起來，撢掉灰塵，並說：「沒錯，我犯了些錯，我做了些糟糕的選擇。但我知道上帝有另一顆種子，我知道祂另有計畫。」在那不久之後，他就遇見了我的母親。最後他們結婚，幾年下來，上帝還用五個孩子來賜福給他們！

許多人也像我父親一樣，經歷過傷心痛苦，深陷在自己的錯誤中，懷著罪疚、定罪與挫敗。他們覺得自己已經完了，遂任由自己的恩賜與才幹白白浪費，以致中止自己的夢想。

拜託，不要讓自己變成這樣。如果你犯了錯，要知道：上帝是給予第二次、第三次、第四次與更多次機會的上帝。我不是說你要恣意妄為，脫離婚姻。不是。若是可能，你要盡力堅守並使婚姻成功。然而，如果你已經錯過，就不要一直想著生命已經完了，你永遠都不會快樂。不要這樣想，上帝另有種子，祂要給你新的開始。

讓門完全關上，向前邁入上帝為你預備的未來吧。別再回顧過去，反而要領受上帝的憐憫，開始在生命中向前邁

進。

你駕駛的車子有一面很大的擋風玻璃，但只有一個很小的後照鏡。這含意很明顯：你過去發生的事和未來將要發生的，其重要性簡直不能相比，你要往哪兒比你從前在哪兒重要得多。如果你一直專注於過去，那你就得承擔錯失前方機會的責任。

我們要如何放開過去？第一，鍛鍊你的思想別再去想它。不要去談論它，也不要重溫一切負面的經歷。

你過去發生的事和未來將要發生的，其重要性簡直不能相比。

如果你曾痛失所愛或是夢想破碎，當然一段時間的哀慟是一定有的。但到了某種程度，你就必須撢掉

灰塵，懷抱嶄新的態度，開始向前邁進。不要讓失望成為你的生活重心，不要再哀悼你無法改變的事。上帝要給你新的開始，但你得先放開舊的，才能看見新的。就讓門在你背後關上，往前方的門踏進吧。

也許你讓別人說服你，說你永遠不可能更上一層樓，你永遠不可能看見夢想實現，因為時間拖太久，你把一切都嚴重搞砸了。

不要相信這些謊言。相反地，要從舊約英雄迦勒身上找到勇氣。迦勒年輕時與約書亞曾擔任探子，在上帝百姓進入應許之地前，去查探仇敵的實力。在十二個探子中，只有迦勒與約書亞帶給摩西正面的報告結果。他們說：「我們有能力攻佔這地。」其餘十個探子則說：「不行，摩西，那塊地上有巨人，敵方勢力太強，要克服的障礙太大了！」多數探

子試圖阻止摩西與其他以色列人前進至上帝的應許之地，他們太樂於屈就次好的，寧願在原地度過餘生。不幸的是，這群負面思考的人永遠無法進入應許之地。他們接下來花了四十年徒然勞碌，漫無目的地漂泊在曠野中。最後，他們多數人帶著夢想死去，因為上帝已經興起了全新的世代。

在那時，迦勒已經八十五歲，但他仍未放棄上帝放在他心中的夢。許多他這把年紀的人都坐在搖椅上，回想從前的美好時光，但迦勒可不是這樣。他不斷自我督促，持續鍛鍊自己。他告訴約書亞，自己仍和當初得著應許時一樣剛強。

迦勒回到了原來的地方，也就是當初大家害怕攀越的那座山。他說：「主啊，請將這座山賜給我。」迦勒其實說的是：「我不要住其他地方，因為我心中仍懷抱這個夢想。」

有意思的是，迦勒沒有要求一處容易取得的基業。事實上，他攀爬的那座山上頭住著五個巨人。當然，他可以找一處難度沒那麼高，更容易取得、更輕易佔領的地方，但迦勒說：「不，我不管有多少攔阻，上帝應許我的是這塊地。雖然已過了四十年，但我要不斷進取；我要保持信心，直到看見應許成就。」

這就是我們必須抱持的態度。我們太輕易放棄地說：「唉，我沒得到想要的升遷，我想這不會成就。」

「我和丈夫就是處不來，我猜這段婚姻已經緣盡情了。」

不對，你要不斷保持信心向前，要不斷激勵自己。你有天賦、有才氣、有夢想，不要讓滿足於現狀，而阻擋你看見上帝的應許成就在你的生命裡。

待在健康的環境裡

另一個充分發揮潛能的重要關鍵就是，要讓自己處在種子能發芽成長的地方。我認識一些極有天賦的人，他們擁有驚人的潛能，然而他們卻堅持與錯誤的群體混在一起。如果你與怠惰、散漫，毫無遠大志向、負面又刻薄的人交好，他們會成為你的阻礙。不僅如此，你自身所處的環境也會讓你無法更上一層樓。你不能成天與負面的人攪和在一起，還指望能活出正面的生活。如果你所有的朋友都是沮喪、挫敗一族，都放棄了他們的夢想，那麼你要做些改變。讓我們誠實以對：你可能無法拉抬他們，比較有可能的是，如果你一直花太多時間與他們相處，他們反而會把你拖下水。

當然，你愛你的友人；你可以為他們禱告，並試著鼓勵他們做出正面的改變，但有時你最好的方法卻是脫離負面的人，讓自己處在健康、正面、充滿信心的環境裡。這至關重要，因為不管種子裡的能量有多大，如果你不把它播撒在沃土中，它就不能生根發芽。

> 你不能成天與負面的人攪和在一起，還指望能活出正面的生活。

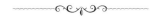

娜塔莉活在一個極度負面的環境裡，飽受身體、情感與言語的虐待。雖然她丈夫湯瑪斯囂張跋扈又愛控制人，而且拒絕接受幫助，娜塔莉卻年復一年維持這段婚姻。她害怕離開，恐懼自己會孤單，惟恐自己無法自立，也無法養育兩個女兒，害怕自己永遠無法再遇到願意愛她、接納她的男人，

更別說還要接納她的孩子。

當娜塔莉問我，她是否應該繼續待在這段受虐的關係中，我回答：「娜塔莉，我不相信結束這個婚姻是上帝最好的旨意，因為我完全贊同夫妻一體，努力經營婚姻。但你要了解，上帝造你不是要你受虐、被惡待。你的母親曾處於受虐的關係，現在你也遭遇相同的事，而除非你做出改變，否則你的女兒也會遭遇相同的事。」

儘管肝腸寸斷，娜塔莉最後終於鼓起勇氣，關起這段婚姻之門。她重新開始，繼續學業並畢業取得學位。她找到了一份好工作，還遇到一位愛她、也愛她孩子的男士。今天，娜塔莉享有美滿的婚姻，活得更好。不過，要是她當初沒有讓一扇門關上，走進下一扇門，那麼這些都不會成就。

我曾聽過有人告訴我：「我不明白自己為何老是受到虐待狂吸引，我才脫離一段可怕的關係，卻又走進另一段更糟的關係中。我知道自己應該抽身，我知道這對我有害，但我就是脫不了身，我會有罪惡感。」

我通常會回答：「這樣不行，因為你有責任保持自我的健康與完整。你是一份恩賜，而上帝已將祂的天賦與夢想託付給你。也許這很痛苦，但你能做的最好決定，就是遠離不斷拖累你心靈的人。不要讓人這樣糟蹋你，你極為寶貴，你是依照全能上帝的形像受造。」

「約爾，如果我表明立場設立界線，那人就會離開；他就會拋棄我。」事實上，這可能是最棒的結局呢。我聽人說過，有一種叫做「分離的恩惠」，這是說，有人逼著你選擇離開，你自己可能無法了解，但這其實是幫了你一個大忙。不要回顧過去，卻要向前看。要預備好迎接上帝渴望在你生

命中行的新事。

我們所有人難免都會遇到離開我們生命的人。他們也許不是壞人，只是那段關係的時節已經結束。我們也許無法理解，但是上帝知道自己在做什麼。也許這人讓你倒退不前，可能她讓你難以振翅高飛，或許他對你產生不良影響。有時，你自己就會發現，但如果你不起頭，上帝就會幫你代勞。當某人離開你的生命或是當一段關係結束，不論那人是你的生意夥伴、朋友、鄰居或是離職同事，你都不用覺得難過。不要設法說服他們留下，要讓上帝做新事。要明白，你的命運不會繫在離開你的人身上。

你也許會想：「但我的生命需要這個人；他是個很棒的朋友；我希望她能從旁扶持我；她是個優秀的事業夥伴。」

你的命運不會繫在離開你的人身上。

不，這人並不是讓你變得更美好的關鍵。當上帝讓某事了結，再多的糾纏也是枉然。你大可放手，預備好迎接上帝要在你身上或透過你行的新事。

要讓自己一直處在健康的天然環境中，如果你已經掙扎於沮喪與挫敗之中，不要成天坐在暗室裡想著自己的問題。打開窗戶，讓陽光照進來。放些提振心靈的音樂，創造一個正面的環境。當你快變得沮喪時，可別不要命地再找五個頹喪夥伴，坐在那兒討論你的困境。要找些樂於激勵你的人，要與能啟發你向上的人相處。特別是在你情感脆弱的時候，要留心所結交的人，因為負面的人能登堂入室，把夢想從你

的心中偷走。

當我第一次考慮把湖木教會搬到位於休士頓市中心的康柏中心現址，許多人都告訴我，我們永遠也搬不成。企業主與其他「專家」說：「約爾，不要浪費你的時間、金錢，不可能成功的。」

我本可輕易地放棄並想說：他們在這方面說不定比我聰明多了，他們在生意上的敏銳度比我靈光多了，也許我該放棄這打算。

但我說：「不，我相信上帝把這夢想放在我心中，我不要過了五十年後再說：『我在想，當初若我單單地相信，結果會是如何呢？我在想，如果我沒讓他們說服我放棄夢想，會發生什麼事呢？』」

我想不出有什麼事會比生命走到盡頭時，還帶著一堆悔恨更糟：如果當初……會是如何？可能會如何呢？本來應該成就什麼呢？

在追求夢想時，要小心你身邊的負面影響。我還記得一位顧問，他是我們設法取得康柏中心時聘請的。每次我們會面時，他都告訴我們這件事不會成功的所有理由。他總是帶來負面報告。當我最後終於領悟到這位顧問所帶來的深遠影響時，我說：「我們的團隊不需要這樣的人，他在污染我們的環境，他正拖垮所有人。」

要讓自己的周圍環繞著激勵你的人與造就你的人。當然，你需要有這樣的一個人，是在你作下糟糕選擇或錯誤決定時能夠說誠實話的；不要讓身邊充滿唯唯諾諾的人。但另一方面，卻也不要忍受一群負面、刻薄與「行不通」的人。有時最親近你的人反而是最使你挫敗的人。

記得大衛王嗎？當他還是個男孩時，他告訴兄長以利押，他要對抗非利士巨人歌利亞。以利押試著以壓制使大衛感到挫敗，他說：「大衛，你來戰場上要做什麼呢？你應該乖乖待在家幫父親牧羊才對。」他其實是在說：「大衛，你永遠也成不了大事，你根本沒本事。」

就在當下，大衛必須作出關鍵的決定：他要相信來自長兄的負面評估，還是要相信上帝放在他心中的想法？他本可說：「這個嘛，也許我哥是對的，他比我年長，閱歷更豐富，對我們面對的阻礙更有認識。我只是個小毛頭，我覺得自己厲害不到哪兒，也許我會陣亡在戰場上。」

不過事情不是這樣，大衛說：「以利押，我不在乎你對我的看法如何。我明白我是誰，我知道上帝放在我心中的是什麼。我要踏出去，實現上帝對我的命定。」他這麼做了，他對戰巨人並用溪中的石子解決了他。

就連耶穌也得離開自己的家鄉拿撒勒，因為那地的人實在太充滿懷疑不信，這是不是很有趣呢？耶穌知道，如果自己一直待在那種負面環境中，就會讓祂停滯不前。

同樣地，你可能也有缺乏遠見、無法想像你是出類拔萃的家人或親戚。不要生他們的氣。其實他們通常都是好人，你也敬愛他們，但要了解，你不能與他們朝夕相處。你必須保持一段距離來愛他們。因為生命太短暫，沒時間讓你被負面、忌妒與刻薄的人拖垮。無論你是何等天賦異稟，或有多少潛力藏在你偉大的種子裡，如果你不把那種子播

有些人你必須保持一段距離去愛他們。

在有益生長的沃土裡，它就無法生根發芽。你的夢想根本無法開花結果。

你必須與其他夢想家在一起，他們不是作白日夢的人，而是有遠大夢想的人，是計畫為生命成就大事的人。要與能幫助你成為上帝造你的樣式之人在一起。

上帝在說，這是全新開始的時候，你要找回你的火熱，找回你的熱情。也許你臥病已久，但現在是你痊癒的日子。你也許飽嚐沮喪、挫敗的滋味，但這是你破繭而出的時候。你也許來自失敗、挫折與負面思維的家庭，但現在是你脫離泥沼的時候。

開始再次擴展你的信心。每天一起床就期待好事發生，而且要記得，上帝與你站在同一陣線。祂愛你，祂幫助你，而且聖經說：「凡信祂的人必不至於羞愧。」[2]

對於我們應該抱持的心態，我父親所做的總結，是他常引述的美國詩人艾德溫‧馬克漢(Edwin Markham,1852-1940)簡單又深奧的一段話：「年少追求夢想時，懷抱信心是何等美妙；但更美妙的是，在飽嚐人生歷練後還能說：原來夢想是真實的！」

不要甘於平庸；永遠不要抱著「過得去」的心態得過且過，因為你同樣也將發現夢想是真實的！

第 3 章

血統的力量

最近我讀到一些關於名種賽馬的資訊，也就是肯塔基傳統大賽或是其他知名馬賽裡會有的那種賽馬。我從來不知道培養一批冠軍賽馬要花上多少時間、努力與資源，我總以為是某個人騎著馬外出，然後有一天他突然發現某匹馬天賦異稟，速度極佳，於是就決定把這種馬培育成一個品種。不過當然，冠軍馬的養成絕不只是這樣。

這些馬不是普通的馬；牠們是純種馬匹。牠們家族世世代代都有冠軍血統，每個世代都經過詳細的研究與培育。育種人、馴馬師與獸醫會搜尋過去五十或六十年來的資料與數據，以檢測這些動物的家族血統，一匹馬能夠在肯塔基大賽中出賽絕不是偶然。

在賽馬時，「血統經紀人」會將注意力集中於馬匹的家族血統上。他會花好幾個月研究一匹馬的血脈，追蹤牠的族系。「血統經紀人」會檢視這匹馬的父親是如何被餵養成賽

馬，牠跨步需要多久，能跑多快等等。育種人明白，冠軍不是偶然發生，奪冠的機會就在於血統之中。

　　光是培育一匹世界冠軍純種馬，就可能要花上幾十萬美元，而且還不能保證這匹小駒能夠奪冠。事實上，當一匹小馬誕生時，牠的腿還不穩，幾乎站不起來，而且目光呆滯。不夠內行的門外漢可能會說：「這些倒楣的飼主白花錢了。這匹馬根本贏不了任何獎盃，牠看來只是隻平凡的普通馬。」

　　但飼主明白，在這匹馬的內在和血脈之中，這匹小馬擁有冠軍的遺傳基因。事實上，牠的體內可能擁有幾十座獎盃，這些都在牠的血統之中。而這也是為何飼主不一定會擔心這匹馬初生時的虛弱，他們不在乎牠是什麼顏色，牠有多美，甚至體型有多大。他們知道在這匹馬的體內深處，擁有贏家的血統。

　　朋友，這也是上帝對你我的看法。我們的外在不重要；不管你的膚色或種族背景是什麼，無論你有多少軟弱與缺點，你所擁有的是全能上帝的DNA。你來自於冠軍家族。

　　來思考一下：你的天父用話語就創造了宇宙，你的兄長擊敗了仇敵；另外來想想你的生身祖先。

- 摩西分隔紅海；你的血統裡大有信心。
- 牧羊人大衛，只用幾顆從溪中撿來的石頭就打敗巨人歌利亞；你的血統裡大有勇氣。
- 參孫推倒一棟建築；你的血脈中有超自然的能力。
- 但以理一整晚都在獅坑中卻毫髮未傷；你的血統中湧流著屬神的保護。
- 尼西米在一切攔阻中重建耶路撒冷的城牆；你的血

脈中躍動著堅忍不拔。

· 以斯帖王后冒著生命危險，拯救上帝的百姓；你的
  血統中滿有犧牲與豪情。

你明白嗎？你來自於冠軍族系，你不平凡，你血統純
正。不管你的現況看來如何，你都必須知道，你的內在流動
著贏家的血統，你的內在是偉大的種子。再看清楚一點你的
血脈：你的血脈中是一代又一代的冠
軍，你是全能上帝的種子。

這就是為何你必須停止聚焦於自
己的軟弱，要轉而為生命得著更大的
視界。要明白，上帝已經把你視為得
勝者圈中的一環，他已經看見人們把
玫瑰花環套在你的脖子上。這也是大
衛在說這話時所要表達的意思：「祢

**你來自於冠軍族
系。**

所定的日子，我尚未度一日，祢都寫在祢的冊上了。」[1]換句
話說，也許你現在只有三十、四十或五十歲，但上帝已在你
身上作工許久，祂早在你出生之前就幫你計畫好了。你極其
寶貴；你絕不平凡；你出自偉大的族系；你已被命定要活出
得勝，要克服萬難，要為這世代留下見證。

有時你會聽到人說：「唉喲，他就是基因優良，出身良
好。」讓我告訴你，你更是系出名門，因為上帝用祂最棒的
創造了你。

有趣的是，對多數人而言，名種賽馬與普通馬看來沒兩
樣。當然牠們都是美麗的動物，但一般人卻搞不清楚冠軍馬
與單純被餵養得健全的馬有何不同。因為不同之處乃在於血
統，這是讓牠們身價非凡的原因。

　　這道裡同樣適用於我們。聖經上說我們得勝，是因羔羊的血和自己所見證的道，還有犧牲自己生命的意願。[2]因著上帝所做的這一切，我們每個人都是血統純正的優良品種。

　　「但你不了解我過的是怎麼樣的人生，」我聽到你說：「我這裡失敗，那裡又犯錯，我的癮到現在還沒戒掉。」

　　這不會改變你的血統，也不會改變你內在已擁有的。也許你從來都不明白自己有多貴重，也許你未曾知道上帝為你付上多大代價；但你必須了解你的內在擁有什麼。聖經哥林多前書說，你是被重價贖回的，上帝為你付出了祂最寶貴的，就是祂的獨生愛子。所以，請不要成天想著你沒價值、沒有未來。你的內在是冠軍，冠軍就存在於你的血統裡。

　　我父親幾年前有一次前往友人的教會聚會。父親稍遲了一會兒，所以他就坐在後排的位置。幾分鐘之後，一位年輕人也來坐在離我父親不遠處。父親注意到這位年輕人看來極為心煩意亂，於是他的心思立刻跑到這位年輕人身上，非常擔憂這人。父親兀自想著等到聚會結束之後，他要和這年輕人聊聊，順便試著鼓勵他一下。然而，當聚會進行到一半，這位年輕人就起身離開。

　　我父親覺得自己一定要跟著他，於是起身離開座位去尋找他。他尋遍前面走道卻找不到他，又到停車場找，但還是遍尋不著。他回到教會裡正打算放棄，但他又決定去洗手間察看一下。有幾個人在裡面，因此我父親就等著。當然，幾分鐘之後，那位年輕人出來了。

　　他很驚訝看到我父親，而我父親則說：「我知道你不認識我，我也無意干涉你的事情，但我非常擔心你。我要你知道上帝愛你，你對祂來說極為寶貴。」

年輕人回望我的父親，臉上突然佈滿淚水。他說：「我的生活一團糟，我對好幾種藥物成癮快受不了了。我決定來教會最後一次，然後就回家吞下所能找到的每一顆藥丸，了結一切。」

稍後，他描述了看到我父親坐在他那一排的情景。他不認識我父親，但對他穿的皮鞋印象深刻。那雙鞋的影像留在他的腦海中，因此當他走出教會，他知道父親跟著他。他說：「我想盡一切方法脫身，但我每走到一處，都看到那雙鞋跟著我。」

我父親告訴他：「你現在處於什麼境地都不重要。你也許犯過錯，也許失敗過千百次，但你要知道，這毫不改變你在上帝眼中的價值。你不是偶然出現在這世上，上帝對你的生命有個計畫與目標。祂有任務給你，而且這任務絕不是要你在平庸中浮沉。」

我父親與這位年輕人一同禱告，那晚是這年輕人的生命轉捩點。在超過三十年之後的今天，這位男士是一間教會的牧師，在世上幫助了數以千計的人改變生命。

也許你就像那位年輕人一樣，也許你從未好好想過自己的內在擁有什麼。你也許曾犯錯，但別讓這錯誤使你一蹶不振。起身站立向前行，你的過犯或錯誤選擇不會改變你的血統，它們不會改變你內在所擁有的。當一個人失敗或犯錯時，社會往往就摒棄他，但上帝不是這樣。上帝看到你的潛能，祂知道你能成為什麼。祂是你這個人的設計者，而且祂知道你仍然可以成就大事，這存在於你的血脈之中。

祂已經為你設定了成功所需的一切程式，這就是為何每天你都能說：「我有本事，我得勝有餘。我有才華；我天賦

異稟。我很成功；我有魅力，我是贏家。」因為上帝已將這些都注入你的血脈之中。

你的屬靈血統比你的肉身血脈更有力量。

當然，你也許必須克服原生家族中的一些負面元素，但總要記得，你的屬靈血統比你的肉身血脈更有力量。你是蒙全能上帝所揀選的，你的血管中流動著祂尊貴的血統。挺起胸膛，抬起頭來，明白你是被揀選的，是在創世之前就已經被分別為聖；要了解自己的價值並甩開自卑或不安全感。「冠軍」就在你裡面，只等待著被發掘。這全都在你的血統之中。

那劣根性又怎麼說呢？

在我成長的地方，我的同鄉通常會這麼形容問題份子：「他呀，就是劣根性。」事實上，這話有幾分真實。我們血統中的成分是極其重要的，我們也都有來自父母、祖父母、曾祖父母與族系裡其他家族成員的原生血脈。

但我們也擁有屬靈的血統；好消息是，我們的屬靈血統能夠超越原生血脈。聖經說到：舊事已過，都變成新的了。³換句話說，我們進入了新的血統之中。當你真正了解上帝為你成就的事，並開始依此行動時，就能脫困而更上一層樓；你能夠克服一切來自過去的負面事物，因為你的屬靈血統中蘊含著能力。

大衛在詩篇一三九篇13節說：「我的肺腑是祢所造的；

我在母腹中，祢已覆庇我。」在16節他又說：「祢所定的日子，我尚未度一日，祢都寫在祢的冊上了。」請注意，大衛是說上帝在我們出生之前就已看見我們。在亞當與夏娃之前、在亞伯拉罕之前、在摩西或你的祖父母之前，上帝就已經認識你了。換句話說，不只是你的雙親在一起並決定要生個孩子，而是創世之前你就已被上帝命定在此了。

上帝是偉大的宇宙起造者，祂計畫一切，預先安排你在歷史上的特定時刻出現於此。這就是為何我們應該感受到命定與價值感。

要了解，你的價值不是奠基於別人如何待你，或是你的生活有多美滿，甚或你有多成功；你的價值單單奠基在你是至高上帝兒女的真理上。對，我們不完美，我們會犯錯；我們都有軟弱。但這不會改變我們在上帝眼中的價值，我們仍是祂眼中的瞳人，仍是祂最貴重的產業。

有時候，「宗教」會試圖貶低人，讓人覺得自己很糟：「你犯下這些；你在那裡又失敗；你沒有合宜對待這人；你也沒照你應該做的去養兒育女。」許多人就在這樣的定罪中打滾，成天帶著低落的自尊與無價值感。他們的心態是：上帝絕不會賜福於我，因為我犯了太多錯，我搞砸了。

不對，上帝知道你本來就不完美。你何不放鬆心情，讓自己喘口氣？別再用做錯的每件事痛打自己，畢竟，你無法改變過去。如果你犯了錯，就說：「上帝，對不起；我悔改。求祢幫助我下次做得更好。」然後放手繼續向前。如果你緊抓著不放，就是在對罪疚與定罪敞開大門。要不了多久，你就會充滿「可憐老我」的心態。

「我不配得任何東西，我只是塵土中一隻卑微的蟲。」

我聽到人們這麼說。不對，你不是泥土中卑微的蟲類；你乃是至高上帝的兒女。抬起頭來，挺起胸膛，開始像個全能上帝的孩子吧！

朋友，你得相信自己，並相信你能給這世界別人所無法給予的。你是依照全能上帝的形像所造的，這表示你與其他動物如犬、貓、馬等有所不同。你與眾不同，聖經裡說，上帝將祂的生命氣息吹入你裡面。[4]你是真命天子，你的出現不是偶然。在你出生之前，上帝就已掛念著你。聖經還說，祂無微不至地為你預備一切。

有些人不斷找自己的碴：「我希望我長得不是這樣。我希望擁有她的個性，還有他的才智。」

在你出生之前，上帝就已掛念著你。

不，上帝是有目的地把你創造成這樣；你是原創真品。別再對自己負面、刻薄，而要開始享受身為上帝獨一無二的創造。

我希望你確切明白我的意思，而我則是真的喜歡作我自己。我知道自己不完美，也有尚待改進的地方；但大體來說，我喜歡當我自己，因我知道我對上帝來說是寶貴的。

同樣的，你也會有些自己希望能夠改變的地方，但不要專注在這些層面上，反而要接納上帝賜給你的一切並充分善用它們。你對上帝來說是寶貴的。我聽到有人這麼比喻：「如果上帝有台冰箱，上面就貼有你的玉照。如果上帝有個皮夾，裡面就有你的相片。」

你可能會說：「約爾，我的生命從沒順利過，我父母也

苦於同樣的問題。我猜這就是我的命。」

不對，你的命運是成為得勝者，不是受害者。你的命運是要快樂、健康與完整。當然，你的原生血脈中也許有些東西需要克服，但你屬靈的血統好得很。你的天父用話語就創造了天地，祂本可揀選其他人，但祂揀選了你，裝備你又讚許你。

我喜愛聖經所說的：「你們既屬乎基督，就是亞伯拉罕的後裔，是照著應許承受產業的了。」[5]這就是說，我們都能經歷亞伯拉罕的福氣。如果你研究亞伯拉罕的生平，就會發現他興旺、健康，得享長壽又豐盛的生命。即使他的選擇不一定都是最好的，他卻享有上帝的賜福與恩惠。

無論你犯過多少錯，你都必須了解：你的內在擁有全能上帝的種子，因此你的心態應該是：「我也許有諸多必須克服的地方，人們也許試圖壓制我，也許我的運氣不是最好的，但這都不會改變我的身分，我知道我能實現我的命定。」你每天都應該踏出去期待好事發生，盼望上帝的賜福與恩惠。上帝已經為你所有的年日計畫了好事，而不是壞事。

「我無法真正見識到這成就在我的生命中，」你說：「我遭遇了那麼多困難。」

也許是這樣沒錯，但如果你不斷進取，如果你一直相信，上帝說祂會挪走那些負面經歷，翻轉它們，並為你的益處使用它們。

要記得，我們是被稱為贏家。這表示我們要去克服障礙；你無法不經一番苦戰而贏得重大勝利。若你不經歷試煉，就無法擁有偉大的見證。因為當仇敵得知上帝已為你預

備了上好的福分，牠通常會發動最猛烈的攻擊。

如果你遭遇不公義的事，或是人們剝削你、欺騙你，那麼按著聖經所說的，你將有加倍的好處。[6]如果你一直在困頓中掙扎，就要開始宣告：「我要脫離這些經歷，享有加倍的喜樂，加倍的平安，加倍的榮耀，加倍的高舉。」每天當你起床，就要宣告：「這會是我生命中得勝的一天，我正期待上帝空前的恩惠。高升、恩惠、增長都要一路伴隨著我。」

運用上帝的能力

我聽過有些人對我說：「約爾，我知道有一天我將會快樂，我知道有一天我將會享受生命，其樂無窮。」

我欣賞他們說的話，但上帝要我們在此時此刻的當下就享受人生，祂希望我們在此地就能一享人間天堂之樂。基督來到世上的原因之一，就是要讓我們活出豐盛的生命。你能在今生就得享快樂與自由，不僅僅是來日在天堂才可以，你可以在進到天堂之前就實現夢想！

你要怎麼做呢？要運用上帝在你內裡的能力。

聖經說：「基督已救贖我們脫離律法的咒詛。」[7]咒詛存在於各種失敗的背後，這些失敗像是罪、過犯、錯誤抉擇、恐懼、憂慮、不斷患病、不健康的關係或惡劣態度等等。請了解，這些都是你已被釋放去脫離的一切。但重點來了，如果你不珍惜也不善用自由，如果不把你的思想、話語和態度導至正確的方向，那麼這就對你完全無益。

也許你正坐著等待上帝在你生命中行超自然的事，但真理卻是，上帝正在等你。你必須使用權柄起而站立，秉著骨

氣與毅力說：「我不要庸庸碌碌過一生，不要被癮頭、負面思維與挫敗捆綁著。我不要那樣，我要像使徒保羅一樣，不斷進取。我要抓穩上帝為我預備的一切。」

我聽過一則故事，是關於一隻小狗被二十呎長的鏈子拴在樹下。牠的窩就在那兒，飼主偶爾會出來餵牠並和牠玩耍，但小狗始終被鏈子拴著。牠在看見其他狗時，會衝到前方讓鏈子拉到極限，牠清楚知道鏈子能讓牠活動的距離。牠想要追逐這些狗，牠想要出去玩，但是牠知道自己的行動受限。如果牠跑太遠，鏈子會把牠扯回原位。

有一天，飼主覺得這隻狗很可憐，便決定鬆開牠的鏈子。然而飼主沒有完全拿走牠的鏈子，只是把鏈子從狗的頸項上解開，狗的脖子上仍掛著項圈，只是沒有上扣。飼主理所當然以為狗會馬上開跑，開開心心地自由無比。此時剛好另一隻狗經過，這位飼主的狗當然會起身開始奔跑。然而讓他大吃一驚的是，當他的狗跑到了鏈條的極限長度時，就停在牠向來停住的地方。

幾分鐘之後，有隻貓趾高氣昂地經過。這隻貓已經捉弄這隻狗好幾年，牠深諳要行進到哪裡——要走在鏈子範圍以外的幾呎處。這隻狗又一次地起身追逐，但又停在牠向來停住的地方。

這隻狗已經自由了，只是牠不知道。鏈子已經鬆開，牠所要做的只須比平常再多踏出一步，就可以暢行無阻。

許多時候，我們就像這隻狗一樣。上帝已經鬆開我們的成癮行為、個人失敗或惡劣心態的鎖鏈，然而問題卻是我們沒有踏出去。

「我老是這樣，我總是控制不了我的脾氣，我還是戒不

掉這種癮。」有些人會如此悲嘆著。

不，你必須明白你已經獲得自由。兩千年前，上帝就已經鬆開了你的鎖鏈。現在，要不要開始跨出這一步則是取決於你。

你要怎麼做呢？要改變心態。不要再說：「我做不到；我永遠也康復不了；我一直負債。我有太多東西要對付。」

你生命中的所有仇敵都已被擊倒，包括憂慮、沮喪、成癮、財物匱乏的仇敵，而你也有能力勝過這一切。那使基督死裡復活的力量就在你的內在裡，你生命中便沒有什麼是不能克服的，也不再有什麼深刻的傷害是你無法饒恕的；你擁有放開過往負面經歷的力量。也許你被打倒千百次，但你有東山再起的能力。健康檢查報告也許看來不樂觀，但你有能力剛強站立。

要拒絕坐著接受比上帝最好旨意還差的事物。你的心態應該是：「我知道捆鎖已經挪開；我知道代價已經付上，即使我必須終身相信，即使我必須懷抱信心直到死去的那一日，我都不要坐著接受平庸的人生，我要不斷進取。」

太多人學著甘於活在不良狀況中。

太多人學著甘於活在不良狀況中，他們對一切次於上帝最好旨意的事物照單全收。他們爭辯、苦毒、心懷憎恨，允許家庭不合，而且還論斷批評。他們不但沒有對付問題，也不樂意改變，反而粉飾太平繼續活在轄制中，甘於活在不良的狀況裡。

你永遠也無法改變你能忍受的，只要你接受並容忍這

些，你就在原地踏步。你正學著甘於活在不良景況中；但你
不需要活成那樣。我鼓勵你再跨一
步：試著一天少吸一根菸；去饒恕得
罪你的人；今天要比昨天更努力自
制。

「唉，」你說：「約爾，我已經
這副德性太久了，我不知道我怎麼可
能改變。」不對，你的自由已被贖
回，你必須讓自己脫離失敗的心態，
並開始運用帶有能力的思想。要開始說：「我自由了，這種
癮頭不再控制我，因為在我裡面的比那在世界的更大。」絕
不要說：「我永遠也看不到夢想實現；我可能永遠也成不了
親。」或是：「我帳單成塔，薪水卻奇低，我想我擺脫不了
債務的糾纏。」絕對不要這麼說，你要翻轉這些，你必須
說：「我得勝有餘，我要實現我的命定，上帝供應我的一切
所需。」

你永遠也無法改變
你能忍受的。

如果你要把握上帝為你預備的一切，就必須奮力向前。
我們很容易就變得消極地說：「那是個大工程；那很困難。
我不想作這麼多改變。我知道我很容易變得負面，但我也不
想抱持好的心態。我知道我不應該吃這垃圾食物，但我喜歡
吃。我知道我必須戒菸，但我已經厭倦去努力了。」

這類的態度會攔阻你變得更好。你能夠更上一層樓，你
能成為更好的人，作更好的父母、配偶、同事或更好的領
袖。上帝為你預備了更多。

在你的家族或世代中，也許存在許多負面事物，它們代
代相傳，像是疾病、惡劣心態、成癮行為、經濟壓力、低落

的自尊與其他慣性情況等等。請了解，這些都是你已被拯救脫離的事物，這些都是咒詛，而咒詛已被破除。

毫無疑問的是，在你之前的人，例如你的雙親、家人、祖先等等，他們都是好人。但當一個人不明白上帝為他所行的一切時，他會很容易接受平庸的人生。

一位名叫艾瑞克的男子對我說：「約爾，我祖父酗酒，我的父親也酗酒。而現在我也發生了相同的問題，我就是無法脫困。」

「不對，你能勝過的。」我鼓勵他：「在你裡面的能力比你的癮頭更大，但你得改變你的心態。你必須開始說：『我自由了。』並要每天把它宣告出來。不要談論你的景況，而要談論你想成為的樣式。」

> 不要談論你的景況，而要談論你想成為的樣式。

你常會聽到人說：「一朝成癮，終身染癮。」「一朝酒鬼，終身酒鬼。」人們可能會吐出這些胡說八道的話，但上帝的話語卻說：「天父的兒子若叫你們自由，你們就真自由了。」[8]上帝的幫助能使你克服生命中的一切邪惡，你能夠破除任何壞習慣，克服任何阻礙。

「唉，約爾啊，我的外婆有糖尿病，我母親也患糖尿病，看來我也會得糖尿病。」

當你有這種想法，你其實就正在計畫罹患糖尿病，正在邀請那個疾病進入你的生活。你必須嚴肅而認真地說：「也許外婆患有這疾病，或許母親也患有這種病。但至於我和我家，我們已經蒙拯救脫離糖尿病。我將活在祝福而非咒詛之

下。」不要計畫去遭遇負面的事情。

在我所能追溯到的父系族譜中，存在著心臟病的病史，就是我家族的人常因心臟方面的疾病而早逝。但我可不要去策畫罹患心臟病，我計畫要活出長壽、健康的生活。我盡本分保持健康，努力飲食均衡並規律運動，而且我每天宣告：「我要健健康康地實現命定。」

也許你家族中存有阿茲海默症的基因，但千萬不要向它舉白旗。相反地，要每天說：「我的心智敏銳，我的思路清晰，我的記憶力良好。我身體的每個細胞都日益健康。」若你起而行使權柄，就能成爲阻止負面事物蔓延在你家族中的人。

凡妮莎是一位醫師，也是湖木教會的會友。當她在一九九五年感到關節出現劇烈疼痛時，正在首府華盛頓執業。痛苦加劇到令她幾乎無法忍受，於是她來到休士頓動膝蓋手術，希望手術能夠解決問題。然而不幸的是，情況愈變愈糟。她的身體不斷衰敗，雖然她芳齡未滿三十，卻得拄著拐杖行動。她告訴我，她不僅看來像個九十歲的老太婆，連感覺上也都像。

有趣的是，凡妮莎的父親在他二十歲出頭時，也有同樣的毛病，最後在四十三歲因此病逝；而她的祖母恰好也有一模一樣的病痛，下半身癱瘓。看來凡妮莎似乎也要步上他們的後塵。

在她前往湖木教會當時的舊址聚會，她要花四十五分鐘從車上走到教會的座椅，而這段路程一般人卻只要花兩到三分鐘就可以完成。在聚會結束之後，她通常會等到人群散去才離開，如此才沒人看到她的情況有多糟。在平日週間，她

會在清晨三點起床梳洗更衣，並開始放鬆她的關節，好讓她能在七點鐘抵達醫院。

對她而言，最容易的事莫過於坐在那裡想著：真不幸啊，爸爸得了這種病，奶奶也有這種病，我猜我命該如此吧。

但凡妮莎沒有這麼做，她是個戰士。

她說：「我要起身站立，把握上帝為我預備的一切。」她開始每天禱告，相信，並宣告：「我的狀況會愈來愈好，上帝正使我痊癒，我會活著，不會死亡。」這樣持續了三年，她沒有看到任何改變，事情看不出有任何轉機，但這並未使凡妮莎死心；她就是保持信心。

有時你得向仇敵表明你比牠更有決心，而這就是凡妮莎正在做的。

有一天，凡妮莎突然注意到疼痛好像沒那麼劇烈，她能較輕鬆地移動關節了。第二天，她又覺得好一些。往後的一天，她又能夠更輕鬆地動作了。這並非一夜發生，但接下來的三個月，凡妮莎恢復得愈來愈好，而今，她已完全脫離這種疾病得著完全的自由。她已恢復為快樂、健康而完整的凡妮莎醫師。

她堅定心志，破除了疾病的咒詛。現在，她未來的孩子、孫子與子子孫孫，都會因著她下定決心活在祝福卻非咒詛之中而受益。

「唉，約爾，我不知道我會不會遇上這等好事，你不了解我的情況。」

你說的沒錯，如果你很負面又懷疑，好事就不會發生。這種祝福是給信心之人，不是給懷疑之人的。你必須像凡妮

莎醫師一樣地起身，狠狠瞪著阻礙說：「我會擊敗你，我是至高上帝的孩子，而且我將成為祂造我時的一切樣式。」

丟掉弱者的心態，要開始運作大有能力的思想，想著：靠著基督，我凡事都能，我是得勝者而非受害者。要記得，那讓基督死裡復活的力量就在你裡面。你的束縛已經鬆開，代價已經付清。起身站立行使權柄，全然都操之在你。

不要甘於接受比上帝最好旨意還差的事。

讓你的生命退步不前的是什麼？是癮頭、惡劣態度，還是低落的自尊？你要認清到底是什麼。不要只是學著在不良狀況中妥協度日，要願意做出改變。舊約中的先知約珥說：「甦醒吧，大能的人。」你是大能的男女；不要甘於接受比上帝最好旨意還差的事，要挑旺你的內在恩賜，讓夢想保持鮮活。今天就下定決心從現在起，你要活在祝福而非咒詛之中。當你這麼做，你會發現，全能上帝已經鬆開你生命的捆鎖，並給了你能力，使你從過去讓你裹足不前的事物中破繭而出。

第 *4* 章

挣脫過去的堅固營壘

我們今日所作的決定不僅會影響我們自己，還會影響我們的孩子與世世代代的子孫，這雖令人感到吃驚，但卻是千眞萬確。聖經講到父親的罪惡如何遺傳至三、四代，這表示壞習慣、癮癖、負面消極、錯誤心態與其他的罪都會禍延子孫。

也許你現在正因為前人做了錯誤的決定，而在某種光景裡挣扎。許多時候，你回顧過往就能在家族史中看見那些決定所帶來的後果。認清狀況但不消極接受這種惡性循環是很重要的。「唉，我就是這樣，我家人長久以來都又病又窮。」

不對，你必須起而開始採取行動。也許這問題已經存在好幾年，但好消息是，它不必一直繼續存在，你能夠成為中止它的人，你可以成為選擇祝福而非咒詛的人。

最近的研究已能設法鑑別出特定基因，也能判定一些特

殊狀況如癮癖、飲食失調甚至憂鬱的基因，是如何代代相傳。研究人員可以看見明確的循環模式，但無法確卻判定其原因是否為基因、環境、遺傳或是這些因素綜合一起而造成的。

當然，這些都可能是原因，但我相信最根本的原因是在屬靈上，聖經稱之為罪孽。

我們必須了解，就如身體的特徵能夠遺傳，我們族系血統中的負面物質也會持續代代相傳，直到有人起而中止。舉例來說，當亞當、夏娃悖逆上帝，這個決定不僅影響到他們，也影響到他們的孩子。你知道聖經中的第一個殺人犯是誰嗎？就是亞當的兒子該隱。第二個殺人犯就是該隱的子孫之一，是一個名叫拉麥的人。這等罪孽在該隱的子孫後代不斷代代相傳，存在於他們的血脈中。

同樣地，我們今日受的許多苦楚，可能都要追溯到家族中犯罪的某個人，而我們現在得對付這些。我們不應把它當成繼續這種惡性循環的藉口或是正當理由，但我們必須認清發生了什麼事，而且必須比以往更堅定決心，要成為中止這些問題的人。

有一位名叫貝蒂的漂亮妙齡女子，她一直飽受厭食症之苦。她向我解釋她母親如何陷入這種病症，她的幾個阿姨、姊妹與表姊妹也都罹患這種病。事實上，這病症已經快要瓦解她的家族；這不是巧合，而是家族中代代相傳負面與毀滅性的靈。如果貝蒂沒有選擇活在祝福而非咒詛之下，這種靈可能會持續到滅絕她的全部家族為止。貝蒂領悟到她在厭食症中的掙扎不僅是一場身體的抗戰，也是一場心靈的爭戰。當她針對這問題奉耶穌的名行使權柄，就掙脫了她所遺傳到

的捆綁。

來檢視一下你生命中不斷困擾你的層面，也就是那些好像要拖垮你家人的問題：也許是離婚、貧困、成癮、虐待、沮喪，甚至是疾病的模式。

提姆家族中幾乎每一位男性都患有心臟病，都於五十歲左右便去世。提姆現年四十八歲，因此你可以想像他有多麼擔心、憂慮。「提姆，你能夠成為破除咒詛的人。」我告訴他：「不要開始籌畫你的喪禮，不要假設你會有心臟病，你要堅守立場對抗它。」

我告訴他：「要飲食正常，規律運動，並每天宣告：『祂使我足享長壽，將救恩顯明給我。』」

朋友，你必須做出決定要選擇祝福或是咒詛。如果這種負面循環存在於你的家族族系中，那麼你要認清狀況並採取行動；不要只是讓它代代相傳。這種惡性循環也許並非起始於前人的滔天大罪，有時這些是某個人向仇敵敞開門戶的後果；也許是你的祖先之一向恐懼、焦慮或擔憂開了門，以致其他所有人長年以來都承襲這個問題。不論這種負面循環從何開始，你都可以中止它。

史蒂芬與蘇珊的兒子布萊德開始讀小學一年級時，他為此感到興奮不已。他外向又精力充沛，認識了許多朋友。然而幾個月之後，布萊德開始產生嚴重的恐慌症。他會沮喪到害怕放學時父母不來接他回家。布萊德的導師試著讓他冷靜下來，請史蒂芬或蘇珊與布萊德通電話，表達他們有多愛他，而且，一等放學就馬上來接他回家，但布萊德父母所說的話無一奏效。一次又一次地，布萊德的雙親必須衝到學校，向他保證一切都沒事。

　　布萊德無法解釋的恐懼是毫無緣由的。史蒂芬與蘇珊都是有愛心的父母，也從未把兒子獨自留在任何地方。然而，恐慌月復一月持續發作，情況糟到當布萊德在家時，他必須與蘇珊寸步不離。他會跟著她到每一個房間，如果她外出，他也一起去。如果因為某些原因布萊德找不到蘇珊，他又會一陣恐慌發作。

　　這對夫婦挫敗又心碎，納悶他們到底做了什麼，造成這種可怕的狀況，以及要怎樣才能幫助布萊德。接著有一天，史蒂芬與他的父親，也就是孩子的祖父聊天，在他訴說布萊德的情況時，祖父心中靈光一閃。「史蒂芬，我清楚知道布萊德到底哪裡不對勁兒，」祖父說：「當我還小，在讀小學一年級時，我父親突然過世。我害怕到當我媽媽試著陪我走到學校上課時，我會哭到肝腸寸斷，想著她也許不會再回來。許多次，她只好又回頭帶我回家。我相信布萊德基於某種原因的恐懼，與我的恐懼有關。」

　　史蒂芬與蘇珊明白了布萊德的恐懼並不是源於史蒂芬，而是因為祖父生命中的悲劇事件而延續給布萊德。他們開始意識到這種情況，也就是這件與他們毫無關係的事件，有可能代代相傳。你不能單用藥物、心理或其他生理治療來解決這種情況，你也不能單靠意志力來克服這種狀態；因為這是一場屬靈爭戰。史蒂芬與蘇珊開始禱告，每天捆綁家族血脈中恐懼的堅固營壘，對抗咒詛。如今，布萊德已經是個完全自由的年輕人，過著正常、健全的生活。

　　有些人活在代代相傳的沮喪之靈底下，他們的生活特徵就是缺乏喜樂，鮮少熱忱。我甚至在小孩子的身上看到過這種靈。其他孩子們都能外出歡笑，玩耍嬉戲，不亦樂乎，但

是來自沮喪家族的孩子則枯萎於憂悶中，認眞嚴肅到甚至無法享受童年。這就是沮喪的靈。

我認識一些諸事順利、擁有一切的人；他們有美滿的家庭，財源滾滾，事業有成，卻一直無法眞正感到滿足喜樂。就好像有事情一直在折磨著他們，偷走他們的喜樂、平安與勝利。朋友，這是不正常的，這是失敗、沮喪的靈作祟。你必須像史蒂芬與蘇珊一樣對付它們，是藉著禱告與正面又合乎聖經的堅定信念對抗這些靈。

你可以成爲家族中破除咒詛的人。不要只是坐著說：「唉，我們本來就很負面。」「我一直都有這種成癮問題。」「我所有的家人全都三番兩次結婚又離婚。」

不對，你要成爲一個這樣說的人：「眞是夠了，我已經受夠又病又累。至於我和我家，我們選擇祝福而非咒詛。」

你可以成爲對抗黑暗勢力，並破除轄制你與家人之堅固營壘的人。聖經說：「無故的咒詛也必不臨到。」[1]意思是說，我們在遇到癮癖、壞習慣與官能障礙時，其原因可能是我們作下錯誤的決定，不然就是我們族系中有人犯過錯。小孩會生長成酗酒者是有原因的；孩童成長爲虐待狂父母是有原因的；年輕人不斷犯罪直到坐牢，出獄之後又走回犯罪的老路是有原因的。當然，社會方面的問題會帶來影響，但這些情況並非在屬靈領域中隨機發生，這是某個人在某處曾對仇敵敞開大門。

戰勝負面的歷史

要明白，如果你正掙扎於一項或多種困擾之中，這也不

會使你成為壞胚子。你無須因為許多困難有待克服,而滿懷罪惡與定罪感,以致終日悶悶不樂。許多時候,這可能不是你的錯,乃是其他人做下的錯誤決定,而現在你得承受這些苦果。然而,要小心,不要把這當成延續負面生活模式的藉口。你必須站穩腳步,解決問題。

克服這些遺傳咒詛的第一步,就是要明白你所須對付的是什麼。要辨明它,不要掉以輕心。不要試圖粉飾太平,也別指望問題會隨風而去,因為它不會。

如果你懶散、缺乏自律,不要找藉口,只要承認並說:「我要對付這個問題。」如果你有怒氣發作的問題,或如果你無法以尊重與榮譽待人,不要試圖說服自己這沒關係;要承認並解決問題。

聖經說:「所以你們要彼此認罪,互相代求,使你們可以得醫治。」[2]請注意,你必須誠實到坦承自己的錯誤,並注意,你必須找到一個成熟的朋友並對他說:「我需要你的幫助。我深受這問題所苦,我需要你與我一同禱告。」

太多時候,我們反其道而行。我們想著:我才不要告訴任何人這個問題,他們會怎麼想我?我會丟臉丟死。

你不能這樣,卻要嚥下自尊,坦承自己的軟弱,取得所需的幫助以得著自由。承認自己需要幫助不容易,但這是必要的,而且能使你獲得自由。

羅伯特生長在一個充滿怒氣的暴力家庭。在他年輕時,他嗑藥並開始販毒以供應自己的毒癮需求。他過著危險的生活,不斷陷入自我毀滅的循環,步上家人憤怒與暴力的後塵。

然後,在他二十幾歲時,羅伯特獻身給主。當他研讀聖

經，他開始與人分享福音，最後成了牧師。他個人進步有成，教會和會眾也都有增長，而羅伯特在四處分享上帝如何改變他生命的故事時，也成為社區最受敬重的居民。

人們不知道羅伯特仍然有著嚴重的怒氣發作問題，上帝已經拯救他脫離其他所有的惡習、癮頭、毒品與酗酒問題，但羅伯特仍然為怒氣所苦。他從不在公眾面前表現出來，但如果家中有事不合他意，他馬上就會無法控制地暴怒發作。許多時候，一些微不足道的小事也會讓他暴跳如雷，怒氣沖天。他在言語與身體上對妻子極盡虐待之能事，他會扔擲東西並惡待她，讓她受到身體的傷害。接著當他終於冷靜下來，他會哀求妻子的原諒，他妻子也毫不遲疑地原諒他。她會告訴他：「親愛的，我們必須尋求協助，我們得找人協談這個問題。」

「但這太丟臉了，」他告訴她：「我是教會牧師，我應當做個榜樣，我怎能讓人知道我有這麼可怕的問題？」

她的妻子鼓起每一分勇氣，說道：「但聖經上說：『認罪才能得著醫治。』羅伯特，你單靠自己永遠也無法克服問題。你必須找個朋友，找個良師益友、牧師或輔導。找個能扶持你的人，找個能與你一同禱告，能對你負責的人。」

羅伯特的妻子完全正確，面對難題不表示你就是個壞人。我們必須突破一種錯誤觀念，就是以為，因著我們愛上帝而人們尊敬我們，我們就理當完美。事情不是那樣的。

如果你有怒氣問題或酗酒問題，或是其他不為人知的成癮行為，不要試圖孤身與問題奮戰，不要因為覺得丟臉而把問題隱藏起來。找個能與你一同堅立於信心上的敬虔之人，我不是說你要向全世界廣播你的問題，但你必須找個你能夠

真正信賴的人。當你盡你的責任，上帝將會幫你勝過生命中的負面循環模式。

羅伯特牧師後來承認，他之所以不肯告訴任何人他有怒氣的問題，是因為他認為這是自己的錯。他無法理解上帝怎會拯救他脫離一切惡癮，卻依然留有嚴重的怒氣問題。羅伯特後來透露，當他憤怒不已甚至失控時，他在內心深處會自問：「我為何會這麼做？我為何停不下來？我到底有什麼問題？」

問題是出在，怒氣已經長久存在他的家族中，而不像其他習慣一樣容易對付。不僅如此，他還必須突破別人對他的觀感。最後，羅伯特牧師終於尋求協助。當他認自己的罪並抵擋黑暗權勢時，上帝就完全釋放了他。今天他是你最想見到、最仁慈體貼的男士之一。

同樣地，你可以勝過一切攻擊你的事物。對上帝來說，沒什麼癮癖是太困難的，沒什麼堅固營壘是穿不透的。不論你染癮有多久，或你屢試屢敗過幾次，今天都是嶄新的一天。如果你對自我坦承，認清你所要對付的，並找到能對你負責的人，那麼你也同樣可以活在祝福而非咒詛之下。你能夠釋放自己脫離那些遺傳的負面循環，並開始為你的子孫建立良善又有愛的新模式。

要為自己的行為負責。上帝已賜你自由意志，你能夠選擇去改變，你能夠選擇設立新的準繩。你所作的每個正確決定，都會翻轉族系中其他人所造成的錯誤模式。每當你抵擋誘惑，就離勝利更近一步。也許你有負面的過去，但你不必讓它歹戲拖棚。我們無法改變過去，但我們能夠在今日藉著作正確的決定來改變未來。

令人難過的是，受傷之人最後還是會傷害別人。你也許會認為，當我們脫離負面環境，我們就會很快地改變。你會一直聽到人們說：「嗯，我絕不會這樣養育我的孩子。」或是：「我絕不會像我父親對待我母親一樣地惡待我的妻子。」然而事實卻多半是，他們最終還是做了他們說自己絕不會去做的事，因為那種靈代代相傳。

如果你生長在負面環境中，除非你破除這種靈裡的模式，否則你極有可能會以你被對待的方式來對待你的孩子。我認識在成長過程中遭受身體與言語虐待的人；你會想，他們既然吃過這麼多苦頭並經歷過這麼多痛苦，他們一定會對施虐避之惟恐不及。然而，研究卻顯示恰恰相反的結果；受過虐待的人反而最可能成為施虐者。這是為什麼呢？這不是因為他們想要這樣，他們知道這有多具毀滅性。這是因為負面的靈不斷地傳到下一代。

感謝上帝，你我能夠採取對策。聖經以弗所書說，我們並不是與屬血氣的爭戰，乃是與那些屬靈氣的惡魔爭戰。[3]你必須採取行動並說：「我行使權柄勝過這件事，我不要再活成這樣。」上帝會賜你能力做你必需做的事。不要只是退縮著接受現狀，要採取對策。

這是上帝賜給我的人生，我要充分發揮。

許多人每天都在怨天尤人：「都是他的錯。」「唉，因為我媽常常憂鬱，所以我才會憂鬱。」或是：「因為我家每個人都染有這種癮，所以我也無法戒掉這種癮。」或：「我生氣是因為你惹我生氣。」

要遠離這種混亂，為自己的行

為扛起責任。過去你也許已遭遇過讓生命更困苦的不公平待遇，你的態度反而應該是：「我不要成天怠惰，呻吟、埋怨我是怎麼被養大或怎麼被惡待。不，這是上帝賜給我的人生，我要充分發揮。今天開始，我要做出最佳的選擇。」

我們都聽過許多遺傳的咒詛，但同樣重要的是我們傳遞下去的選擇。我們不需要一直這樣。

來中止家族族系的負面模式吧。這可能已經存在多年，但你能成為讓它有所不同的人。要記得，這是一場屬靈爭戰。你必須針對這些捆綁你的堅固營壘行使權柄；你首先要做的就是認清狀況，辨明問題，讓它顯明出來並對付之。當你這麼做，你將在生命中看見上帝的賜福與恩惠，而你會把這些好事傳遞給往後的世代。在下一章，我會告訴你如何留下恆久而正面的傳承。

第 **5** 章

世世代代的祝福

我們多數人很少會想到自己每天作下的無數決定，然而我們今日的決定，卻會影響我們的兒女、孫輩與世世代代。

太常發生的是，我們只想到此時、此地。「唉，約爾，我的人生就是這樣。我知道我有些壞習慣，我知道我脾氣不好，我知道我沒有正確地待人處事。但這不要緊，我還可以過得去。」

這種想法的問題是，它不僅會傷害你，還會讓你後代的生活更苦。因為我們沒有勝過的事情、我們懸而未決的問題，都會傳到下一代，等待對付。我們沒有人能夠完全獨自地生與死，一個人的好習慣或是錯誤選擇，像是癮癖、惡劣態度與錯誤心態，都會傳給後代。

但好消息是：我們作下的每個正確決定、我們每一次拒絕誘惑、每一次榮耀上帝、每一件做對的事，不僅會使我們

本身更上一層樓，同時也會為往後的世代子孫打好基礎。

　　要這樣想：我們每個人都有個屬靈的帳戶。藉由我們生活的方式，我們不是在積聚資產就是累積罪孽。資產就是任何好的事物，如我們的正直、我們的決心、我們的敬虔。這些都會積聚祝福。反過來說，罪孽包括我們的惡習、癮癖、自私與缺乏紀律。這些事物，無論好壞，都會傳給往後的世代。

　　我喜歡把自己的生命看作是家族正在奔跑的馬拉松路段。當我生命結束，我就把棒子交給我的孩子。在棒子裡的是我生理的DNA基因、我的特質、髮色、身高與體重。棒子裡同時也會有我屬靈與情感的DNA，這包括我的性向、態度、習慣與心態。我的孩子會接下棒子，跑幾段路程，再把棒子交給他們的孩子，然後以此類推繼續下去。我們每一段帶著目標、熱忱與正直奔跑的路段，就是對後代有所助益的路段。從某種意義上來說，我們表現良好的路段，會讓未來的世代更順暢地通往卓越與成功的目標。

我們表現良好的路段，會讓未來的世代更順暢地通往卓越與成功的目標。

　　我們必須縱覽全局：我渴望讓我的家族族系比之前更好。我不想讓自私、癮癖或惡習削弱我的生命；我渴望我生命中現存的一切，都能讓接下來的世代活得更輕省。

　　即使你沒有兒女，你也會把生命傳給你所影響的人，你的習慣、態度與你代表的事物，全都會傳給某個人。

　　我讀過一份美國軍方在一九九三年完成的有趣研究報

告。他們好奇地想知道，哪些特性會從一個世代傳承到下一個世代。我們知道，我們生理的特性會遺傳下去，那麼情感、心理與靈裡的特質又如何呢？壞習慣與癮癖呢？或是像正直、憐憫、與敬虔的良善特質呢？它們也會遺傳下去嗎？

研究人員採擷出自願受測者的白血球細胞，小心地放在試管中。接著他們將測謊器的探針放在試管之中，以測試實驗對象的情緒反應。

接下來，他們指示自願實驗對象來到幾扇門前，觀看電視上一些昔日戰爭的暴力畫面。當這位實驗對象看到這些畫面時，即使受測細胞是在另一個房間接受測試，一旦他的情緒緊繃、焦慮時，測謊器就會劇烈在頁面上掃動，即使受測血液已經脫離實驗對象的身體，卻還是能偵測到他的情緒波動。

這項實驗在一個又一個實驗對象上，都得到相同的結果。他們下結論認為，血球細胞似乎「記得」它們的出處。

現在，假如疾病、癮癖與錯誤心態都能夠傳遞下去，那又何況上帝的福分、恩惠與好習慣呢？豈不更能透過我們的血脈遺傳下去？

就像了解咒詛的遺傳有其重要性一樣，了解我們能夠藉由遺傳而得的福分也同樣重要。我知道我生命中的許多福分與恩惠，不是因為我自己的奮鬥招聚來的；那些也不全是靠我自己努力而累積的。這是我父母傳承給我的，他們不僅給了我生理上的血統，還給了我屬靈的遺傳。

我們能在過去的基礎上建造。我父親交棒時，他把四十年的路途交棒給我，把湖木教會的事工傳給我。而我的夢想則是讓我的孩子奔跑得更遠、更遠。我不是指財務上；我講

的是，他們的態度會一路在他們的工作習慣、人格特性以及與上帝同行之中，幫助他們。

我們必須明白，每個世代都相連在一起；你正在為未來的世代播下種子，無論你有無意識到此，你所做的每一件事都有其重要性。每當你堅忍不拔、每當你忠心耿耿、每當你服事別人，你都在使情況有所不同；你正將資產儲蓄在你的「世代帳戶」之中。

我們在生活中很容易會想說：「這個嘛，我不過是個生意人。」或是：「我只是個家庭主婦。」或是：「我只是個既得扶養小孩，還得工作的單親媽媽，我成不了大事，還是實際點吧。」

不對，你必須學著用更深遠的遺傳角度來看事情。你勤奮工作，對配偶與家人忠誠，還有奉獻一切的事實，這些都是在為後人播下種子。也許你在世時無法看見這些全部實現，但是你也許正在為兒女撒下一粒種子，或是為一個孫子行偉大的事。不要灰心氣餒，這是你的家族傳承，你所改變的不僅是你自己的生命；你實實在在地正在改變你的族譜！

我祖母一生都在辛勤工作，我的祖父母是棉花農，在經濟大蕭條(Great Depression)時失去了一切。他們沒什麼錢，沒什麼食物，也沒有未來可言。祖母一天工作十二小時幫人洗衣服，時薪只有一毛錢；一天只賺一元二角美金。

但祖母從不抱怨她的困苦，她沒有成天抱著「我真可憐」的心態；她只是盡其所能，盡力付出。她堅忍、有決心。她也許沒發現，但她正為著她的孩子播下種子。她把勤奮、決心與堅忍傳承下去，而我父親繼承了這些基礎。由於祖母奠定了基石，家父才能夠突破貧困與沮喪，將我們的家

人撫育至全新的境界。

我祖母其實從未享受到她子孫享受的福分與恩惠,但如果不是她願意付上代價,我父親可能永遠也無法脫離貧窮,而我也無法享受我今日得享的人生精華。

現今,我和維多利亞似乎因我們的成功生活得到許多嘉獎,但我們早已學習到要回顧過去,將功勞歸給應得的人,也就是我們的先祖們。我們家族中的許多人一路上給了我們諸多幫助。

我祖母在世時並未享受多少掌聲。她並未得到多少榮耀,但她卻在我們的家族馬拉松裡跑了幾個重要路段。當她交下棒子時,裡面包含著決心、堅持、永不放棄的態度與「能夠做到」的心態。現在這些特質徐徐灌入,成為我們的家族傳統。我相信從今而後的四、五代,我家族的人都將因歐斯汀奶奶而活得更美好。

同理可證,當你早起、勤奮工作、懷抱卓越精神時,你就在改變你家族的未來情況。不要短視而狹隘地認為現在沒有看到,你就划不來。不對,你正在播下會為你未來世代帶來大豐收的種子。

「但是約爾,我努力工作,」有個單親媽媽告訴我:「我努力要把孩子送進大學,卻身心俱疲。」

我很同情這位母親與其他像她一樣的人。沒人說這很容易,但要不斷保持信心,因為你不知道上帝要如何使用這孩子來影響世界。你族系中的人可能會成為偉大的商人、領袖、教師、牧師、政治家或作家,這可能會發生在這一代,也可能會實現於四、五代之後。但這會實現,部分是因為你願意付上代價。

任何時候當你看見成功的人或完成某件大事的人，你都能確定他們不是全靠自己。一路上還有其他人幫忙付了代價，有人把這些所需的特質傳承下去。

當你帶著卓越的心態過生活，就會多努力一些，儘管沒有人會注意到。你看來好像得不到任何好處，但你要知道，在你血脈的DNA基因中所形成的是堅毅、力量與卓越的精神。它們會傳承給未來的世代，你正在改變情況。

我有個朋友在別州牧養一所大教會，他與妻子在十四、五年前建立這間教會，今日有數以千計的人固定參加崇拜聚會。這是一間強壯、健全的教會。

但我朋友的內心懷有遠大的夢想。他渴望看見教會不斷增長到有數以萬計的人來聚會。不僅如此，他還夢想寫出一本影響世界的鉅著。

在教會工作幾年之後，他變得極度沮喪。精力與熱忱降至低點，沒什麼精彩的事情發生；教會人數的增長也慢了下來。除此之外，在我朋友每天早上開車去工作時，他都會經過另一間大教會。這間教會的會眾人數在一萬五千到兩萬人之間，還有著廣大又美麗的園區與許多新建築，這正是我朋友努力工作想要達成的夢想。

有一天，我朋友塞在車陣之中，盯著這間大教會的美麗園區，心中感覺好像鹽巴灑在他的傷口上。他很沮喪地說：「上帝，這真不公平。我盡心竭力在祢給我的夢想中，但我想我根本達不到這人的成就，我的教會為何就是不增長呢？」

他繼續誠實表達他的感覺：「上帝，我覺得自己成了笑柄。我甚至不明白自己是不是還要留在這場賽程之中。」

就在那時，上帝對他說話，不是很大聲，但卻在他的心靈深處微聲地說：「我兒，你認爲讓你兒子看見你的夢想成眞這主意如何？要是你女兒寫了一本影響世界的書呢？如果讓你的孩子享受你渴望的成功，你覺得如何呢？」

我朋友的雙眼亮了起來。他說：「上帝，這樣就太棒了，這就是夢想成眞。」後來我朋友告訴我，這段經歷改變了他的觀點；他開始更多想著要爲未來的世代投資。「也許我正在幫我的孩子播下種子呢，」他說：「也許我正在爲我的孫子奠定偉大美好的底子呢。」

要記得，我們奔跑的每一段路都能使我們的後代少跑一段。你保持忠心的每一天，你通過的每一個試煉或你克服的每一個阻礙，都是爲未來的世代儲存資產與福分，都是在讓你的孩子、孫子活得更輕省。你的夢想也許不像你所盼望的那樣實現，但你播下的種子可能會由你的兒女收成。

有意思的是，這間我朋友每天行經的大教會之牧師，是牧師家庭的第四代。他的父親、祖父與曾祖父都曾忠心地牧養著幾百人的會眾。那麼這人爲何會領導這麼大的教會，有這麼大的影響力呢？

因爲有人付了代價。是的，這位牧師有天賦、有恩賜。但他的祖先，那些在他以先的前人，才是累積資產的人，而現今這恩惠在這個世代中釋放了出來。

那麼，我請問你：你願不願意付上代價，好讓你的兒女與未來的子孫能夠晉升更高，成就更多？如果你像我，那麼當你看見自己的孩子比你所能想像地還行得更遠，成就更多，或是看到你的孫子比你所能夢想的走得更遠，此時你就不會覺得有什麼能讓你更開心了。

你的孩子會行得更多！

通常，你會比自己親身所走的還看得更遠。上帝也許會在你的內心放入更遠大的事物，那比你能獨自成就的更大；而當你的子孫繼續並完成你所起頭的夢想，也不要感到訝異。我聽過有人說：「一生就能成就的事，其實算不上什麼大事。」當時我不了解這句話的意思，因為很顯然，每個世代都能行偉大的事。但自從我學到有時上帝的計畫會跨越一個以上的世代時，我就明瞭了。

以前我好幾次聽到父親說：「有一天，我們會建立一個兩萬人的會堂。有一天，我們會有個大場地，讓大家可以一起聚會敬拜。」我父親懷著這個願景，但上帝卻使用他的孩子來成就這件事。然而，若不是他忠心服事，若不是他保持決心懷抱卓越精神，我不相信這個成就會實現。爸爸撒下了種子，鋪了道路，以致我的家人與其他數百萬人都能享受這個祝福的成果。

也許你的心中懷抱遠大的夢想，但要牢記，也許上帝把種子放在你的心中，讓你起頭，你的孩子與孫輩卻可能比你所能想像的行得更遠。

舊約記載，大衛王夢想建造讓百姓能夠敬拜上帝的永恆聖殿。大衛聚集資源，引進利巴嫩的香柏木、堆積如山的黃金與貴金屬。但上帝始終沒有讓大衛築成聖殿，相反地，上帝指引大衛的兒子所羅門建造敬拜祂的聖所。

即使並非每件事都在你期望的時刻發生，你仍要盡力而為；上帝仍然掌管一切。此外，當你繼續撒下種子並活出卓越，要明白，你正在改變情況。在上帝命定的完美時刻，你

辛勤耕耘的果實將會顯現。

聖經有一處提到，上帝的子民留下的那塊地，比之前他們發現時更加美好。[1]因此這也應該成為我們的目標：我們要留給家人更多的正直、更多的喜樂、更多的信心、更多的恩惠與更多的得勝。我要讓所愛的人脫離轄制，更親近上帝。

也許你的父母並未把正面特質植入你的族系，使你邁向成功，也許你還繼承了失敗、平庸、癮癖與負面的心態。但是感謝上帝，你能夠展開一個全新的家族血脈，你可以做為設下新標準的人。

必須有人願意付上代價，必須有人踏出這一步來清除殘留的問題。也許你的血脈中存有負面事物，但這些東西不必一直留在你的血統裡。解決問題所需要的，就是有一個人能起而開始做下更好的決定，因為你所作的每個正確選擇，都會開始翻轉前人的錯誤決定。

也許從來沒有其他人曾經這麼做，但如果你能做出正面的改變，那麼有一天，你家族中的人將會回顧過去並說：「這要歸功給這位男士，這要歸功於這位女士。他們所做的是轉捩點，在他們以前，我們是失敗的，直到那轉捩點之前，我們一直都染有那種癮癖。然而，看看在他們出現之後發生了什麼事，一切都改變了，我們的層次更高了。」

發生了什麼事？咒詛破除，祝福臨到了。而這就是你能夠為家人成就的。

我知道我之所以能達到這般境界，是因為我家人禱告的結果。有人堅守公義，有人信守承諾，有人活出正直的生命。我的祖先，就是大多數我從未見過的先人，在我生命中撒下了種子。

「唉，約爾，你就是有這種出乎意料的好運道。」有人可能會如此說。

這和運氣毫無關係，今日我的生命蒙福，是因為過去我的家族族系中有人在禱告，即使在困苦時還堅忍不拔，自始至終都在榮耀上帝。

如果你有敬虔的父母、敬虔的祖父母，你應該為著今日數不清的益處而極度感恩。因著他們所行的，使你擁有上帝更多的恩惠與福分。他們為了投資你的未來而付上了代價。

不僅如此，當你擁有敬虔的傳承，有時你就是會一腳踏進祝福之中。偉大的事情將會發生，而你甚至不明白何以如此。看似牢不可破的大門將超自然地為你敞開，你會得到升遷，而你知道這是你不配得的。這不是出人意表的好運，這是因為祖母的禱告，是因為你父母活出卓越的生命，或你的曾祖父母撒下了正直與成功的種子。

當然，我們每個人都對自己的行為有責任，而且你我都必須勤奮工作，以善用每個機會。但聖經也同樣指出，當我們擁有信心的基業，我們會住在非我們所建造的屋中，我們會享受自己未曾栽種的葡萄園。上帝的恩惠會一路追著我們跑並襲捲著我們。我每天都為著我的父母與祖父母感謝上帝，因著他們的生活方式與他們的行事，我知道我不會活在遺傳的咒詛之下；我會活在世代相傳的祝福中。

你也可以為家人做類似的事。金錢、房屋、車子或其他物質財富也許是你留給孩子的財產之一，而如果你留下這些東西給你的繼承人，這相當好；但活出榮耀上帝的正直與卓越生命，卻遠比這更為貴重。把上帝的恩惠與福分傳承給未來子孫，比這世上的任何事物都要有價值。

不要抄捷徑，即使困難，還是要不斷盡力而為。要繼續愛人，奉獻與服事。你的忠心、信實都會記錄在天上，你正在為自己與將來的世代儲蓄資產。

撒母耳記上第廿五章寫到，大衛與同伴如何保護一個名叫拿巴之人的家人與僕役免於仇敵攻擊。有一天，大衛差遣使者向拿巴討些食物與補給品。大衛以為拿巴會心存感激並慷慨提供大衛軍隊所要求的糧食，然而當使者抵達時，拿巴卻毫無敬意地粗魯以待。他說：「我根本不認識你，我也從沒叫你幫我做這些事，所以閃開，別來煩我。」

當使者回去告訴大衛他們被無禮對待時，大衛怒不可遏，說道：「那好，夥伴們，佩上刀，我們來收拾拿巴，把他消滅除盡。」

就在他們前往那裡的途中，拿巴的妻子亞比該阻止了大衛。她已經聽聞丈夫的無禮惡行，因此帶著大批的禮物與糧食，希望能平息大衛的怒氣。她說：「大衛，我丈夫乃是無禮不知感恩的人，他不應如此待你們。」在第28節，她又說：「求你饒恕這罪過。耶和華必為你建立堅固的家。」

我很喜愛「堅固的家」這個詞。亞比該其實是說：「大衛，我知道你有理由憤怒，我知道我丈夫以惡報善，但如果你寬恕這過犯，採取正途，放下這件事，我知道上帝會賜福予你的後代。我知道祂會堅固你的家族。」

大衛嚥下驕傲後離去，並寬恕這冒犯。他放下這件事，結果上帝也確實賜福於他和他未來的子孫。

這一生中，我們都會遇到令人有藉口生氣、有理由苦毒的狀況。你也許會說：「約爾，我有充分理由走出婚姻，我受到嚴重虐待。」或是：「我有一切權利心存芥蒂，我被迫

忍受這麼多痛苦與不公。」

　　沒錯，也許你有正當理由萌生現在的感覺，並以負面回應人生。但我仍然要請你選擇正道；不要對怒氣讓步。因為那些東西都會進入你的血液中；它們會代代相傳下去。你的子子孫孫已經有夠多東西要克服，不需要你再添上一筆。

為了要有堅固的家，你要選擇正道。

　　這可能很困難，但你有能力去勝過家族中前人所作的錯誤決定。不僅如此，你可以讓你之後的世代過得更好。你所饒恕的每個過犯，你所破除的每個惡習，你所贏得的每個勝利，都讓你之後的世代少跋涉一段路。即使你不為自己做，也要為你的孩子、孫子而行。為了要有堅固的家，你必須這麼做。

　　我聽過有人說：「你的血統始終說明一切。」意思是說，你的經驗會坦白透露出你的血液，就如同我之前提到的軍隊實驗研究，血液對從何而來有所記憶。從現在開始的幾百年，你的血液仍會對未來的世代說話。就某方面而言，無論正面還是負面，你的血統都會影響到家族族系中的人。

　　你的血液會訴說什麼？失敗、平庸、不饒恕、苦毒？

　　不對，我相信你的血液會訴說著決心、堅毅、正直、敬虔、慷慨、恩惠、信心與得勝！

　　要下定決心自己會留下敬虔的傳承，為你家人留下優良的傳統。也許你從先人繼承了負面特質，但感謝上帝，今天是新的一天，因此要在地上畫一條線並說：「我受夠了遺傳

的咒詛，至於我和我家，我們將活在世代的祝福之中。」

　　每天起床後就盡力做好每件事。如果你這麼做，不僅你會更上一層樓成就更多事，上帝更應許了你的種子，就是你的家族族系直到千代，都要擁有上帝的恩惠與福分，而這都是因爲你所活出的生命。

第 *6* 章

探索自己的命定

在你出生以前，上帝就已經看見你，而且賦予你專為你量身訂做的恩賜與才幹。祂賜給你點子與創意，以及你能表現突出的特殊領域。

那麼，為什麼今天還會有這麼多人覺得生命不圓滿，只是在重複做些俗世的差事，還為了養家餬口而被卡在自己不喜歡的職業之中？答案很簡單：因為他們不是在追求上帝放在他們心中的夢想與渴望。

如果我們沒有朝向上帝賦予的命定邁進，那麼緊張與不滿總會存在於我們的內心深處。它們不會隨著時間過去而離開；你活多久，它們就停留多久。比起活到這輩子的盡頭才發現自己還未真正「活過」、還沒有成為上帝創造的樣式，我真無法想像還有什麼是更悲哀的。你只是在忍受平凡、庸碌的人生，因你勉強度日，但你活不出熱忱或熱心，任由自己的內在潛能休眠荒廢。

　　我聽過有人說，這世上最富庶的地方，不是阿拉斯加的諾克斯堡(Fort Knox)礦山，不是中東的油田，也不是南非的黃金與鑽石礦地。諷刺的是，地球上最富庶的地方是墓地，因為墳墓裡躺著的，可是從未實現的各式各樣夢想與渴望。地下埋著的是未寫成的書、未起頭的生意與未建立的關係。令人難過的是，潛能的驚人力量也同樣躺在這些墳墓裡。

　　世上有這麼多人不開心與缺乏熱情的主要原因，就是他們沒有活出自己的命定。要明白，上帝將一份珍貴的恩賜放在你裡面，你必須要竭盡所能地將它發揮出來。

　　要怎麼做呢？很簡單，只要下定決心，開始專注在你神聖的命定上，並朝著上帝放在你心中的夢想與渴望邁步前行。我們的目標應該是，我們要活出最豐盛、極致的生命，追求我們的熱情與夢想，而當我們到了要離世的時候，我們將已把潛能發揮到極致。我們不要埋葬自己的珍寶；相反地，我們要善用人生。

　　你要如何發覺神聖的命定？這不複雜，你的命定必須與你的熱情所在有關。你對什麼充滿熱忱？你真正喜愛從事的是什麼？你的命定將會是你心中夢想與渴望的一部分，是你天性的一部分。因為上帝造你，而且也是祂一開始就把渴望放在你的心中，因此你應該不會訝異你的命定與自己的喜好有關。舉例來說，如果你很喜愛小孩，你的命定可能會與孩童相關的活動有關，像是教導、訓練、照顧與輔導他們。

　　也許你喜愛看到東西被建造或翻新，那麼最有可能的是，你的命定可能就會在於營造、設計或建築方面。我認識一些極樂於助人、富有同情心與關心的人，無疑地，他們的命定可能會促使他們走向一些社會工作，或是醫療領域之

中，像是醫生、護士、看護、牧師或諮商人員。你的命定通常追隨著你最熱情看待的夢想。

我從十、十一歲開始，就著迷於電視製作。我喜愛電視節目與影片的攝影、編輯與製作，這些過程中的每個環節都能激起我的熱忱。身為年輕人，我大多數的週末都花在父親任職的湖木教會中。在那時，教會擁有一些小型的專業攝影機組，而我會花一整個禮拜六把玩這些電視器材。其實我不是真的很了解要怎麼操作，但我被它們深深吸引。我會把攝影機開開關關，拔掉插頭，再插回去，然後捲起電線，為主日準備好這些器材。我對這些的熱忱，是與生俱來的。

當我年紀夠大時，大約是十三、四歲左右，我開始在主日崇拜中幫忙操作攝影機，也變得相當拿手了。事實上，我很快就成為我們裡面最好的攝影師之一。這對我來說並不難；我真是愛極了，因此在攝影機後面工作，幾乎就像是我的興趣一樣。

回顧過往，我現在看見，我對電視製作的喜愛，就是上帝給我的命定之一。上帝在創世之前，就已將這個興趣緊緊纏繞在我裡面。

我到大學研讀了一年廣播之後，就開始了湖木教會成熟的電視事工。今天，我來到了攝影機的另一端，而我也可以看見上帝如何引領我的腳步，並預備我實現命定。

也許你並不喜歡自己工作的領域；你每天起床就害怕去工作，這份工作既無意義又很俗氣。

如果這聽來像你，也許該是你重新檢視自己在做什麼的時候了。你的生命不該悲慘而不滿足，因此要確認你所處的領域是你命定裡的一部分。不要花上廿五年無意義地活著，

做著自己不喜歡的事，只圖個方便而不想改變現狀就繼續待著。不，你要跨進你的神聖命定裡。

我們應該喜愛自己正在做的事，應當每天帶著熱忱與快樂工作。我不是說我們不要努力工作，也不是說，工作上都不會有不順心的日子，或不會有我們寧願不要打交道的人；這些都是生活的一部分。真正重要的是，我們都應享受自己正在從事的。當你晚上回到家，你應該覺得自己完成了某件事，幫助這世界變得更好。我相信當你發現自己的命定，並開始從事與其相關的領域時，你就會綻放光華。

> 我們應該喜愛自己正在做的事。

來想想一隻優秀的獵犬，牠生來就是要狩獵的犬種。若把一隻獵犬放在一個密閉區域，牠就會整天躺在地上，懶散，沒有動力與熱情，要死不活。但當牠的主人回家並打開小貨車後面的柵門時，這隻狗就知道牠要準備去打獵而開始變得生氣勃勃了。牠會開始吠叫，跳躍，在院子裡興奮地跑來跑去，和先前有如天壤之別。

這是為什麼呢？因為上帝把獵犬創造成如此。祂把這種熱情放在牠的裡面，因此牠有著天生的興奮與熱忱。牠們不用千方百計去激發自己快樂，牠們不用說：「這個嘛，讓我來聽一段講道或來一篇激發我動機的演說，今天我需要激起一些狩獵的熱情動力。」

不用，當這些獵犬得知要去打獵，牠們就興奮不已。宇宙的造物主已經將這種渴望深植於牠們的內在之中。

我真心相信，當我們邁入自己的命定，從事蒙召去做的

事時，熱忱與興奮會自然地從我們身上散發出來。我們也許不會每天雀躍不已，但在內心深處，我們會知道：這就是我蒙召要做的事，這就是我生在世上的目的，這就是我的命定。

你的內在也深植著使命感，一種由宇宙造物主植入你裡面的神聖目標。這是你的天性，是真我的一部分。

我喜愛這麼想：上帝創造萬物，並給予它們各從其類的的獨特個性與特質。舉例來說，貓頭鷹是夜行性動物，牠喜歡在夜間外出。上帝賜給貓頭鷹清晰的視力，讓牠們能在夜間看得清楚，就如人類能在白日清楚看到東西一般。但如果這隻貓頭鷹決定要開始在晚上睡覺，白天外出，牠就與上帝造牠的命定反其道而行，如此必定會產生許多問題。其中之一就是，牠會有覓食的困難。牠會終日勞苦，無法享受生活，因為牠做的不是上帝創造牠時，要牠做的事。牠會背離牠的命定。

另一方面，當你真正活出你的命定時，許多事情都會自然成就於你。延續我之前比喻所說的，這隻貓頭鷹不須被告知要熬夜，牠自然而然就會在黑暗中行動，也具備夜間行動的一切裝備，因上帝已經把牠創造成夜行性動物。

同樣地，上帝也將某些特質放在我們每個人的裡面。如果我們能發現自己的命定，並從事與生俱來就擅長的事，生命會快樂許多，而不會充滿掙扎與痛苦。

如果你曾聽過名歌手唱歌，你會覺得他們的表演聽來不費吹灰之力。這是為什麼呢？因為他們正在從事自己天生在行的事。

反過來說，如果你正從事的與你的先天特質不相符，那

麼你必定歷盡艱辛。如果你努力、受訓、練習，還外加催逼，卻仍不能得心應手，那麼要明白這與你的性向不合。

當然，有時成功得來不易，我們還是必須堅持不懈。有時你必須費勁地學習那又大又難，卻又極其有益的功課。然而總地說來，生活不應該是無止境的掙扎。當你活在自己的命定目標之中，有個最顯著的結果就是，這對你而言是何等自然。要學習體察並運用這些你與生俱來的才幹、恩賜與能力。

我有兩個朋友，他們一起去讀聖經學院，也都計畫要成為牧師。當他們畢業時，葛瑞格開創了一間教會，並邀請他的朋友朗恩來幫忙。朗恩原本要開創自己的教會，但是既然他沒看見有什麼機會，便決定暫時先協助葛瑞格。朗恩是個極度傑出的音樂家，是位出色的鋼琴手、作詞家與歌唱家。

葛瑞格讓朗恩負責教會的音樂事工，幾年下來，他都表現優異。教會因為其音樂在此鄉間遠近馳名，人數日益增多，會眾也茁壯成長。然而，朗恩卻不斷告訴自己：「我得離開這裡，去開創我自己的教會。」

葛瑞格與朗恩兩人的妻子都明白，朗恩的音樂才華帶給人們極為正面的影響，但朗恩就是聽不進去。對他來說，音樂太輕而易舉，他一直都在從事這方面，這對他來說渾然天成，他在這領域表現優異。朗恩確定他必須離開這裡，嘗試更有挑戰性、更困難，也更新穎的事。

有一天，他終於了解自己希望帶給人們的一切，都是透過音樂來成就，於是開始對自己已經在做的事感受到使命感。事實上，當朗恩認真想到要成為牧師時，他發現這個職位的有些部分，根本無法吸引他。

　　朗恩決定留在自己現在所處的位置，並繼續運用上帝賦予的恩賜和才幹。他與家人因此蒙福，許多人也因著他的音樂受到激勵和啟發。但他因為太靠近自己的神聖命定，而差點與之擦身而過，只因那對他來說太「稀鬆平常」了。

　　同理可證，上帝已經賜你某些你所擅長的天賦、恩賜與技能，以及你能表現卓越的特定領域。不要視其為理所當然，也許那是在銷售或溝通方面，也許是在鼓勵人或在運動方面，或是在行銷方面；無論那是什麼，千萬不要只因為這對你來說太自然發生，就輕視它。這可能正是上帝植入你內在的性向，這可能是你命定裡的重要部分。要確保你已經發揮、探索到極致，要牢記：一件對某個人來說是枯燥乏味的事，對命定在這領域的另一個人而言，卻可能精彩絕倫。

　　我姊夫凱文是湖木教會的行政人員，也是我們所有同仁的極大幫助。凱文是個「細節專家」，極度有效率並擅長規畫事情。他會睿智地籌畫並善用時間，這不僅是他在時間管理講座中學習到的，更是上帝賜予的天賦。（在我看來，這麼有規畫性，已經是異於常人了！但我很高興凱文是這樣。）

　　當我們在監督康柏中心一億美元的裝修花費時，凱文清楚了解營造計畫中的每個細節。他知道每一分錢流向何處，也能解釋為何有此花費。不僅如此，他還可以告訴你，我們為了省錢還試了其他哪三種方法。凱文真是細節大師！

　　當我帶著妻子、兒女和凱文及麗莎全家去度假時，凱文給了我一張行前路線圖。他還寄給我機票和天氣報告，還有租車資訊與交通導引，並提醒我要帶駕照。在我們搭機起飛的那個早上，他還打電話來告訴我，高速公路上哪裡塞車。

　　這是因為有一次，我到了機場才發現忘了帶駕照，因此，現在凱文會書面提醒，要我注意一些我甚至根本沒想到的相關事項。他真是有擅長細節的恩賜。

　　凱文也一直留在他的強項領域中，他擔任我們的行政人員時，表現卓越，他在內心深處大可想著：唉，如果我能上台講道，我會大有影響力。但他沒有。如果凱文上台講道，我們可能就用不著康柏中心了！他不擅長講道，而我對行政管理毫不在行。他從事的正是他天賦異稟的事，他常告訴我：「約爾，這工作簡直是美夢成真。」凱文每天都熱愛前來工作，他熱衷於所負責的工作。這是他所拿手的，也是他命定裡的一部分。

　　你必須明白自己的天賦所在，並竭盡所能地利人利己發揮它們。生活聖經(The Living Bible)譯本的羅馬書十二章6節說：「上帝給我們每個人不同的能力，做好應該做的事。」你無法把每一件事都做好，但你可以把某件事做好。要專注在你的天賦力量上，並確保自己不會因為一直從事違反性向的事而錯失你的命定。當你真正踏入自己的命定，就不會是個沒完沒了的掙扎，你會感覺再合適也不過。

你的命定乃為你量身訂做

　　我父親熱愛去印度旅行，這是他主要酷愛的活動之一。一年總有兩、三次，我和維多利亞會與他同行。通常，當我們抵達印度的主要城市之後，我們會再跋涉四或五小時深入鄉間，進入小村落。當然，在那裡沒有豪華飯店，甚至通常是一間飯店也沒有，那裡也沒有我們想吃的食物。不僅如

此，天氣通常又熱又黏，在我們抵達幾分鐘之後，馬上就會覺得骯髒不舒服。但我父親對印度人民懷著熱愛，因此我們年復一年前往那裡。

有時我們會住在老舊失修的兵營裡，其實那不過是四片水泥牆，沒有室內浴室，沒有空調，沒有床單。事實上，連真正的床都沒有，只有骯髒窄小又不舒適的簡易小床。在晚上，各種蟲子與討厭的昆蟲好像接管了這地方。我和維多利亞從未抱怨這種狀況，但我們真是等不及要離開。

在我和維多利亞新婚不久，首次前往印度的行程之一，就是住在那些兵營裡。那天一早起來，我和父親先走到前面的草坪用早餐。突然間，我們聽到維多利亞用盡吃奶的力氣尖叫著，我以前從沒聽過女人叫成那樣。

我和爸爸丟下早餐盤跑到營房裡。當我們抵達時，只見維多利亞竭盡所能地快速甩著她的金色長髮，爆衝下樓往外跑。在那時，我們看見問題所在了，是一隻像大蜥蜴的壁虎正吊在維多利亞的頭髮上。身為體貼的新婚夫婿，我能想到的就是：小姐，繼續甩！因為如果你指望我幫你把這東西拿走，你可找錯人啦！最後，我大鬆一口氣，因為我親愛的維多利亞已經把壁虎甩離她的秀髮了。我本來還以為我得幫她以心肺復甦術進行急救咧！

但我父親幾乎沒注意到環境的不適，他表現得好像是待在豪華旅館一樣。他沒聞到臭味，感受不到悶熱，也沒看到這些蟲子；他快樂得不得了。事實上，我沒看過父親有比在印度村莊更快樂的時候。

有一次他告訴我：「約爾，如果我不是知道應該要牧養湖木教會，我會定居在此。」

這是為什麼呢？為何他不會覺得不舒服呢？因為這是他命定裡的一部分；他對此滿懷熱情。就像上帝把電視製作的熱情深植我心一樣，祂也將宣教的工作深植在他的內心。

箴言十八章16節說，你的禮物（恩賜，gift）會為你開路。我深信，如果你邁入自己的命定，無論你在何方，你要受僱或得著喜樂都不會有問題。你不會有找工作、交朋友或等待機會的問題。事實上，如果你專注在你的強項，從事你富有天賦的領域，你可能還得拒絕一些機會呢。

如果你感到不滿足，這可能是因為你沒有追求自己的命定，因此要確保你正在實現上帝放在你心中的夢想。你是否正充分利用你的內在潛能呢？你是否發現你最擅長，對你來說最得心應手的事呢？你是否在那領域表現優異呢？

如果你蒙召成為全職母親養兒育女，那麼你要盡力而為。不要只因為你的朋友都是職業婦女，而讓社會壓力迫使你隨波逐流。你要認清自己的目標並盡力而為。

如果你的強項在於銷售領域，不要整天獨自坐在辦公桌前。要進入你擅長的領域，盡情發揮所長。如果要實現你的命定，就必須從事上帝深植你心的活動。要確保你所從事的是你懷有熱忱的領域。

我最喜愛的電影之一就是《火戰車》(Chariots of Fire)。在片中，李岱爾(Eric Liddel)是位天賦異稟的跑者，他的夢想就是參加奧運，但他感覺自己蒙召要去中國宣教。然而他明白上帝也賜予他跑步的天賦。當他跑步時，他感覺好像把自己奉獻給了上帝。在本片的經典臺詞之一是李岱爾所說的：「當我跑步時，我感受到上帝的喜悅。」他說的是：當我在做自己蒙召去做的事時、當我在運用我的恩賜與才幹時、當

我在追求命定時，我能感受到上帝正對我微笑。

電影中另一句我最喜愛的臺詞就是：「贏得勝利就是榮耀上帝。」我相信，我們也應該抱持相同的人生哲學，奮力達到卓越，追求我們的命定，成為我們所能成為最好的；而當我們這麼做，就在榮耀上帝。如果你蒙召經商，那麼要力求出色表現來榮耀上帝。如果你蒙召教導孩子，就要追求卓越來榮耀上帝。無論你蒙召做什麼，如果你盡一切所能表現出色，你就在榮耀上帝。

也許你還沒踏入你的神聖命定裡，你依然在從事著產生不了熱忱與喜悅的事；該是你變得更好的時候了。

當然，你不可能只是喀嚓一捻指就換份工作，但是你至少可以檢視你的生命，並明白自己是怎麼消耗時間度日。你正追求熱情嗎？你正在從事你天生擅長的領域嗎？如果不是，你何不做些改變呢？人生苦短，要找到使你滿懷熱情的事物，讓自己投身其中。上帝會一步一腳印地帶領你。

之前我提到上帝是怎樣把電視製作的渴望放在我年輕的心中。我追隨著那份熱情，然後當我父親回天家時，我就產生跨步出去牧養教會的渴望，並跟隨了那份熱忱。今天我能夠很誠實地說，我相信我已經邁入上帝賜給我的命定之中。我知道這就是為何上帝把我放置於此；這就是我人生在世的目標。

我對你的渴望就是，去追隨上帝所賜給你對人生的神聖命定，去發現你的呼召，堅持你的目標。下定決心不斷進取，不斷相信，不斷伸展，直到你看見夢想實現。然後有一天，你會回顧過去並滿懷信心地說：「這就是上帝把我放在此的目的。」

行 動 要 訣

第I部 不斷進取向前

1. 今天我要默想這些意念：「我擁有實現自己命定的一切所需。」「上帝接納我，祂讚許我，我知道上帝爲我預備那上好的。」「我是貴重的，我的血脈中流著尊貴的血統，我有光明的未來。」「最好的日子就在前方。」

2. 這週我要花時間仔細檢視我的人生，辨明任何成爲我家族史部分的負面模式。我已經決定要成爲設立新標準的人；我要甩掉負面心態，開始活在上帝的賜福而非咒詛之中。

3. 當我擴展生命特定領域中的更高境界時，我要靠著上帝的幫助，克服所遇到的一切挑戰，不讓它們阻礙我。

4. 我要更留心，因我今日所作的決定將會影響自己的生命，也影響未來的世代。我要更謹慎、更慎重地作出明智的決定。我要禱告，尋求聖經指引，追求敬虔忠告，並在作下重大決定前花時間思考。我要在渴望家人活得比以前更好的基礎上，做下選擇。

第II部

積極正面地對自己

第 **7** 章

別再聽控告

如果你真的想要使自己變得更好，學習欣賞自己是至關重要的。太多人活在定罪之下，不斷聽信錯誤的聲音。聖經上說，仇敵是「控告弟兄的」，想要我們活在定罪與罪惡感之中。牠不斷控告我們，告訴我們什麼沒做、或什麼本來應該要做的。牠會提醒我們所有過往的錯誤與失敗：

「你上週發了脾氣。」

「你應該要花更多時間與家人相處的。」

「你上教會居然遲到。」

「你付出，卻付出得不夠。」

許多人鮮少防備，甚至不加防備地吞下這些話。結果，他們成天感到罪疚、受到定罪並對自己極度不滿，以致毫無喜樂、信心地度日，預期最壞的事情發生，而且通常照單全收。

當然，沒有人是完美的，我們都曾經犯罪、失敗、犯錯。但許多人不知道，他們可以領受上帝的憐憫與饒恕。相反地，他們任由自己的內在被擊垮。他們調頻到類似「你搞砸了，全被你毀了」那些的聲音。他們對自己嚴苛至極，不但不相信自己正在成長改進，反而相信這些聲音告訴他們的：「你成不了事，你永遠破除不了這個習慣。你只是個失敗者。」當他們早晨醒來，就會有個聲音告訴他們昨天做錯了什麼，今天可能還會做錯什麼事。結果，他們變得對自己極度嚴苛，而且通常也會波及旁人。

如果我們要與自己和平共處，就必須學習堅定立場說：「我也許不完美，但我知道我正在進步。我也許犯過錯，但我知道我已得著赦免，我已領受上帝的慈悲。」

當然，我們都想要成為更好的人，而我們無須用缺點來鞭笞自己。就以我來說，我也許沒有完美表現，但我知道我心純意正。別人也許不會總是喜愛我，但我深信上帝卻是如此。

同樣地，只要你盡力而為，渴望按著上帝的話語去行正直的事，你就能肯定上帝喜悅你。當然，祂希望你更進步，但祂明白，我們都有軟弱，都會做自己內心知道不應該做的事。當我們的人性污點與瑕疵在自己的完美主義上戳個洞，我們很容易對自己失望。畢竟我們會想：我們不配快樂；我們必須證明自己心存悔意。

但這樣不對，我們應該學習領受上帝的赦免與慈悲。不要讓那些定罪的聲音重複在你心中播送，它們只會加劇你對自己的負面態度。如果你對自己懷有負面的態度，這將會在你生命的每一個領域形成阻礙。

負面的控告會以任何形式發生：「你不夠屬靈，你應該

要很屬靈才對。」「你上週不夠努力工作。」或是：「由於你的過往，上帝無法賜福於你。」

這些全是謊言。不要錯誤地住在這些廢話之中，一秒鐘也不行。有時當我透過電視轉播對湖木教會與全球觀眾講完道，走下講台後，我心中浮起的第一個意念就是：約爾，今天的信息不夠好，沒人從你身上獲益，老實說，你讓他們想打瞌睡。

我已經學到甩開這些。我會轉身並說：「不對，我相信這信息很好！我已經盡力了。我知道至少會有一個人真正從中獲益，那就是我。我認為這好得很。」

只要我們盡力而為，即使我們犯錯或失敗，也無須活在定罪之中，悔改有時，甩開過去、奮力向前也有時。不要帶著悔恨過活，不要成天說：「唉，我當初應該這樣、那樣做。我應該回去讀大學。」或：「我原本應該多花點時間與家人相處。」「我應該要更加善待自己。」

不，別再定罪自己了。你的分析與觀察也許正確，但奚落自己並沒有任何益處。讓過去的成為過去，因為你無法改變它；如果你錯誤地因著昨天發生的事，而於今日活在罪疚之中，你就不會擁有活出得勝生活所需的力量。

使徒保羅曾說過：「我所願意的善，我反不做；我所不願意的惡，我倒去做。」[1]即使是這位寫下幾乎半本新約聖經的屬神偉人，也在這方面有所掙扎。這讓我知道，上帝不會只因為我沒有全時間地表現完美，就判我不及格。我希望我表現完美，我也一直盡力追求。我不會故意犯錯，但就像其他人一樣，我也有軟弱。有時我會犯下錯誤或作錯決定，但我已經學到不要拿這些事痛打自己。我不會在定罪中打滾；

我拒絕聽信控告的聲音。我知道上帝仍在我身上作工，我知道自己仍在成長，學習，邁向更好。我已經下定決心，不要在這過程中活在定罪裡。

控告的聲音會來找你並對你說：「上週你在塞車時發脾氣。」

你的態度應該是：「沒關係，我還有成長空間。」

「喔，你昨天說了不該說的話。」

「對，沒錯，我真希望我沒說那些話，但我悔改了。現在我知道我已蒙赦免，下次我會做得更好。」

「那麼，你兩年前在人際關係與生意上的失敗又怎麼說？」

「那都過去了。我已經領受上帝的憐憫。這是嶄新的一天，我不要流連過去，我要展望未來。」

當我們抱持這種態度，就奪走了控告者使人致命的能力。當我們不相信這些謊言，牠就無法掌控我們。

也許你必須甩開這種陳舊的罪惡感，停止聆聽那些聲音說的：「上帝不喜悅你，你有太多軟弱，你犯了太多錯。」

不要再聽了，只要請上帝赦免你，並且朝著祂希望的方向不斷進取，你就能滿懷信心知道上帝悅納你。當控告之聲嘲笑你：「你搞砸了；你沒前途了；你真沒紀律……。」不要向後退縮並附和著：沒錯，說得好！

不，你必須開始對控告者頂嘴，起而行使權柄說：「慢著，我在上帝面前稱義，上帝造我有價值。我也許犯了錯，但我知道我已蒙赦免。我知道我是上帝眼中的瞳人，我知道上帝已為我預備一切上好的。」

聖經告訴我們要「用公義當作護心鏡遮胸」[2]，這是我

們最重要的武器之一。想想看護心鏡所保護的，它保護你的心、你全人的中心、你內心深處的思想，與你對自己的觀感。如果你成天帶著這種蝕人心神的感覺，想著：「我沒前途，我已經搞砸太多次，上帝不喜歡我」，那麼我可以告訴你，你正聽信錯誤的聲音，這是來自於控告者。

你必須開始每天一起床就帶著信心說：「上帝悅納我，上帝讚許我，上帝接納我的本相。」

要明白，你可不是上帝意料之外的驚訝。上帝不會在天堂高高在上地搔著頭說：「我給自己搞出了什麼名堂？我做夢也沒想到他會有這種問題，我做夢也想不到她有這麼多軟弱。」

上帝創造我們。祂了解你的一切，而且依然讚許你，祂悅納你。你也許犯錯，但你仍是祂眼中的瞳人。也許你沒有處在應該就位之處，但至少你已經不在原處。要停止定罪自己。

聖經告訴我們：「那在你們心裡動了善工的，必成全這工，直到耶穌基督的日子。」[3]上帝仍在我們身上作工。

把自己的壓力卸下；給自己一些擁有軟弱、表現未達滿分的權利。當你犯錯，不要成天懷著罪惡感長達兩、三週。要立刻來到上帝面前並說：「天父啊，對不起，我悔改。求祢幫助我下次做得更好。」

而接下來的關鍵就在此：你必須領受上帝的赦免與慈悲。

山姆每天都求上帝原諒他三年前做過的一件事。他已經對同一件事祈求赦免不下五百次。山姆沒有把握上帝在他第一次請求原諒時，就已赦免他的真理。問題就在於，山姆並未接受上帝的赦免與憐憫。他不斷聽信控告之聲：「你搞砸

了，上帝不可能祝福你，你自己知道你幾年前幹了什麼好事。」

其實，山姆必須每天起床時就說這類的話：「天父，我感謝祢，因祢的慈悲恆久不變。我也許在過去犯了錯，但我知道，我做過的事沒有任何一件能超過祢的憐憫。也許我昨天犯了錯，但我知道祢的憐憫在每個早晨都是新的，因此今日我以信心領受。」

如果你緊緊把握這個真理，它將斷開數年來使你退步不前的捆綁。別再聽信控告的聲音，別再成天覺得自己不對勁。如果你活在定罪之中，這表示你還沒接受上帝的憐憫。有時候你也許會想：我覺得自己不配，我覺得自己不值得。

但這就是恩典的真義。我們沒有人配得，這是白白的禮物。我們無法靠自己成就價值，而好消息是，上帝使我們有價值。你不是塵土中的一隻小蟲，你乃是至高上帝的兒女，從此要拒絕聽信控告的聲音。

「唉，約爾，我還有好多問題待解決。」

誰不是呢？我們都有正待改進的地方。然而，上帝不會專注在你的錯處；祂定睛在你的長處。祂完全不看你的失敗與軟弱，而是看你走了多遠，成長了多少。今天你就必須堅定立場並說：「我不要再活在定罪之中。我不要成天抱著罪惡感與無價值感度日。我犯過的錯沒有太可怕的，因為我已經悔改，我已經尋求赦免。現在我要再跨出一步，開始領受上帝的憐憫。」

身為父母，我不會專注在孩子們做錯的地方。我的孩子在小聯盟的棒球場上可能被三振一千次，但我只會成天誇耀他那一年才一次的安打。在我寫下這些話時，我兒子強納森

正好十二歲。如果有人向我問起他，我會立刻想到我最愛強納森的那些事。我會告訴你，他聰明絕頂，才華洋溢，幽默風趣，而且滿腹機智。

有一次，我在一個講道中提到多數人只運用了心智的一成，強納森就靠向維多利亞，並說：「媽，我已經在平均水準之上，我用了一成一！」

強納森不完美，他也會犯錯，而我樂於教育他，訓練他，幫助他更上一層樓。這就是上帝看待我們的方式，祂無條件地愛我們。

萬一有一天強納森來找我並說：「爸，我就是覺得自己再也不配得到你的祝福，我認為自己不值得你愛。因為你知道，在我三歲的時候，我說了個謊。在我四歲時，我又揍了小妹。」

如果他說了這類的話，我會檢查他的體溫正不正常。強納森知道如何領受，他明白自己被深愛著，他知道我與維多利亞渴望祝福他。

幾年以前，我們為他買了一把吉他，他等不及我們到家接好喇叭就搶著要彈奏。幾分鐘之後，強納森來找我，給我一個大大的擁抱，他說：「爸爸，真謝謝你給我的新吉他。順便問一下，你覺得什麼時候可以給我一個新電子琴呢？」我兒顯然不是個害羞的小子！

勇敢無懼對我們大有益處。聖經督促我們：「只管坦然無懼的來到施恩的寶座前。」[4]這是為什麼呢？

「為了讓我們的失敗得著憐恤。」

不要禱告說：「上帝啊，我又搞砸了。我真是個失敗到家的父母。我發了脾氣，我對孩子吼叫。我知道我不配得生

命中的一切好處。」

不對，如果你想要領受上帝的好東西，就要帶著謙卑與敬畏來到祂面前，但只管坦然無懼：「上帝，我犯了錯，但我知道祢愛我，我祈求赦免。我領受祢的憐憫。」然後走出去期待上帝的賜福與恩惠。

我坦然無懼到相信自己是全能上帝的朋友，相信祂現在正對我微笑。我接受自己並非總是表現完美的事實，但我知道我心純意正。我竭盡所能努力討祂喜悅。這表示我不需要聽信控告者，我不需要活在定罪中。當我犯錯，我所要做的，就是來到上帝面前請求赦免，然後領受祂的憐憫繼續邁步向前。

也許你被負面經驗擊垮，也許那甚至不是你的錯；有人惡待你，或有人拒絕了你。

仇敵喜歡玩弄這些情勢，迂迴影射你有問題。我在兒時受虐的人身上看到這種情形，他們的年紀根本還沒大到能理解發生了什麼事，但仇敵就奚落他們：「這是你自找的，這是你的錯。」特別是在失敗的關係中，你可能會聽到有聲音告訴你：「你該受責難，你不夠好，你吸引力不夠。你沒有努力去試。」

你可曾想過，也許其他人也有一些問題？別再把控告照單全收，別再讓定罪的聲音生根，以致把上帝的好處排擠出你的生命。有些人其實已經對罪惡感上癮，他們不知道欣賞自己的感覺是什麼，也不知相信自己被愛、被赦免的感覺又是什麼，或者不知相信自己前途光明的感覺是什麼。

「約爾，你不了解我以前做過什麼，」里根告訴我：「你不知道我遭遇過的事。」

　　「里根，也許我不知道，」我說：「但你不需要把一切罪惡感、羞恥與責備往心裡吞。你必須了解，當你來到基督面前，當你領受祂的赦免，上帝就潔淨你的一切。祂選擇不再記念你的錯誤、罪惡與失敗。我要問的是：你何不也別再記掛這些呢？你何不停止聆聽控告的聲音呢？」

　　我很喜愛耶穌所講浪子回頭的故事。這位年輕人犯了許多錯，他告訴他老爸要分家產，當父親把錢給了這個兒子，這孩子就離家出走，過著浪蕩的生活。最後，他嚐到了這些錯誤選擇的苦頭。他把錢花光，而他的朋友也同樣一窮二白。他沒有食物吃，沒有地方住，最後只得到豬圈打工餵豬。他絕望潦倒，為了活命只得吃豬食。

　　有一天，身處羞恥與汙穢之中的他對自己說到：「我要起來回到父親的家。」這是他有生以來作過最好的決定。當你犯錯，當你經歷失敗與失望，不要成天坐著自憐。不要月復一月定罪自己，拒絕自己。邁向勝利的第一步，就是重新振作，並回到天父慈愛的膀臂中。

　　這位年輕人回到家，而我確定他心裡會這麼想：我根本在浪費時間，我父親一定不會接納我回去。他一定被我氣炸了，因為我作了這麼爛的選擇。我可以想像，他一路上必定三番兩次說服自己打退堂鼓。而且無疑地，他告訴自己：「我是個不折不扣的失敗者，我父親絕不會原諒我。」

　　聖經上說：「相離還遠，他父親看見他。」[5]這告訴我們：這位父親早就在尋找他的兒子。這位父親必定每天一起床就對自己說：「也許今天就是我兒回家的日子。」早晨、中午、晚上，這位父親都在殷殷企盼著。當他看見自己的兒子，就起身向他跑去，他等不及要看到兒子。這故事的寓意

非常明顯，這位父親代表著上帝。

這個故事使我感到非常有興趣，因為這是聖經中惟一一幅上帝跑步的畫面。上帝向誰或朝什麼跑去？朝著門徒之一？朝著使徒之一？朝著知名宗教領袖？都不是，天父朝著需要憐憫的年輕人跑去，祂正朝向那犯下大錯，極度失敗的人奔去。

當父親跑向兒子那裡，他抱著他的兒子，擁抱著他，何其開心能見到他，但兒子只是羞愧低垂著頭。他開始說：「爸，我真糟。我作了些可怕的決定。我知道我不配，但是你可不可以收納我為你的僱工之一，我會幫你做些田間的差事。」

父親一頭霧水地說：「你在講什麼？你是我的兒子，我要慶賀你回家。」

也許你認為上帝永遠不會原諒你。你犯了太多錯，搞砸太多次。但讓我向你保證，你做過的事沒有一件會抵消上帝的憐憫。你的天父並沒有設法定你的罪或對你大發脾氣，祂正站在你面前敞開著雙臂。如果你離應當達到的地步還遠得很，就必須明白，上帝正在等待你，而正當你向祂跨近一步的那一刻，你的天父將向你飛奔而來。

也許你迷失已久，活在罪疚與定罪之中，感覺上帝永遠無法挪去這些。

今天會是個新的開始，上帝對你犯下的任何錯誤都滿有憐憫。

浪子的父親吩咐其中一個工人說：「快把那上好的袍子拿出來給

你做過的事沒有一件會抵消上帝的憐憫。

我兒穿。」有一種翻譯版本則是說：「爲他穿戴榮耀的外袍。」

同樣地，你可能犯過一些愚蠢的錯誤而承受嚴重的後果。然而，上帝不僅要使你痊癒，不僅渴望給你一個新的開始，祂還渴望爲你穿戴榮耀的外袍。這就是我們的上帝。換句話說，即使在我們犯錯之時，甚至在我們給自己找麻煩之時，上帝還是這麼良善，當我們轉向祂，祂不會拿這些來對付我們。祂會重新接納我們，爲我們的生命成就偉大的事。

不過，要這些成就的惟一之道，就是我們要有正確的心態。我們不能一直在塵埃中打滾，卻又期待上帝給我們最好的一切。你也許沒有處在生命應達到的最好境地，但不要終日坐在自憐裡。要像這位浪子一樣，並說：「我要回去找我的父親。」換句話說，就是：「我受夠了活在罪惡感、羞恥與定罪中。我要起身脫離這團混亂，開始領受上帝的憐憫。」

當然，這需要信心，因爲你內在的一切會說：「你知道自己幹的好事，你知道自己犯過的錯誤，你當眞以爲上帝會賜福給你？」

而就在此刻，你要挺起肩膀說：「我可不這麼認爲，我知道眞相。我知道上帝是良善的神，我知道祂的憐憫比我任何的過犯都大。所以，我要開始領受祂的慈悲，並期待生命中發生好事。」

許多人認爲上帝在生他們的氣，認爲祂記錄他們做的每件錯事，而他們已經搞砸過太多次了。當他們作了錯誤的選擇，他們不敢來到上帝面前請求赦免與幫助，他們假定自己必須爲錯誤付出代價。不幸的是，多數人所採取的方式，就

是放棄自己的夢想，因他們不斷覺得自己不夠格、沮喪與失敗，認為自己活在遠低於上帝希望他們享受的生命層次，是在還上帝一個公道。

但好消息是債已還清。何不接受上帝的憐憫呢？何不相信上帝仍然為你預備美好的事物呢？沒錯，你也許犯過錯，但沒有一件你做過的事能抵消上帝的憐憫。

想像一下，若我聽到我兒強納森正對我呼喊：「爸爸！快救救我！」

我往窗外一看，見到我兒子高掛在離地甚遠的樹枝上，看來好像快要掉下來。我馬上意識到強納森如果從這種高度掉下來，他可能會摔成重傷。

你覺得我會怎麼回應？

我不會說：「嗯，讓我想想。他最近乖不乖呢？」

我不會問：「維多利亞，強納森最近有沒有乖乖做家務呢？讓我檢查一下他房間，看看每樣東西是否都如我們期盼地擺放整齊、乾淨？」

在此同時，強納森則驚險地吊在樹枝上，對我呼喊：「爸爸，拜託！請救救我，我有麻煩了。」

「強納森，再撐一會兒；我要先查一下你的表現記錄。」

我當然不會這麼說或這麼做。強納森是我兒子，我愛他（就像我愛我們的女兒亞麗珊卓一樣）。如果我的任何一個孩子需要我，我會竭盡所能地伸出援手。

這就是上帝看你的方式。祂不會專注於你的錯誤或失敗，祂不會讓你的生命陷入悲慘，然後看看你能承受多少挫折。上帝要你成功，祂創造你活出豐盛。

你無須如此不得安寧地過活：上帝不滿意我。在我犯下這些錯之後，如果我還去請祂幫忙，那就太偽善了。

恰恰相反，你是上帝眼中的瞳人，你是祂的得意之作；沒有一件你曾做、將做的事能阻止上帝愛你，善待你。

要放膽相信這一點，甩掉罪惡感與無價值感。我們像個悲慘敗將似地拖拉過活，試圖讓上帝知道我們有多愧疚於作下錯誤的抉擇，並不會討上帝的喜悅。相反地，要認清你是祂的兒女，明白祂愛你，願意做一切事來幫助你。撢掉灰塵，站直身體，抬頭挺胸，並明白你已蒙赦免。要宣告：「我也許犯了些錯，我也許徹底砸鍋，但我知道上帝滿有憐憫，對我的生命仍有個偉大的計畫。」

要建立這種遠離罪惡感與定罪的嶄新心態，最重要的就是，要遠離控告的聲音。無論祂欺騙你多久，告訴你，你有多糟糕，說你已經犯了太多錯誤；但上帝都對你有個完美計畫。也許你錯過A計畫，但好消息是，上帝還有B計畫、C計畫與D計畫。你可以把臉轉向祂，明白祂早已把臉轉向你。

我父母常告訴我們一個令人印象深刻的故事，是在我們其他兄弟姊妹出生前，有關我長兄保羅小時候的事。我父母親會在晚上先把保羅安置在他床上後，再回到自己的床上。他們的房間距離門廳只有幾呎，而每晚我父母都會說：「晚安，保羅。」

保羅會回答：「晚安，媽媽。晚安，爸爸。」有一天，保羅因著某種原由而感到害怕。在他們道過晚安幾分鐘後，保羅說：「爸爸，你還在那兒嗎？」

我父親說：「是的，保羅。我還在這兒。」

然後保羅問說：「爸爸，你的臉有對著我嗎？」

不知怎麼地，確認爸爸看著他的方向，讓保羅有種安全感。知道爸爸的臉朝著他，他會安詳地入眠。

「是的，保羅，我的臉朝著你呢。」

保羅很快就進入夢鄉，因為知道他在爸爸的保護與看顧之下。

朋友，請了解你天父的臉也朝著你。好消息是，上帝的臉會一直朝著你，無論你做了什麼，你去到哪裡，或你犯了多少錯。祂愛你並對著你的方向，看顧著你。

也許你曾對生命滿懷熱情，但一路走來，你遭遇失敗、絕望與挫折；也許那些控告的聲音對你嘮叨不絕，讓你消沉、灰心、愧疚與受定罪。今天你必須知道上帝正向你飛奔而來，祂的臉面正朝著你，祂不是憤怒、定人罪的上帝。祂是慈愛、憐憫與饒恕的上帝。祂是你的天父，而且依然對你的生命有個偉大的計畫。

不僅如此，上帝能夠彌補你被竊走的一切。也許你失敗千百次，失去一切珍愛的。但是上帝的慈愛取之不竭，你今天就能領受。這都要從改變

上帝的臉會一直朝著你。

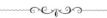

心態開始，別再對自己負面消極，停止接受控告，而要開始領受上帝的憐憫。別繼續陷在過去裡，停止聽信定罪的聲音吧。相反地，要開始穿戴上帝的讚許，深知祂喜悅你，明白你已蒙赦免，而且還為你預備了光明燦爛的未來。當你這麼做，就會分化控告者的力量，並經歷新的自由。你甚至能夠學習喜愛自己並開始欣賞自己。在下面的章節中，我會告訴你要怎麼做。

第 8 章

學習喜愛自己

我們都有尚待改進的地方，但只要我們不斷進取，每天盡力而為，就能肯定上帝喜悅我們。祂也許不一定喜歡我們的每一個決定，但祂喜悅我們。我知道這對有些人來說很難相信，但上帝要我們欣賞自己。祂要我們擁有安全感與健康的自我形象，但太多人卻專注在自己的缺失與軟弱上。當他們犯錯，就對自己極度嚴厲，不斷地叨唸、責怪自己：「你不應該這樣，你不及格，你已經搞砸太多次了。」

猜猜怎麼來著，上帝知道你本來就不完美。祂知道你會有軟弱、缺失與錯誤的渴望，祂在你出生之前就知道一切，但祂依然愛你！

你所能做出最糟糕的事之一，就是一輩子攻擊自己。這是今日的主要問題。許多人的內在正進行著一場戰爭，他們並不真正喜歡自己：「唉，我遲鈍，沒有紀律，缺乏吸引

力，也不如其他人聰明。」他們專注在自己的弱點上，沒發
現這種負面的自我檢視，是他們許多問題的根本原因。他們
的人際關係難以順暢進行，他們感到不安，無法享受人生，
而這多半是因為他們無法與真正的自己和平共處。

耶穌說：「要愛人如己。」[1]注意，愛人的前提是要愛自
己。如果你沒有健康地尊重真實的自我，如果你不學習接納
自己的缺失與一切，那你就永遠無法真正愛人。不幸的是，
自我厭惡已在今日毀了許多人際關係。

我遇過許多認為配偶是造成婚姻不美滿的人，或那些認
定錯在同事身上的人；但事實卻是他們自己的內心正在如火
如荼地進行一場戰爭。他們不喜歡自己的長相，不喜歡自己
在生命中的處境，他們因為無法破除壞習慣而心煩意亂，而
這些毒素都會滲入到他們的人際關係中。

要了解，你無法付出你所沒有的東西。如果你不愛自
己，就無法愛人。如果你的內在有衝突，對自己感到憤怒或
缺乏安全感，覺得自己沒有吸引力，覺得被定罪，那麼這些
感受就是你所能給予的。另一方面，如果你明白上帝正在你
身上作工，儘管你有缺點與軟弱，卻能學習接納自己，那麼
你就能夠付出愛心，擁有健全的關係。

這個基本原則能夠拯救你的婚姻，能夠改變你與周遭之
人的關係。儘管你認為所有問題都出在別人身上，然而你若
想在生命中成就長足的進步，就必須先與自己和平共處。請
明白，如果你對自己抱持負面觀感，這不僅會影響到你，也
同樣影響到你所有的人際關係，而且也會影響你與上帝的關
係。

這就是為何欣賞真實的自己對你來說是如此重要。也許

你有一些缺點，也許你有些希望自己能夠改進的地方，那麼，歡迎加入我們，大家都是如此。但要放輕鬆，別再對自己這麼嚴厲。有趣的是，我們也許永遠不會批評別人或對人說：「你還真蠢；你真沒吸引力，你真沒紀律。我討厭你。」然而我們卻可以毫不猶豫地對自己說這種話。要了解，當你在批評自己時，就是在批評上帝的終極創作。

「我試著過正常生活，」彼得說：「但約爾，我太沒耐心。我無法控制脾氣，容易發怒。」

「彼得，很明顯地，情緒失控對事情是沒有任何幫助的，」我告訴他：「但要記得，上帝仍在你身上作工。你還不是成品，在上帝改造你的過程中喜愛自己是好的，我不認識哪個人的生命是不需要改造而臻於完美的。只要你對自己作負面的批評，改變的過程就會減慢；這只會讓事情更糟。」

我不是說我們要邋遢度日，或用輕率、漠不關心的態度看待罪與錯誤。你在讀這本書，就表示你渴望變得更好，你正在追求卓越，而且你有顆取悅上帝的心。如果你是這樣，不要僅僅因為你還在某些問題中掙扎，就活在定罪裡。當你犯錯，只要來到上帝的面前並說：「父啊，對不起。我悔改，求祢幫助我下次做得更好。」然後就放手，不要折磨自己長達兩週、兩個月或兩年。甩開這些，繼續向前。

許多人是自己最大的敵人。「唉，我這麼肥胖。我飲食失調。我沒有花足夠時間與孩子們相處。我真沒紀律，上週甚至連自己的房子都沒整理。上帝當然不會喜歡我。」

不要落入這個陷阱。聖經說上帝早已認可你，接納你，可沒說你得活出完美生活，上帝才會讚許你。不對，聖經說

上帝無條件認可你，而且就是認可你真實的樣式。坦白說，這不是因為你做了什麼或沒做什麼；上帝愛真實的你是因為他的本性，他就是愛，而你則是至高上帝的兒女。如果上帝認可你，你為何不開始認可自己呢？甩掉罪疚、定罪、不足與自己不配的感覺，開始欣賞真實的自己吧。

如果上帝認可你，你為何不開始認可自己呢？

「唉，約爾，我不知道我相不相信這套，」一位可愛而好意的男士對我說：「我們只是可憐的罪人。」

不對，我們曾經是可憐的罪人，但是當我們來到基督跟前，他就洗淨了我們的罪，他使我們成為新造的人。現在，我們不再是可憐的罪人，我們是至高上帝的兒女。你不但不要帶著「可憐老我」的心態滿地爬，還要來成為佳餚晚宴的座上賓。上帝為你擺設了豐盛的筵席，祂為你預備了豐盛的生命。無論你過去犯了多少錯，或你正在什麼困境中掙扎，你已被命定要活在得勝之中。也許你還未完全成為你心目中的模樣，但至少你能回顧過往並說：「上帝，謝謝祢；我不再是過去的我。」

仇敵不想讓你明白自己已經稱義。牠喜歡讓你有罪惡感，但上帝卻希望你擁有坦然的良心。要開始活在你已被天國揀選、分別為聖、被讚許與接納的真理之中，並明白你在世上已經稱義。

無論我們每天早上感覺如何，必須一起床就大膽宣告：「天父上帝，謝謝祢讚許我！謝謝祢喜悅我！謝謝祢赦免

我！我知道我是祢的朋友。」

就在你穿上衣服時，要刻意地穿戴上帝讚許的護心鏡。在這一整天，無論你去何處，都要想像你的胸前寫著幾個大字：「通過上帝認證」。當那些控告的聲音試圖用「你這裡不好，你那裡不好，你搞砸了」這種話來攻擊你，只要照照鏡子，看著這個確據：通過上帝認證。

我知道我的孩子不完美，他們有缺點、有軟弱，而且有時會犯錯。但我也同樣明白他們正在成長，他們正在學習。想像一下你問我說：「約爾，你喜歡你的孩子嗎？」

你覺得我會怎麼回答？

我不會列出一張犯錯清單，我不會想到他們在年幼時做錯了什麼，更不會想到他們上週沒有遵守的事項。不會，我會毫不遲疑地告訴你：「我很喜愛他們，他們是很棒的孩子。」然後我會告訴你，我所欣賞他們的一切特質。我會告訴你，他們可愛、體貼、迷人、聰明。我的意思是，他們就和他們的老爸一樣啦！

要同意上帝的觀點，開始欣賞真實的自己。

真的，上帝正是這樣看你。祂不專注在你的過犯，祂不記錄你的缺點。上帝不看你一生中做過的每件錯事或你上週的悖逆行徑，祂看著你做對的事。祂正看著你下定決心要成為更好，要活出正直，要信靠祂的事實。祂喜悅你待人親切有禮；祂正看著你渴望更認識祂的事實。

該是你同意上帝的觀點，開始欣賞真實的自己的時候

了。當然，你也許有尚待改進的地方，你一定會有，因為你正在成長。你正在進步，你能夠擺脫過去壓得你透不過氣的重擔。

切記，仇敵會控訴說你永遠做得不夠：「你不夠努力，你不夠格成為好的配偶或父母；你昨天的節食計畫進行得還不錯，但昨晚你不應該吃點心。」

不要聽信這些，你還有許許多多的優點能夠對付這些負面特質呢。

「但約爾，我真的欠缺耐性。」

嗯，這可能是真的，但是你可曾想過你一直都很守時的事實？你堅持不懈，你富有決心。

「我想我不是個好媽媽。」

也許不是，但你可曾注意到你的孩子在學校表現優異呢？你的孩子沒有錯過任何一餐，他們健康，善於社交，積極參與體育、校園與教會的活動。

「唉，約爾，我不是個好丈夫。」

好吧，也許你花太多時間在工作上，但你貸款從不遲繳，供應家人富足的生活。

「我一生中犯了許多錯。」

對，但你選了這本書開始閱讀，學習，尋求更好的改變。這是個很棒的選擇，設身處地為自己著想吧，要脫掉這些定罪的破布，披上公義的外袍，穿戴公義的護心鏡。

你可以，也應該欣賞自己。當你正面看待自己，就與上帝的觀點一致。

「那我上週犯的錯又怎麼說？我去年失敗時又怎麼說？」

在你悔改的那一刻，上帝不僅原諒了你，也忘了你的過犯；祂選擇不再記念。別再提起上帝早已忘了的事，放手並開始欣賞自己。我們很容易會想，上帝保留著一張我們所犯錯誤的清單。在你的心中，你能看見祂在天上說：「唉唷喂呀，他們怎麼又沒做好這件事情，讓我記上一筆吧。」以及：「喔，喔，我聽到那句批評了。天使加百列，快加註個特別記號。」

> 上帝不看你做錯的；祂看你做對的。

這根本不是上帝的心。上帝是幫助你的，祂與你同一陣線，是你所能擁有最好的良友。上帝不看你做錯的，祂看你做對的。祂不聚焦在你是誰，祂定睛在你可以成為的樣式上。

你可以肯定上帝喜悅你，祂正在改造你。這就是為何即使我犯錯，我都還能每天一起床就放膽說：「上帝，我知道祢認可我，因此我也欣賞我自己。」

「約爾，你說得太簡單了，」有位年長者抱怨道：「你這是在發給人犯罪執照。」

不，你不需要執照。如果你想要犯罪，你就會犯罪；我犯罪，因為我想犯罪。但好消息是我不想犯罪，我想要活出討上帝喜悅的生活，我想要活出卓越、正直的生活。

停止認為自己每件事都不對，也別再累積錯誤的形象。聖經希伯來書說：「當放下各樣纏累我們的事。」[2]如果你不斷地撕裂自己，就必然會沮喪挫敗。要把目光轉向別處，明白你正在改變，正在進步。要接受靈性成長是個過程的事

實，不是一夕之間的魔法。聖經說，上帝一點、一滴地逐漸改變我們。

「但是約爾，我有這麼多軟弱，」我聽到你對我這麼說：「如果你真正認識我，你就知道……。」

這裡有個好消息：上帝的能力在你的軟弱上顯得最大。當我們軟弱時，祂就剛強。你可以學習倚靠上帝，不但不要對自己負面批評，反而要說：「天父上帝，我倚靠祢。我知道自己在這方面有軟弱，但我相信祢在我裡面並透過我顯出祢的剛強。我懇求祢幫助我對自己有更好的看法。」

在你的軟弱中，無論那是什麼，你不但不要對自己失望，反而要單單懇求上帝幫助你，而你將會看到祂的大能前所未見地彰顯出來。

我相信上帝允許我們擁有某些軟弱，如此我們才會始終信靠祂。如果你要等到一切問題消除，覺得自己是完美之後，才能開始喜愛自己，那你可得等上一輩子了。

「唉，約爾，如果我能瘦個二十磅，我就會喜愛自己。如果我更有耐心，更加體貼，我就會更欣賞自己。」

不，你現在就可以開始喜愛自己。你不完美，但你努力活得更好，而上帝看的是你的內心。祂看你的內在，並且一點、一滴地改變你。

我們都處在不同的屬靈成熟階段，這就是為何我們每個人的心態可以是：「上帝，我知道我有尚待改進的地方，但我盡力而為。我也明白祢已經接納我、讚許我，因此我也要開始接納自己。我下定決心要以欣賞自己來度過這一天。」

我聽過一則關於有個人帶著小兒子爬山的故事。在這對父子快樂地爬山途中，小男孩突然失足往山下滑了約三十

碼，掉落在灌木叢中。他雖未受傷但嚇壞了，大叫著：「誰來救救我啊！」

有個聲音傳回來說：「誰來救救我啊！」

這個孩子看來既驚訝又困惑。他說：「你是誰呀？」

有個聲音喊回來：「你是誰呀？」

男孩沒好氣地說道：「你是儒夫！」他叫著。

回聲叫道：「你是儒夫！」

男孩回敬：「你是笨蛋。」

回聲又重複：「你是笨蛋。」

就在那時，男孩的父親找到他兒子，並試著從灌木叢中把他解救出來。男孩看著爸爸問道：「爸，那是誰啊？」

這位父親輕笑著說：「兒啊，這叫做回聲，但也叫作人生。」他說：「孩子，讓我示範一下。」這位父親叫著：「你是贏家！」

回聲叫回來：「你是贏家！」

爸爸又大叫：「你有本事。」

回聲也大叫：「你有本事。」

爸爸又喊著：「你能成功。」

回聲又喊回：「你能成功。」

「兒啊，這正是人生的反映，」父親解釋道：「你所發出去的，終將回到你自己的身上。」

請問，你發出了什麼與自己有關的訊息？

是下列負面的訊息嗎？「我是失敗者，我沒有吸引力。我缺乏自制，

> 你所發出去的，終將回到你自己的身上。

我破產了。我脾氣超差,沒人喜歡和我在一起。」

你要開始送出這樣的訊息:「我受讚許,我被接納,我是上帝的公義。我有創意,我有天賦,我得勝有餘。」要確定你正在傳送關於自己的好訊息。

當耶穌受洗時,祂從水中出來,從天上有聲音說:「這是我的愛子,我所喜悅的。」[3]當然,耶穌是上帝獨一無二的兒子,但我相信上帝也正對你這麼說,祂非常喜悅你。

「唉,上帝不可能對我說這種話。你難以想像我所過的生活,你不知道我目前正在掙扎的問題。」

不,你要讓這個真理深入你的內心、思維與靈魂:上帝喜悅你,祂始終讚許你、接納你。也許祂不一定喜歡你所作下的每個決定,但如果你將生命交託給上帝,祂就喜悅你。

終其一生攻擊自己是多麼悲哀的事,特別是當你根本沒有正當理由要這麼做的時候。要明白,上帝不是要等你有一天終於改進自己時,才喜悅你。不對,上帝現在就喜悅你。內心的戰爭已經結束,因為上帝贏得了勝利!這就是為何你大可在今天的此時、此刻,就欣賞真正的自己。

第 9 章

讓你的話語為你效力

上帝並未把我們任何人造得平庸，祂不要我們只是勉強過得去，因此我們受造成為卓越。聖經教導我們：在創世以前，上帝不僅揀選我們，還為我們預備一切所需，以活出祂豐盛的生命。[1]你的內在擁有偉大的種子，但要不要相信並採取行動，則操之在你。

我看到今日有太多人成天帶著低落的自尊，覺得不如人，好像他們沒有本事似的。只要我們懷著那種可悲的自我形象，就無法經歷上帝最好的一切。你永遠也無法超越你對自己的印象，這就是要用上帝看我們的眼光來看待自己的重要原因。

你必須在內心懷抱著冠軍的形象。也許你還沒成功，也許你還有尚待克服之處，但你的內心深處必須知道自己是得勝者，而不是受害者。

我們能夠改善自我形象的最佳方法之一，就是運用話

語。話語就像種子，它們有創造的能力。聖經以賽亞書說：
「我們會吃自己話語所結的果子。」當你停下來想想這句話
時，會覺得很奇妙：我們的話語竟然會創造出我們所說的。

每一天，我們都應該對自己的生命作正面的宣告。我們
應該說這類的話：「我蒙福，我興旺，我健康，我有才氣，
我有創意，我有智慧。」當我們這麼
做，就是在建立自我形象。當這些話
語瀰漫在你的心靈之中，特別是在深
入你潛意識的心理層面時，它們終將
開始轉變你看待自己的方式。

> 我們的話語設定我
> 們生命的方向。

聖經上說：「頌讚和咒詛從一個
口裡出來。」[2]

有些人用一些話來咒詛自己的未
來，像是：「我沒本事，我又笨又拙，成不了事。我真沒自
制力，我永遠也減不了肥。」

我們必須極度小心從自己口裡說出的一切，因爲我們的
話語設定我們生命的方向。

你正往哪個方向呢？你正宣告好事嗎？你在祝福你的生
命，對自己與子女的未來說出信心的話語嗎？還是你傾向說
出負面的話呢？「沒好事發生在我身上，我可能永遠也擺脫
不了債務。我永遠也破除不了這癮癖。」

當你這樣講話，就是在爲自己的生命設限。

許多人因爲自己的話語而深受低落的自我形象所苦。他
們經年累月貶損自己，現在則形成了那些攔阻他們在事業與
個人生活中更上一層樓的錯誤心態。

「約爾，我犯了那麼多錯，根本看不出上帝要怎麼賜

福予我。」凱薩琳淚流滿面地說著：「我就是覺得自己不配。」

「的確，我們都不配得上帝的祝福，」我對她說：「因為它們是上帝白白賜下的救恩之一部分。你所能盡力做到的，就是領受祂的給予，要開始終日對自己說：『我是新造的人，我已蒙赦免，上帝看我為寶貴，祂讓我有價值。』如果你長期不斷地說這些話，就會開始相信，而你也將開始期待好事。」

也許你孤單，但你不該成天到處訴說你的孤單：「唉，我真寂寞，我好灰心。沒人喜歡和我作伴，也許我永遠也結不了婚。」

不要這樣，每天一起床就要說：「我談笑風生；我深具魅力，和善可親；我有好個性，我迷人又可愛；人們受我吸引。」當你日復一日說出這些正面的話語，你很快會發現，你的自我形象會愈變愈好。你會對自己更有好感，你不僅會擁有自信，還會更親切，也會吸引其他更正面的人。

也許曾有人對你說負面、毀滅性的話語。也許是你父母親之中的一方、教練或是老師說了這些話，像是：「你沒有能力，你永遠不會成功，你無法上大學，你不夠聰明。」而現在這些話語已經生根，並限制了你的生命。不幸的是，你已經聽這些話聽得太久，讓它們滲透到你的自我形象中。你能夠改變這些話語所產生影響的惟一方法，就是採取攻勢，並開始對自己的生命說充滿信心的話語。不僅如此，你還能找到最棒的橡皮擦，就是上帝的話語。開始由自己的口說出上帝所說、關於你的話：「我受恩膏，我受讚許，我已預備好了，我蒙揀選，分別為聖，被命定要活在得勝之中。」

當你說這些充滿信心的話語，你將祝福你的生命。不僅如此，你的自我形象也會開始改善。

無論是正面或負面的，你的話語都擁有創造的能力，因爲你相信自己的話語甚於相信任何其他人的。想想看，你的話語從口而出，恰恰回到自己的耳朵裡。如果你聽這些話聽得夠久，它們就會滲入你的靈裡，而那些話語恰好會產生出你所說的一切。

這就是爲何我們要養成每天對自己生命宣告好事的習慣。當你早上起床，不要看著鏡子說：「天哪，我眞不敢相信自己這副德性，我好蒼老，皺紋一堆。」你必須微笑著說：「早安，你這帥哥(美女)！」無論你感覺如何，看著鏡中的自己，並說：「我強壯，我健康，上帝更新我的力量，使我如鷹展翅上騰，我期待這一天。」

在自然與物質的領域，這些陳述也許不像眞的。你也許當天並未這麼感覺，或者，也許你還有一堆問題尚待克服。但聖經告訴我們要「稱無爲有」[3]。

換句話說，不要談論你的現況；卻要講論你渴望成爲的樣式，這就是信心的眞義。在物質的領域中，你必須眼見爲憑，但上帝說你必須首先相信，而後看見。

舉例來說，你也許在某些方面缺乏自制，但你不但不要埋怨，也別說自己的壞話，反而要開始招徠你所需要的東西。

改變你講述自己的方式，就能改變命運。每天一開始就說：「我有紀

改變你講述自己的方式，就能改變命運。

律，我有自制力。我作下好的決定，我是得勝者。這個問題不會一直存在；它會消失的。」不論你是在開車上班、洗澡或烹煮晚餐，整天都輕聲對自己作出積極正面、符合聖經的精確宣告：「我得勝有餘，我能夠做到我必須完成的。我是至高上帝的孩子。」

當你說出肯定自我的話語時，你會驚訝地發現，你在情感與靈性上都日益強健，而且你內在的形象也會變得更好。

賈桂琳是個聰穎的高中女孩，但她不相信自己能夠拿到好成績。「我只是個丙等學生，」她悲嘆：「這是我考過最好的成績。我的老師是全校最嚴的，但我的數學還是不好。」

幸運的是，賈桂琳學到要停止用話語來自我設限。現在她每天在上學途中都會說：「我在學校表現出色，我學習快速。我有好的讀書習慣，我是好學生。我滿有上帝的智慧。」

也許你會批判、論斷人，但不要只是坐在那裡說：「我就是這個樣子。」

相反地，要看著鏡子說：「我仁慈、富有憐憫，我體貼、富有同情心；我總看人好的一面。」當你不斷作這些正面的宣告，你的內在就會產生新的態度，你的人際關係也會開始改變。

當上帝告訴亞伯拉罕與撒拉他們會有個孩子時，他們老早過了生育的年齡。難怪撒拉會竊笑，她一定說：「亞伯拉罕，你在講什麼啊？我會生小孩？我是個老女人，我可不認為這行得通。」

上帝在使他們孕育孩子之前，必須先改變亞伯拉罕與撒

拉的自我形象。上帝怎麼做呢？祂幫他們改名，改變他們
聽到的。祂把撒拉原來的名字撒萊改爲撒拉，意思爲「公
主」；也把亞伯拉罕原來的名字亞伯蘭改成亞伯拉罕，意思
爲「多國之父」。想想看，在亞伯拉罕有一子半女之前，上
帝就已憑信心稱他爲多國之父。每次當有人說：「嗨，亞伯
拉罕，你好嗎？」他們就是在說：「哈囉，多國之父。」他
這麼頻繁聽到這個詞，因此這個詞就開始深入他的內心。

撒拉是個未曾生育的老婦人，她也許不覺得自己像個公
主，但每當有人說：「嗨，撒拉。」他們就是在說：「你
好，公主殿下。」長期下來，這改變了她的自我形象。現
在，她不再看自己年老不孕；她開始視自己爲公主。最後，
她生下一個孩子。這對父母依上帝的指示，給孩子取名爲以
撒。

或許上帝也對你的內心呢喃著一些看似不可能的事。也
許痊癒在你看來毫無可能，或者脫離債務、結婚成家、減重
瘦身、創立事業等等對你來說看似無望。在自然、物質的領
域中，一切都困難重重；你無法看見這如何能成就。但如果
你要看見夢想成眞，就必須讓自己的嘴巴前往正確的方向，
並運用你的話語來幫助自己培養新的內在形象。無論某件事
看來何等不可能，無論你感覺如何，都要放膽宣告：「我在
主裡剛強，靠著基督，我凡事都能。我有能力實現我的命
定。」要招徠上帝應許你的事，因聖經上說：「軟弱的要說
我已剛強。」今天你也許不舒服，但不要到處說著：「我想
我永遠無法戰勝這疾病。」

相反地，要大膽宣告：「上帝正使我恢復健康，我的每
一方面都在每一天變得更好。」

也許你的財務狀況看來不甚理想，但要開始宣告：「我蒙福，我興旺。我作首不作尾，我能借貸給人卻不必向人舉債。」

不要只是用話語來描述你的情況，要用話語來改變你的情勢。

我與維多利亞有一對朋友，他們想再生個孩子。他們已經有一個女兒，而他們還想再添個兒子。不幸的是，每次這位妻子只要一懷孕，就會流產；這在九年之中發生了五次。當這對夫妻年紀愈來愈大，他們也愈來愈沮喪、挫敗。

丈夫名叫喬(Joe)，他一輩子都使用這個名字。但有一天他注意到他的全名其實是叫約瑟(Joseph)，意為「上帝必加添」。當喬聽聞這說法，他內心靈光一閃。他明白這是上帝在對他說話，便決定使用全名。

他告訴他的朋友、家人與同事：「請別再叫我喬；請開始叫我約瑟。」他們不知喬葫蘆裡賣什麼藥，有些人罔顧喬想要被稱作約瑟的心願，只把這當成是他的中年危機。但約瑟不在意，他知道每當有人說：「哈囉，約瑟，」他們就是在說：「上帝必加添。」他們正在對他的生命說信心的話語，而約瑟將之解釋為：「上帝要加添我們一子。」

幾個月之後，約瑟開始相信自己的名字，於是他的妻子再度懷孕。而這是十年以來的首次，她把小孩懷足了月，生下一個健康的男嬰。

為了見證上帝為他們行的事，他們同樣將寶寶命名為約瑟，也就是「上帝必加添」的意思。

我們能夠用話語來預言自己的未來。不幸的是，許多人預測失敗、挫折、匱乏與平庸。要避免這類批註，但要運用

你的話語來宣告好事，要宣告健康、喜樂、財務的祝福、快樂與健全的人際關係。你可以一整天宣告：「我有上帝的恩惠，我能夠做我必須做的。」當你這麼做，你將祝福自己的生命並強化自我形象。

如果你正掙扎於憂鬱之中，要運用你的話語來改變情況。也許你經歷過諸多失望，也許你在過去遭遇許多挫折，那麼，你比任何人都需要每天一起床就大膽宣告：「這將是美好的一天。雖然我在過去遭遇失敗，但這是嶄新的一天，上帝與我同在。事情將為著我的益處改變。」

當挫敗的思想來襲，你不但不要埋怨並預期最壞的狀況，反而要一次又一次地說：「好事將會發生在我身上，我是得勝者而非受害者。」光靠積極思考還不夠，你必須對自己說積極的話，你必須一遍又一遍聽到：「好事正在發生，上帝正為我爭戰。新的機會之門正在敞開。」

當你肯定地說話，你會在內心培養出新的形象，而事情就會為著你的益處改變。

如果你每天撥出五分鐘，單單宣告好事會發生在你的生命中，你將會被結果所震驚。在你開始忙碌的一天之前、在你出門之前，以及上班、送孩子上學之前，花幾分鐘對自己的生命說祝福的話。也許你甚至會想寫下這些話語，好讓你能夠作個記錄。聖經哈巴谷書說要寫下你的異象，因此就把你的夢想、目標、抱負，以及你希望改進的領域、你希望看見改變的事物等等，列成一張表。要不斷確保你能夠以上帝的話語來支持它們，然後每天與上帝獨處，並花幾分鐘宣告將要發生好事。要記得，光是閱讀或是思想這些還不夠。當你說出來，超自然的事就會發生，這就是我們活出信心的方

式。

也許你飽受擔憂之苦，總是對某些事情感到心煩，你的心老是為了一些不重要的事發愁，此時就要開始宣告：「我有上帝的平安，我的心安息。我的態度安歇從容。」要用信心宣告這些來改變情況。

貝蒂已經試了好幾年要戒菸，她的出發點很好，也盡力而為，但好像就是無法破除這習慣。她總是說：「我就是沒辦法，這對我來說太困難了；我永遠擺脫不了菸癮。」她甚至對朋友說：「就算我真能戒菸，我知道我也會大幅發胖。」她不斷對自己的生命說負面的話語，這樣持續了好幾年。

有一天，有人鼓勵貝蒂改變她的話語，不要講得好像負面的事情已經發生了似的。她不知要怎麼做，因此她只是開始說：「我不喜歡抽菸，我受不了尼古丁的味道。當我戒菸，我的體重一點都不會增加。」她日復一日、月復一月地這樣說。

後來她告訴我：「約爾，我會一邊坐著吸菸而且享受得很，但我也一邊開口說著：『我受不了菸味，我受不了尼古丁』這種話。」她說的不是自己的狀態，而是她想要達到的狀態。她月復一月地這麼做，然後有一天，她起床點了根菸，卻嚐起來不太一樣，有點苦味。要不了多久，味道愈來愈差。最後，菸味對貝蒂來說，已經差到令她無法再忍受，而她因此能夠放下香菸，不再拿起。

奇妙的是，貝蒂沒有因為戒菸而增加任何體重。今天，她已經完全脫離尼古丁。貝蒂在某種程度上用話語的力量破除了菸癮，她預言了自己的未來。

就像貝蒂一樣，也許你花了好幾年對自己說負面的話：
「我無法破除這種癮。我瘦不下來。我永遠擺脫不了債務。
我永遠也結不了婚。」

要明白，那些話語已經在你的心
靈中築起了堅固營壘，你已經在內心
爲自己建立了錯誤的圖像。你必須開
始改變那種形象，並開始看見自己贏
得勝利，不然你就會一直受到現況的
轄制。

要使用話語來祝福
你的生命。

今天就決定你對自己只說正面的
肯定話語。也許你有千百種惡習，但不要讓你的口舌對自己
說批評的話語；要使用話語來祝福你的生命。看著鏡子並呼
喚你所需要的一切。在你的生命形象產生外在改變前，必須
先由內在開始改變。

要開始每天說：「我事業有成，我有上帝的恩惠。我作
下好決定，我辛勤工作，將要登上新的境界。」如果這些話
你聽得夠久，就會在你的內心產生新的形象，這是得勝的形
象、成功的形象。

無論我想不想要，我每一天都會宣告：「我受恩膏。我
的天賦才幹都要充分發揮，每個講道信息都會愈來愈好，人
們受我吸引，人們想要聽我證道。」

偶爾，我會收到人們來信說：「約爾，我從不看電視講
道，甚至可以說是不喜歡。但由於某種原因，當我開電視看
到你，我就是不想關機。」

有個人寫信告訴我，他妻子幾年來一直要他看我的節
目，但他就是不肯。他頗爲憤世嫉俗而且喜歡挖苦上帝。然

而，有一天，他在快速瀏覽頻道時，剛好看到我們的節目。就和往常一樣，他很快想要按下遙控器轉台，但不知爲何他的遙控器竟然故障了，讓他只好乖乖看這個節目。他又氣又煩地操作著遙控器，但還是沒用。他還換了電池，卻仍然沒用。

他在信中承認：「約爾，即使我表現得好像不想聽，但你說的話眞的切中我心。」他繼續說：「好笑的是，在這節目結束的那一刻，我的遙控器又恢復正常了。」當我讀這封信時，我想著：上帝眞是以奇妙的方式作工。現在，這人絕不錯過教會的任何一次主日崇拜。

要學習對你自己的生命宣告好事。如果你對自己負面批評，你的話語就可能阻擋上帝最好的計畫在你的生命中成就。這就是幾乎在舊約先知耶利米身上發生的事，上帝說：「耶利米，你在母腹中受造之前，我就看到了你，揀選你成爲國度的先知。」

耶利米年紀輕輕，沒有多大的自信。當他聽到上帝的應許，他不但不覺得受到賜福，反而非常害怕。他說：「上帝啊，我辦不到。我無法對全國說話，我太年輕，根本不知道要說什麼。」

上帝回答：「耶利米，別說你太年輕。」[4]請注意，上帝馬上阻止耶利米的負面話語。這是爲什麼呢？因爲上帝知道，如果讓耶利米到處說著：「我做不到，我沒本事，我太年輕」這種負面的話，將會阻礙祂的計畫，使得應許無法成就。因此上帝只是說：「耶利米，別再說了，別再用這些話咒詛你的未來。」於是耶利米改變了他對自己的說法，成爲那個世代的發聲者，而那是個屈就於上帝最好福份之外的世

代。

上帝也同樣呼召你行偉大的事，祂把夢想與渴望放在你心中。當然，你有想要改進的地方，也有希望能成就的事情，但要留心自己不是在找藉口說：「上帝，我辦不到。我犯過太多錯。我太年輕。我太年邁。上帝啊，我根本不是這塊料。」

開始對自己的生命作正面宣告。

不，上帝正對我們說祂向耶利米說的同樣話語：「別再說了，因為那些負面話語，可能會攔阻你經歷我最完美的計畫。」

現在就決定今天是你生命的轉捩點。從前，你鮮少對自己說好話，但今天開始，採取攻勢，並開始對自己的生命作正面宣告。每一天都要說這樣的話：「我蒙福，我健康又興旺。我有能力，我蒙受呼召。我受恩膏，我富創意。我有才幹，我完全能夠實現我的命定。」

如果你想要知道五年後的處境，聽聽你說的話就知道了，因為你正在預言你的未來。如果你想要更剛強，更健康，更快樂，如果你想要破除癮癖，那麼現在就要開始宣告。要記得，你會吃下自己話語所結的果子，因此要祝福你的未來，與上帝的看法一致，並開始學習對自己的生命說出信心與得勝的話語。你不僅將發展出更好的自我形象，還會變得更好！

第 *10* 章

對自己有信心

我們每個人都有內在的對話，也就是我們一天之中在內心進行的對話。事實上，我們對自己說的話比對任何人所說的都還多。問題在於：你對自己說些什麼？你在沉思些什麼？是正面的思想嗎？是賦予能力的思想嗎？是肯定的思想嗎？還是你成天轉動著那些負面、挫敗的思想，而告訴自己一些類似這樣的話：「我沒有魅力，我不聰明，我犯過許多錯，我很肯定上帝不喜歡我。」這種負面的自我對話，攔阻了數百萬人更上一層樓。

我們常在潛意識中全然不加思索地自我對話，在內心深處一直重複這些想法，而且多數人的這些想法都是負面的：我很笨拙，我永遠無法戰勝過去，我沒有成功的本事。

人們整天任由挫敗的訊息在心中和自我對話裡瀰漫著。一看見有人成功、有人達到目標，那些內在聲音就告訴他們：「這永遠不會成就在我身上，我不如那人聰明；我不如

他有天分。」或是當他們看見有人身材很好，有人看來健康、穠纖合度又有魅力，那些聲音就告訴他們：「我沒有那種紀律，我永遠也無法回復曲線。」他們的內在有個負面聲音不斷告訴他們，他們有問題。

「你不是個好母親。」「你上週沒有認真工作。」「你真是個軟弱的人。」如果我們錯誤地讓這些負面的自我對話生根，不僅會使我們的靈消沉，也會限制我們在生命中能夠達到的境界。許多人活得庸庸碌碌，就是因為他們日復一日、不斷地播放這些負面聲音。

我發現，這些錯誤思考模式通常來自於童年時期，是從那些撫育我們的人而來，他們原本應該告訴我們能夠成為什麼樣式，並且應該建立我們的信心，但他們卻對我們做出相反的事。我認識一些人受困於牢籠之中，就是因為在他們的成長過程裡，有人惡待他們，或有人拒絕了他們，可能是父母、教練，或甚至是同儕對這些人說了負面的話。他們一無所知，只是任由這些話語生根。而現在這些錯誤的思想模式，正攔阻這人成為上帝命定他成為的樣式。

我們必須重新設定我們的心志。請不要每天早上躺在床上想著自己所有不對勁之處，也不要躺在那兒不斷重複演練你所有的錯誤，想著你做不到的事或說你沒本事。你曾失敗幾次根本不重要，你必須甩開那些負面訊息與經驗，轉而放映新的紀錄。要常提醒自己：「我是至高上帝的兒女，我有光明的未來。上帝喜悅我，我有才氣，我富創意；我有成功的本錢，我會實現我的命定。」我們應該如此對自己說話，這不是傲慢自大，而是要滿懷自信。我們的內心深處都應該整天聽到類似這樣的話：「我受恩膏，我蒙受呼召，我蒙揀

選，我已受裝備，這是我大顯身手的時候。」

我們的內在對話應該一直都是積極正面、有所助益，我們應該一直用有能力、肯定的思想對自己說話。我們必須擺脫對自己的負面思考，絕不要說：「我真遲鈍，我沒有魅力，我永遠無法戰勝過去。」

不要這樣說，要把這些話從你的字典裡移除。如果你錯誤地陷在這些垃圾中，它們將會限制你的生命。也許你在過去承受了可怕的痛苦，也許有不公義的事發生在你身上，但不要藉由一直播送這些關於自己的負面聲音來擊倒自己。你對自己所說話語的信任程度，會甚於你相信其他任何人的話。別人可能一再告訴你，上帝對你的生命有個偉大計畫，祂為你預備了光明的未來；但除非你的內心真正聽進去，並開始整天不斷播送，否則這對你根本毫無助益。

要注意你對自己如何說話，請別誤解了我的意思；而我則是整天都在心中重複著一個信息：「約爾，你有成功的本事，你可以做上帝乎召你做的事，你有天分，你有創意。你在主裡剛強，你完全能夠實現你的命定。」

如果你同樣能用正確的方式對自己說話，你將不僅能更加享受人生，也會高升到新的自信心層次，一種新的膽量層次。我讀過一篇報告，在這實驗中，研究人員給一些受測試的大學生一種特殊眼鏡，這眼鏡會讓人所看到的物體都是倒置的，顯現出來的與真實狀態完全相反。實驗的第一天，學生們充滿了困惑。他們被家具絆倒，無法閱讀或書寫，必須有人引導他們到教室，幾乎無法正常生活。但慢慢地，他們開始適應。在第一週結束時，他們就能夠自己去上課，不需要任何協助就可以到處走動。研究人員深感興趣，因此他們

決定繼續這個實驗。在一個月之後,學生們已經完全適應這種情況。他們的心智已經完全融入這個上下顛倒的世界,也可以毫無困難地閱讀,書寫,做功課,打電腦,一切全在上下顛倒的視野下進行。

類似的事情也可能發生在我們身上。如果我們成天帶著錯誤心態,長久以來一直告訴自己:「唉,我不是好父母。我犯過太多錯。從沒什麼好事發生在我身上。」就像那些大學生一樣,即使實際情況完全相反,並非上帝創造我們的樣式,我們的心智終究會調整適應,最後活在這等層次中。

你的世界也許已是顛倒的狀況,也許你離潛能還遠得很,你厭惡自己,缺乏自信心,在低落的自尊中打滾。你是否想過,這可能會是你不斷對自己講述的後果?你的內在對話是負面的,你必須先改變這點,其他事情才會改變。

我在電視看到一個女子減重一百七十五磅,並用手術移除多餘的皮膚,一切都進行得相當順利。電視上展示她手術前和手術後的照片,她的狀況看來好極了。但幾個月之後,工作人員再度去訪問她,她卻非常沮喪,幾乎滴食不進。他們說:「咦,這是怎麼回事?你看來好得很,看來狀況棒極了呢!」

她說:「沒錯,每個人都這麼告訴我。但我猜,在我的心裡,我還一直是那個肥胖、缺乏魅力的女人。」

在看這則報導時,我心中想著:講的真是一針見血,你腦海中的印象已經根深柢固了。她的外在改變,但內在卻沒有改變。她仍在播送著那些老調:「我很肥,我沒有吸引力。我永遠也不會快樂。」若是如此,即使她可以瘦到只剩九十磅,她依然不會快樂。

　　不要聽信那些會拖累你的聲音。也許你不像從時尚雜誌中走出來的樣子，但我可以向你說：你乃是依照全能上帝的形像受造的。如果你學習用正面的方式對自己說話，你將驚嘆自己會多麼享受人生，多麼欣賞自己。即使當你犯錯，即使你做得不對，不要一直說：「唉，我就是成不了事，我真笨，我真遲鈍。」

　　我曾和一些錯誤自責的人打過球，他們這樣貶損自己：「你這白癡！」「比爾，你這可悲的傢伙，你一球都投不進。」「你這是哪門子的蠢蛋？」

　　我還認識一些人，他們一生中經歷過挫敗，如失望、挫折、破產或離婚。他們成天挫敗地度日，專注在自己做錯的事上。他們允許負面聲音不斷播送著：「你搞砸了。你本來有機會的，但你把生活搞得一團糟。」

　　要學習播送新的聲音，告訴自己：「我蒙赦免，我已恢復元氣。上帝有個新計畫，為我預備了好事。」

　　我不是在鼓吹逃避困難，我所說的是，成天為著過往的事覺得被定罪、貶抑或不及格，對你並無任何益處。我認識一些烏雲罩頂的人，他們總有一種模糊的感覺，但他們根本說不出什麼所以然，就總是有個聲音一直告訴他們：「你永遠無法快樂，你還是省省吧。」

　　你不能退縮著接受那些對自我的陳述，你必須起身開始用新的方式對自己說話。你應該整天告訴自己：「好事將要發生在我身上，上帝喜悅我，我的前途光明燦爛，最棒的事還沒發生呢。」在外在事物成就之前，你必須先由內在改變。

　　早上起床前先躺在床上，思想一些關於自己的好事，這

對我們是大有益處的。這些好事包括：「我是好父母，我是好主管，我是好丈夫。我前途無可限量，上帝喜悅我。」要學習刻意去想這樣的念頭。

我很蒙福，因養育我的雙親把這樣的自信與自尊灌輸給我。在我成長期間，我父母總告訴我，我能成就偉大的事；他們不斷提醒我，他們以我為榮。在生命中擁有滋養並鼓勵我們的人，是極度重要的，特別是在年幼的時日，當我們養成思考模式之時。

為人父母者，我要鼓勵你們，將這些特質灌輸在你們孩子的身上。他們需要你們的愛、你們的鼓勵、你們的讚許與你們的肯定。絕不要貶損你的孩子，不要說這類話語：「你為何就不能像你哥一樣考個好成績？」「你就是不夠資格上大學。」「如果你一直這樣，你會一事無成。」

話語就像種子，能夠生根並在一個人的心中盤據數年。當孩子還小，我們就必須導正他們，但不要錯誤地說出類似這樣的話：「你真是個壞孩子；你真是個壞女孩。」不要這麼說，因為孩子並不是壞人。他們或許曾做錯事，但他們是好孩子。他們依照全能上帝的形像被創造，而上帝可不會製造垃圾。為人父母者，我們有責任灌輸孩子信心、自尊與安全感。

我納悶今日有多少成年人受苦，只因為他們沒有在父母或養育他們的人身上得著所需的鼓勵？也許那些父母只是矯正這孩子，卻沒有讚許他。如果你為人父母，請避免這可悲的錯誤。

我哥哥保羅與妻子珍妮佛有個可愛的兒子名叫傑克森，他一直都很開心而且討人喜愛。當珍妮佛每晚帶傑克森就

寝，她都對他說一個故事，並與他一同禱告。珍妮佛在道晚
安之前會說：「傑克森，現在讓我提醒一下你是誰，」然後
她會講出一長串超級英雄的名字：「傑克森，你是我的超
人，你是我的金剛戰士，你是我的巴斯光年，你是我的救命
英雄，你是我的閃電麥昆，你是我的牛仔，你是我的明星棒
球手。」小傑克森就躺在床上露出笑容，照單全收。

　　珍妮佛在幹嘛？她正在幫傑克森的內在對話添加燃料，
即使他只有三歲。珍妮佛正對他說著：「傑克森，你很特
別；你很寶貴；你將成就一生的大事。」然後她接著在我哥
哥保羅就寢時也對他如法炮製！不過她這次不用巴斯光年，
她用貓王來稱讚他。

　　有一天，奇妙的事發生了。保羅與珍妮佛晚回家，珍妮
佛只好匆忙安置傑克森就寢。她沒花時間講述那一長串英雄
榜，幾分鐘之後，她聽到樓上傳來幼小的聲音說：「媽媽，
媽媽。」珍妮佛跑上樓回應著：「媽媽在這，傑克森，怎麼
了？」他說：「媽媽，你忘了告訴我，我是誰。」

　　這段簡短的對話中蘊含深刻的意義。我發現，如果我們
沒有告訴孩子他們是誰，自然有別人會來代勞。我渴望告訴
我的孩子：「你有本事，沒有你做不到的事。爸媽在後面支
持你，我們以你為榮。我們對你有信心，你被命定要成就大
事。」

　　要對你的孩子說祝福的話，要對他們的生命說得勝的
話。他們需要你的鼓勵，需要你的讚許，要幫助他們對自己
的生命有個大視野。

　　當摩西出生時，法老下令殺害所有兩歲與兩歲以下的孩
子。摩西的母親不但沒有默從這荒唐又殘忍的命令，反而將

摩西藏起來。最後只好把他安置在一個籃子裡，放在尼羅河上，而法老的其中一個女兒發現並養育了他。因為摩西身旁沒有一個敬虔的父親，因此也沒有人對他的生命說祝福的話。

多年以後，上帝來到摩西面前並說：「摩西，我揀選你做以色列的拯救者。」意料中的是，摩西口中說出的第一句話就是：「上帝，我算什麼呢？」

當我們不告訴孩子他們是誰，並幫他們灌輸自信心與建立自尊時，他們會掙扎於對自己的身分認同、自己是誰、能夠成就什麼之中。上帝說：「摩西，別說：『我算什麼呢？』你是我所揀選的。」

然後摩西又問了一個問題。他說：「但是上帝，誰會聽我的話？祢知道我不擅言詞，祢知道我拙口笨舌。」請注意他的缺乏自信，他在心中也同樣重彈著這個錯誤的老調。也許他的信心因著父親缺席，沒有父親固定對他的生命說好話而受損。但靠著上帝的幫助，摩西克服了後天不良。

也許你在孩童時期也沒有得到太多的鼓勵，但這不攔阻你的生命。你屬世的父親也許沒有向你說你是誰，但容我來幫你一把。你是至高上帝的孩子，你被上帝的光榮與榮耀加冕。靠著基督，你凡事都能，你充滿潛力，你洋溢著創意。沒什麼是你心中所想卻無法成就的事。你有勇氣、力量與能力。在你所到之處，上帝的恩惠都環繞著你，你手所碰觸的必要興旺成功。你受祝福而不受咒詛，這就是你的真實身分。因此你要挺起胸膛，抬起頭來，開始告訴自己：「我是凱旋的，我有十足能力。上帝親自將祂偉大的榮耀賜給我。」

　　如果你真心渴望變得更好，必須讓你對自己的想法前往正確的方向。你一整天都應該想著關於自己的好事。而當老舊、負面的聲音進到你的心中，要讓它們提醒你：該是換上新內容的時候。要立刻開始引用一些關於自己與上帝的正面肯定：「我受恩膏，我有能力，上帝為我預備上好的一切。」要讓正確的思想不斷在你的心中播送。

　　有一天，我在湖木教會的大廳和一位女士說話。她很漂亮，從外表看來，她似乎很快樂，也很頂尖。然而，她的內心卻進行著一場戰爭。她不喜歡自己，她認為自己沒有魅力，認為自己體重過重。她有一長串不滿自己的理由。

　　當我和她聊天，我發現她的父親總是貶低她。他不斷告訴她，她哪裡不好，她做不到哪些事情，無法成為哪種人。令人難過的是，這位年近三十的妙齡女子經歷了一次婚姻，又經歷了第二次婚姻，現在她即將要結束第三次婚姻。

　　我告訴她：「你內在的音響正播放著錯誤的唱片。你不斷告訴自己：『我很肥，我沒有魅力。我沒什麼可以付出的，我不討人喜歡。』只要你還陷在這種謊言之中，你的內在就會產生戰爭。你受造不是為了過這樣的人生，上帝創造你去喜愛自己。祂創造你，要你覺得完整，覺得滿足，覺得有信心與安全感，而不是不斷地攻擊自己。如果你無法與自己相處，也將永遠無法與別人相處。這會影響到你其他所有的人際關係。」

　　也許你的家中沒有平安，而問題並非出在另一半身上，問題的癥結在於你必須與自己和平共處。別再讓負面聲音在你心中播送。也許就像我所說的這位年輕女子，根本的原因是在於你生命中發生的事。

也許就像許多人一樣，你不知道該如何關掉這種聲音；你覺得成天討厭自己是很正常的。也許你並未擁有一些東西，那是你應該從父母或養育你的人那兒得著的，但總要記得：我們如何開始並不重要；重要的是我們如何結尾。要每天告訴自己：「我是上帝眼中的瞳人，我是祂的曠世鉅作。我有榮耀與尊貴的冠冕，我是寶貴的，我深具魅力，前方正有光明的未來等著我。」

要了解，負面的聲音好像總是叫得最大聲。你可能聽到二十個人鼓勵你，而只有一個人和你說負面的話，但是那一個人的話卻是你會記得的。這就是你的心智會想要一再播送的聲音。你可以做好一百件事而僅犯下一個錯誤，但卻得和罪惡感與定罪搏鬥。負面聲音的聲勢最強，但你必須學習放開它們。只要你專注在負面的聲音上，你的內在就會發生戰爭。你將無法欣賞自己，而改變這種狀況的惟一方法，就是讓你的內在對話朝著正確的方向前進。要用新的、正面的以及振奮人心的聲音，來取代負面聲音的內容。要開始思想關於自己的正確想法。

上帝在約書亞記五章9節對以色列百姓說：「我今日將埃及的羞辱從你們身上輾去了。」換句話說，以色列人並不欣賞自己，他們受傷，被惡待，灰心喪志，甚至在受到拯救脫離奴役生活之後，依然如此。上帝前來對他們說：「別再這樣，我已挪去你們身上的羞恥。」我相信在以色列人進入應許之地前，必須先除去他們所受的羞辱。

在你也同理可證。也許你試著活出得勝，試著成功，試著擁有美滿婚姻；但你對自己感到負面，你不欣賞自己的樣式。你不斷處在過去的傷害與痛苦之中。而除非你願意放下

過去的傷害並開始聚焦在自己新的潛能上，否則那些傷害將會把你束縛在原處。你無法對自己抱持惡劣態度，卻期待擁有上帝最好的一切。別再專注於你所犯過的錯，上帝已經挪去你的恥辱，就是你的羞恥、難堪、失敗與挫折。上帝已經盡到祂的職責，而現在該是你盡本份的時候。放開過去，好讓自己能夠進入應許之地。要開始思想、感受並說出關於自己的正面話語。

聖經說：「信心顯出功效，是當我們明白自己內在的美善時。」[1]想想看：若我們只承認自己的傷害與痛苦，我們的信心就無法顯出功效；若我們專注在自己的缺陷與軟弱，我們的信心就無法顯出功效。惟有當我們承認內在的美善時，我們的信心才會大有功效。要堅定宣告：「我有光明的未來，我有才幹，我有能力。人們喜愛我，我有上帝的恩惠。」

當我們相信上帝的兒子耶穌基督，並相信我們自己時，就是我們的信心活躍起來的時候。當我們相信自己有能力時，我們就是專注於自己的潛在價值。

不幸的是，多數人正好反其道而行。他們注意自己的一切錯誤。即使在潛意識中，他們仍不斷播放著那些負面的聲音，任由他人對自己評價低落。如果你屬於這個族群，你必須改變這個內容。

也許是我天真，但我期待人們喜愛我，我期待人們親切對我，我期待人們想要幫助我。我對自己是誰有正面的觀感，因為我知道我是誰，我屬於全能上帝。

不要帶著膽怯不安地走進一間充滿人的屋子並想著：這裡沒人會喜歡我。看看他們；他們可能已經在對我品頭論

足。我就知道不該穿這身衣服，我知道我應該窩在家裡。

不，要讓你的內在對話轉往另一個方向。要建立正面看待自己的習慣，要欣賞自己是誰。「唉，約爾，我只是個家庭主婦。我只是個生意人。我只是個學校教師。」

不對，你不「只是」這些；你是至高上帝的孩子。你正在實現你的目標。上主命定你的腳步，恩惠慈愛正跟隨著你，你是真命天子。明白與承認這些，能夠把你的信心提升至天一般高。

每天一起床就要對自己說：「我蒙祝福，我已預備妥當，我有上帝的恩惠。今天會是很棒的一天。」一整天下來，要不斷在心中播放這些話，讓正確的聲音不斷放送。要單單處在對自己正面、具有力量的思想之中；這就是你信心充沛之時。不要錯誤地只承認自己沒做對的，也要承認自己做對的事。要對自己是誰抱持良好觀感。如果你養成習慣用這些正面、有力的肯定思想對自己說話，你將不僅會擁有更多自信，還會更上一層樓，並在更偉大的層次見識到上帝的賜福與恩惠。

行動要訣

第II部 積極正面地對自己

1. 我拒絕因為過去的錯誤而活在罪惡感與定罪之中。相反的，我要滿有信心地邁步進入新的境界，明白我蒙上帝赦免，我會讓今天成為嶄新的開端。

2. 今天，我選擇藉由對我的生命說出正面肯定和充滿信心的話語，來更新我的自我形象，例如：
「我蒙福；我興旺；我健康，我會不斷地增長智慧。」
「我在事業上表現卓越；上帝幫助我成功。」
「我對自己懷有正面觀感，因為我不僅知道自己是誰，還知道自己屬誰，我屬於全能上帝。」

3. 我決心要讓我關於自己的內在對話變得積極正面。我要拒絕任何對自己與別人的負面思想，而且我要默想這類觀念：「我是寶貴的，我有充分能力成就上帝呼召我做的事。」

第III部

建立更好的關係

第 *11* 章

帶出人們最好的一面

在我讀中學時，我是棒球隊裡比較矮小的球員之一。在我們季賽的第一場比賽，我們被編排到與一個非常強勁的隊伍對戰，那隊以人高馬大著稱。自然而然地，以我的身材，我會很容易被對手嚇到。

有一天比賽之日，我在兩堂課間的空檔穿越學校走廊時，我的棒球教練當著幾個朋友的面點名我去找他。他是位個頭高大、強壯又嚴格的教練，他以慣用的粗曠語氣說：「約爾，你個頭不高，但讓我告訴你，個子不重要，這裡才是最重要的。」他用手指指著他的胸膛繼續說：「約爾，你的心胸寬大，你今年會表現得很棒。」

在我聽到教練當著我朋友面前說出的話，我站直身體，挺起胸膛，比平常還笑得更燦爛！你會以爲我根本就是麥可‧喬登(Michael Jordan)。我心中想著：「教練對我有信心！」我的自信向上飆往一個全新的境界，那一年我表現得比之前都

好。當我們知道有人真正對我們有信心時，我們所能成就的是非常奇妙的。

這位教練花了點時間使情況有所不同；他花了時間把自信心灌輸給我。如果我們要帶出人們最好的一面，我們也同樣需要撒下激勵的種子。

「唉，約爾，又沒人鼓勵我，」有人可能會說：「那我幹嘛去鼓勵別人呢？」

如果你要強化你的生命，如果你想要人生更美好，那麼你就必須去協助改進他人的生命。如果你幫助其他人成功，上帝也將確保你成功。

上帝刻意把人們放置在我們的生命中，好讓我們能幫助他們成功，協助他們成為上帝創造他們的樣式。多數人若沒有人真正對他們有信心，他們很難充分發揮自己的潛能。這表示你我都肩負著任務，無論我們去哪裡，我們都應該給人鼓勵，造就他們，挑旺他們再更上一層樓。當人們與我們相處，他們應該變得比之前更好。他們在和我們相處之後，不該感到灰心挫敗，反而應該受到挑旺與啓發。

聖經上說，愛是有恩慈。[1]有一種譯本將此解釋爲：「愛乃是尋求造就之道。」換句話說，愛會設法幫助他人改善生命。

花些時間創造改變。不要成天只想著怎樣使自己的生命變得更好，也要想想你要如何讓其他人的生命更好。我們的心態應該是：我今天能夠鼓勵誰呢？我今天能夠造就誰呢？我要如何改善他人的生命？

你能夠付出別人所無法給予的。

　　你能夠付出別人所無法給予的。有人需要你的鼓勵，有人需要明白你對他有信心，你支持他，你認為他有成功的本事。如果你回顧自己的人生，最有可能的是，你會發現有人曾在你的生命中，扮演幫助你達成今日境界的重要角色。也許你的父母或你的老師對你有信心，並幫助你也對自己有信心，也許是有位老闆在你認為自己不夠資格的當時，卻讓你升遷，或有個學校輔導曾說：「你行的。你能夠上大學。你的事業會成功。」

　　也許他們看到了連你自己都沒看到的特質，並幫助你跨入更高層次。現在是輪到你對別人投桃報李的時候了。你對誰有信心呢？你要激勵誰呢？你要幫助誰成功呢？朋友，生命中沒有比造就人更棒的投資。人際關係比我們的成就重要得多。

　　我相信上帝要我們對祂放在我們生命中的人負起責任，祂指望我們引導出配偶、孩子、朋友與同事最好的一面。你要自問：「我是否正改善某人的生命，給他信心，還是我只是敷衍了事，成天只忙著顧自己？」

　　這就是我最愛維多利亞的地方。她始終對我有信心；她是我的頭號支持者與忠實愛好者。維多利亞認為我是全世界最棒的人。現在，我雖明白自己實際上並非如此，但我喜愛她認為我最棒的事實。維多利亞認為我能成就任何事，她總是帶出我最好的一面。

　　在幾年以前，有一次我們正打算建造一棟房屋。我們賣掉了另一棟房子，買了一塊我們打算蓋房屋的地皮。我拿起電話打給我們從事建築業的朋友，要羅列事項準備動工，但維多利亞阻止了我，她說：「約爾，你在幹嘛？我們不需要

建築師，你自己就可以蓋這棟房子了。」

我說：「維多利亞，我又不懂蓋房子的事，我對營造一竅不通。」

「約爾，你當然懂，」維多利亞回答，她的眼睛閃耀著興奮：「當人家在建造我們之前的房屋時，你每天都在現場，你看到了他們是怎麼蓋的。你可以找那些下游包商或是其他人來準備動工事項。」

當然，她說服我了，而且我也蓋好了我們的房子。結果蓋得非常漂亮，雖然我忘了裝設管線！

有一點我很肯定的，就是維多利亞對我有信心。若不是維多利亞幾年前告訴我，我會成為湖木教會的牧師，我不相信自己能夠站立起來，每週對人證道。要記得，在維多利亞一開始表達那些念頭時，我根本沒對公眾證道過，更別說上電視了。不僅如此，當時我對這也沒興趣。然而當我與維多利亞坐著聽我父親證道時，她常說：「約爾，有朝一日會換你站在上面。你有這麼多可以付出的，有一天，你要幫助很多人。」

我沒料想自己可以做到；我並不喜愛在公眾前露臉。我從沒讀過神學院，也沒受過成為牧師的正式訓練。我低聲說：「維多利亞，我拜託你別再說了。我不是這塊料，我又不是牧師。」

「不，約爾，」她回答：「我看到你的潛力，你行的。」維多利亞看到了我自己都看不到的自我特質，因此她不斷澆灌著激勵的種子。

當我父親回天家，也是我首次開始在湖木教會證道之時，我極度緊張，但兩個因素幫助了我減輕恐懼。其一就是

維多利亞曾種下的所有種子；另一個就是會眾的支持。每次我起身證道，湖木教會的許多人都激勵著我。他們甚至在我開始講道之前就拍手鼓掌，我本來可能會是個糟糕的講員，但他們不斷激勵我，給予我所需的自信。

幾個月之後，我發現他們真的對我有信心。我想著：這些人認為我能做到。在維多利亞、家人與湖木教會會眾幫助引導出我最好的一面時，這也在我的內心引發了效應。

現在，我也致力要帶出你與他們最好的一面。你的內在有種特質，有種天賦與才幹，是你做夢都還沒想到要運用的。你能夠行得更遠，成就更多。不要安於現狀，你能夠克服前方的一切困難。你能夠破除任何癮癖，你的內在擁有至高上帝的能力。要開始相信自己並依此行動。

聖經哥林多前書八章1節說，愛心能夠造就人臻至圓滿的境界。當你相信人們最好的一面，你就是在幫助引導出他們最好的一切。

蘇珊・羅威爾創立了成功的事業，她的生活事事順心，但她就是不滿足，她有一種深切的渴望要幫助問題青少年。有一天，她辭掉了高薪的工作，跑去加州一間最爛的學校當老師，那是一間因藥物、幫派與其他嚴重問題而惡名昭彰的學校。不出所料，這所學校有著全州最高的輟學率，校方留不住教師，因為學生們已經難以管束與叛逆到一個程度，因此根本沒人認為這位新來的女士會待多久。

> 當你對人們最好的一面抱持信心，你就是在幫忙引導出他們最好的一切。

但羅威爾小姐採取不同的方法。在她上任的第一天,她
要學生寫下自己的姓名與地址,以及關於自己的有趣事情。
當他們在寫的時候,她來來回回走在學生的座位之間,悄悄
記下學生的名字。當學生寫完時,她向全班宣布要來進行
第一個測驗。學生們隨即一陣哀聲四起,於是她趕緊說:
「不,不是考你們;是考我。」她解釋:「如果我能正確叫
出你們每個人的名字,那我就通過測驗。但如果我遺漏任何
一個名字,那麼你們每個人就自動在第一個真正的測驗上獲
得優等的成績。」

在羅威爾小姐來回走動於學生座位之間,正確地叫出一
個個學生的姓名時,學生們興奮不已。學生們留下了正面的
深刻印象,而她也吸引了他們的注意力。羅威爾小姐溫柔地
說:「同學們,我這麼做的原因是要讓你們知道,你們對我
很重要。當我看著你們,我不僅喜愛你們,我也關心你們。
這就是我在這裡的原因。」

學生們發現這位老師與眾不同:她不是只等著領薪水;
她不是只試著用最少的工作量換取最多的津貼。這位女士相
信我們,這位女士認為我們能有所成就。

有一天,羅威爾小姐得知本班最難搞的學生阿曼多,欠
了街頭幫派一百美元。這是個極度危險的情況,尤其是阿曼
多根本沒錢還債。羅威爾小姐要這位學生在放學後留下來。
當他們坐下談話時,她說:「阿曼多,我聽說了你的困境,
我想要借你錢讓你還債,但我只有一個條件。」

「什麼條件?」阿曼多問。

她說:「如果你承諾在你畢業那天還我,我就借你這筆
錢。」當時,阿曼多還在讀高二,而在羅威爾所有的學生之

中，他是最不可能畢業的。他之前也就讀同校的哥哥姐姐並沒有畢業，而他的父母則只有小學二年級的教育程度。

羅威爾小姐的仁慈行動感動了他。從來沒有人對他表達這樣的愛心，沒對他有信心到相信他真能畢業。

羅威爾小姐之前就已經讓學生寫週記。在這週前，她曾要學生寫下人們對他們做過最仁慈的事。阿曼多說：「羅威爾小姐，我要補寫上週的週記，因為我本來根本記不起來有任何人對我行善過。但你今天為我所做的，我將永不忘懷。」他繼續說：「羅威爾小姐，我不會讓你失望。我會畢業，因著你認為我能辦到，我知道我就會做到。」

這位老師如此相信她的學生，使她的學生也開始相信自己。事實證明，阿曼多成為他家族中首位獲得高中文憑的人。

許多人只是需要有人點燃些許盼望，有人能對他們說：「對，你做得到，你有能力。」

你相信自己孩子最好的一面嗎？你有沒有灌輸他們所需的信心，對他們說他們會在生命中成就大事？你是否對你所愛之人的最好一面懷著信心？也許他們有些人脫離正軌，但不要放棄他們，不要把他們除名。要確保他們知道你在意他們，要確保他們知道你對他們真的有信心。

關鍵在此：不要專注在他們現今的狀態，要專注在他們能夠成為的樣式，要看見他們內在的潛能。他們也許有些不良習慣，也許他們正在做你不喜歡的事，但不要因此論斷他們，不要以評判的心看不起他們。要找出方法挑旺他們更上一層樓，要告訴他們：「我在為你禱告，我相信你一定能破除這個癮，我相信你能成就偉大的事。」

你會驚喜地發現當人們知道你眞的關心時，他們會如何做出回應。耶穌在所到的每一處，祂都看見人們看不見的自身潛能。祂不聚焦在他們的軟弱或過犯上，祂看到他們能夠成爲的樣式。

舉例來說，門徒彼得有許多粗糙的稜角。他脾氣火爆，大聲喧嘩，舉止誇張，而且行事莽撞，但這並未嚇到耶穌。耶穌沒有說：「算了，彼得，我要找個比你更斯文的人。」相反地，耶穌與彼得同工，引導出他最好的一面。那些特質已經在那兒，只是需要被引導出來。

有趣的是，彼得的名字其實是「碎石」或「小石頭」的意思；然而耶穌看見彼得更多的優點，祂說：「我要給你一個新名字，你的新名字是磯法，意思就是磐石。」換句話說，上帝說：「雖然你現在還是小石子，但當我完成在你身上的工作時，你會成爲磐石，你將會變得剛強、堅定與穩當。」

通常，你絕對無法用定罪、批評或言詞攻擊的方式，來帶出人們最好的一面，你必須用愛，你必須顯明你的關心，來引出人們最好的一面。你的朋友、親人、或同事可能做了些你不喜歡或覺得被冒犯的事；他們也許有些惡習，但不要專注在他們的軟弱上。要找出他們做對的事，並爲此鼓勵他們。

我不是說你要掩蓋過錯，但你要等候適當時刻與機會，來解決這些負面行爲與態度。首先，你必須建立關係，贏得此人的尊重與信任，並且你可以鼓勵或挑旺他更上一層樓。

我發現，如果我用我渴望人們成爲的樣式來對待他們，他們更有可能會成爲那種樣式，會更願意改變。

　　舉例來說，如果你的丈夫沒有以他應該做到的用敬重待你，不要與他一般見識地和他一樣無禮。不要那樣，要撒下種子，無論如何都以敬重待他，看著他開始改變。如果他很懶散，要待他如同勤奮的工人般。他也許做了一千件你看不順眼的事，但要找出一件你能誇獎他的事，並為此鼓勵他。

　　找碴挑錯是很容易的，但我們的目標是引導出人們最好的一面。我們的任務是去鼓勵，造就，挑旺人們更上一層樓。

　　我聽過某個人的下列經歷。有一天早晨他出門拿報紙，當他打開前門，對街鄰居養的一隻小狗正把報紙啣給他，他輕笑出聲，趕緊進屋拿了些好東西給小狗吃，小狗離開時樂不可支。

　　第二天早上，當這人又出門拿報紙，他打開門發現，那隻小狗正坐在那裡，狗兒旁邊則擺著八個鄰居的報紙！

　　人們也會對款待做出相同的回應，特別是當我們受到讚美、仰慕與欣賞的時候。夫妻都應該成為彼此的啦啦隊長，花些時間來讚美你的妻子，花些時間來恭維你的丈夫。在這方面不要怠慢，要學習別把對方付出的當作理所當然。

　　有一天，維多利亞走到我旁邊，我注意到她那天格外明艷動人。她盛裝打扮，還作了頭髮。我心裡想著：哇，她今天看來真美。

　　但我忙著在書桌前埋首工作，不想被打斷，因此我並未有任何表示。此外，我想著：反正她知道我認為她很漂亮，我已經向她說過幾千次了。

　　於是我錯失了播下讚美種子的機會。後來，我發現自己根本就是懶惰。當然，維多利亞知道我愛她、欣賞她；她知

道她對我也有外貌上的吸引力。但身為她的丈夫，我有責任把握每個機會造就她。

我聽過有人說：「互相讚美乃是使關係密合的膠水。」在今日有這麼多事物正破壞著美好關係之時，愛的語言處處所能達成的功效，是非常奇妙的。

互相讚美乃是使關係密合的膠水。

「親愛的，你今天看來眞美。謝謝你準備這麼好吃的晚餐。」或是：「上週你的專案做得眞好。」簡短、誠摯、自然的誇獎，能有助於堅定我們的人際關係。

幾乎每次我證道完走下講台，維多利亞都會告訴我：「約爾，你今天講得眞好。」

事實上，那可能是我講過最遜的信息，但維多利亞不以爲意，她仍然鼓勵我。

有一天我們走下講台時，維多利亞說：「約爾，你今天講得眞棒。」

我感覺眞開心。然而，第二個主日，她又說：「約爾，你今天講得眞好。」

「『眞好』，什麼意思？」我問道，假裝懷疑地說：「不是應該是『棒』嗎？」

維多利亞大笑，眨了眨眼，她知道她就早把我寵壞啦！

要慷慨給予讚揚，快快將它們說出來。切記，你的想法除了祝福到你自己，不會祝福到任何人。你能夠整天想著某人的好，但這卻對他毫無益處。你必須將它們化爲言詞，從口說出。每一天，要嘗試找到你能讚揚的人，找到你能造就

的人。如果餐廳的服務生提供你好的服務，不要只是在心裡這樣想。要告訴他：「謝謝你如此用心，提供我們這麼週到的服務。」這些正面話語可能會使他高興不已。

有位名叫布蘭特的湖木教會會友，正在雜貨店結帳台排隊等待付款。一位女收銀員出了些狀況，排隊的人開始煩躁抱怨，對她有些粗魯無禮。

輪到布蘭特結帳時，他決定不要像其他人的反應一樣讓她雪上加霜。他微笑說道：「女士，我只想告訴你，我認為你做得非常好，感謝你如此盡心工作。」

這位年輕女子的表情馬上亮了起來，好像布蘭特幫她把肩頭的重擔卸下。「先生，我在這裡已經工作了三個月，」這位女收銀員說：「但你是第一個對我這麼說的人，真的非常謝謝你。」

成為施予者而非索求者。

我們的社會充斥著批評、譏諷與找碴的人。有許多人很快指出你的錯處，卻只有少數人指出你做對的事。我不想要成為那樣的人，我要成為施予者而非索求者。我希望造就而非拆毀人，我要盡力讓我足跡踏過之處變得更好。

最近，我正思索生命中會讓人留名的事。當我想到我會留下來的傳承，我決定從現在開始，直到百年之後，我想要成為能夠帶出人們最好一面的人，是以讓世界變得更好的人著稱。物質的成就很快就會被遺忘，惟一能夠長存的，就是我們在他人生命中的投資。

我希望導引出我妻子與孩子最好的一面。我想要激發朋

友們最好的一面。我想要人們說：「我喜歡與約爾・歐斯汀相處，他鼓勵我更上一層樓，鼓勵我期待更多，擴張我的視野。他的行爲、態度與待人的方式，激發我成爲更好的人。」

不僅如此，我希望把我大部分的「自由時間」，花在與那些致力帶出我最好一面的人相處上。聖經上說：「鐵磨鐵，磨出刃來。」我們與他人的生活相處方式，應該要互相鼓勵，使彼此變得更好。

要問問自己：我生命中的人，是否因爲遇見我而變得更好或更差？我在對話中是否造就了他們，引導出他們最好的一面，還是我正在拖累他們？我是否相信某個人？我是否給予他們自信心來改善他們的人生？還是我只顧我自己？

過去幾年，我收到許多來自名人的讚美信件，有電影明星、政府領袖、職業運動選手，以及其他類似的人。我因爲這些信件深感快樂與榮幸。但我曾收到最棒的讚美，是維多利亞站在我們的會眾面前說：「在我與約爾生活這幾年後，我可以對你們說，我變得更好了。我更有自信，我更體貼，我的態度更好，我更加成熟，我受到激勵。」

當然，我敢說，她對我的影響也是如此。她是個「造就專家」，而且我們致力要讓人們在遇見我們之後，變得更好。

你可以在所到之處成爲造就者，例如對加油站的人，不要只是讓他爲你的車加滿油，你也要幫他的生命加添些好東西。辦公室裡那位看來性情

如果你讓他人高興，上帝也會讓你開心。

古怪的女士，你不但不要抱怨她，反而要花點時間讚美她。要造就你的朋友、同事與老闆。無論你到何處，都要正面地儲蓄關係，而不要負面地消耗。

當你早上起床，不要把力氣花在你要怎樣得祝福，反而要設法祝福他人。如果你讓他人高興，上帝也會讓你開心。

在我的生命中，我很蒙福，身邊擁有對我有信心的人，像是我的父母、妻子與家人。現在輪到我出力了，而我對誰有信心呢？我正為誰加油？我正幫誰邁向成功？

朋友，要選擇引導出上帝放在你生命中之人的至善面。沒什麼比你在付出時會讓你更像上帝，而最貼近祂心腸的就是幫助別人。如果你成為造就人的人，專注於引導出人性最好的一面，我可以向你保證：上帝也會引導出你最好的一面。

第 *12* 章

讓生命遠離紛爭

關係是生命中真正重要的事物，例如我們與上帝的關係、與配偶的關係、與孩子的關係、與家族親戚的關係，以及與朋友、社群裡其他人的關係等等；但太常發生的是，我們任由這些關係處在遠低於它們應該取得的優先地位之下。如果我們不小心，可能會讓某件事或某個人，引起我們與自己以及與我們最珍愛之人的紛爭。

要維持健全關係，就必須學習如何讓生活遠避紛爭。上帝造我們每個人為獨特的個體；我們擁有不同的個性與氣質，我們有不同的處世方式，因此我們真的不該在偶爾與人產生摩擦時覺得訝異。然而太常發生的是，如果有人與我們意見不合，或在某些事上與我們看法不一致，我們就會產生怒氣引發爭端。我發現單純因為某人不全然像我，或沒有對我投桃報李，不表示我就是對的而他們就是錯的。我們只是各不相同，而我們的相異之處可能會引發摩擦。

　　與自己不同的人相處需要成熟的心，而不為小事爭吵或覺得被得罪，則需要有耐性。如果我們要讓生活遠離紛爭，就必須學習如何設身處地為人著想。

　　我們同樣也需要輕看一些事情。每個人都會犯錯；我們也都有軟弱。我們不應該期待與我們有關的人是完美的，無論他是多麼好的人，無論你有多愛他，如果你和這人相處夠久，你還是會有生氣或受傷的機會。沒有所謂完美的配偶、完美的老闆，甚至也沒有完美的牧師（雖然我已經很接近了）！

　　如果我們對人抱持不切實際的期望，期待他們成為完美，這對他們並不公平，而且會成為我們挫敗的根源，因為我們將一直失望。

　　有些人活在這種心態中：「只要你不傷害我或不犯錯，我就會一直愛你。」「只要你對我好，我就把你當朋友。」「只要你順我的意，我就接納你，我就會快樂。」

　　這極度不公平，也把太多壓力加諸在這人身上。聖經教導我們說，愛能體諒人的軟弱，愛能遮掩人的罪過。換句話說，你必須輕看一些事情。別再要求你的配偶、孩子或其他與你有關的人做到完美，你要學習彰顯一些體恤。

　　我無法找到比維多利亞更棒的妻子。她是個極有愛心，滿有關懷又慷慨的人，不過我仍然必須輕看一些事，必須體諒一些事。這不表示她有不對之處；她只是人類。如果我是個挑剔專家，記下每件她做錯的事，那麼我們的關係就會飽受折磨。要不了多久，我們就會彼此不合，吵架爭執。

　　相反地，我們體諒彼此的軟弱。我們已經學習不要把什麼都擺在臉上，也不要動不動就覺得被冒犯。

很少有事情會比和易怒、過度敏感的人同住更慘。如果有人冒犯你或得罪你，要學習甩開這些，繼續向前。聖經教導我們，愛會相信人最好的一面。

「唉，我丈夫今天早上幾乎沒和我說話。他兩天前的晚上甚至沒謝謝我煮晚餐。」一個妻子可能會這麼說。

要記得，愛能遮掩罪過。不要整天覺得生氣或受傷，反而要想想他或許也未受到良好待遇的事實。也許他正承受工作上許多壓力，或為了其他事感到緊張。你不但不要批評或譴責他，反而要設身處地為他著想，並相信他最好的一面。

我父親向來常說：「每個人都偶爾有不順心的權利。」如果有人做了你不喜歡的事，如果他們不經意地侮辱你或得罪你，你只要嚥下驕傲並說：「我選擇輕看這冒犯。」然後繼續向前走。

不要馬上偏向負面去看最糟的，如果你能養成習慣，從正面觀點看待事情，相信人們最好的一面，這可能會大大改變你的人生。

聖經上說，愛是不計算人的惡。[1]如果你把這些惡行記錄本丟掉，你可能會看到，你與某人的關係提升至一個全新的境界。我認識一些人，他們心裡有一張清單，記錄二十年來每個人所做過得罪他們的事情。他們有張巨細靡遺的積分卡，羅列著配偶每次傷害他們的時候、老闆每次粗魯或不為他們著想的時候、他們的父母每次錯過孫子球賽的時候。不要留著那些怠慢與冒犯的清單，反而要丟掉你的負面記錄表並尋求良善。

史提夫告訴我：「約爾，任何當我與妻子有點小爭執的時候，她就提起我過去十年來犯過的錯，像是：『喂，你去

年做了這好事。你不記得你在二○○五年做的嗎？上個月你又傷害了我。』她只會一直不停地翻舊帳。」

只要你提起過去的傷害，你就會在現在引發紛爭。

「但我才是有理的一方！」我聽到你哀叫。

也許如此，但你想要成為對的一方，還是你要家中有平安？你想要為所欲為，還是你想要擁有健全的關係？許多時候，我們無法兩者得兼。在我們的所有關係之中，特別是在婚姻關係之中，我們不記錄過錯是很重要的。

克莉絲汀駕車經過一個交流道時，因為轉彎太急而意外擦撞上一輛車。更糟的是，她開的是全新的車，那是她丈夫送她的結婚禮物。克莉絲汀把車停到路邊，而另一輛車的車主是一位年紀較長的男士。他從車裡走出來，開始檢查自己車頭嚴重受損的保險桿。他接著走向克莉絲汀，此時克莉絲汀正坐在車裡哭著。

「小姐，你還好嗎？」他親切地問道。

「我很好，」克莉絲汀啜泣著：「但我才新婚，老公給了我這輛車當結婚禮物；他一定會很生氣，我真不知該如何是好。」

「喔，我相信一定會沒事的。」這位年長男士試著安慰她：「你丈夫能體諒的。」他們講了幾分鐘話之後，他說：「如果你可以把你的保險資料給我，我們就可以交換資料，然後各自開車上路。」

「我甚至不知道我有沒有保險卡，」克莉絲汀流著眼淚說。

「這個嘛，保險資料通常會放在儀板上的雜物箱，」這位男士建議：「你何不看一下那裡有沒有？」

克莉絲汀打開雜物箱，找到車主的登記證與保險資料，保險卡的信封上還夾著一張紙條寫著：「親愛的，萬一你發生意外，要記得我愛的是你而不是這輛車。」

這就是我想要成為的體貼之人，是一個在錯誤或過犯發生以前就彰顯慈愛的人。不要張揚他人的失敗，卻要學習遮掩親近之人的某些軟弱。

選擇成為和睦使者

「但約爾，我與另一半就是不相配，我們根本處不來，我們差異太大。」

不對，上帝也許是刻意讓你與相異的人在一起相處；這不是個錯誤。你的力量與軟弱，和其他人的力量與軟弱也許不盡相同，但理想上，你的力量能夠彌補你伴侶的軟弱，他的力量也能彌補你的軟弱。你們能夠互相補足，你們應該成全對方，而不是彼此爭鬥。你們兩人相合比分離要有力量得多。

但你必須了解另一半，找出他喜歡與不喜歡的；找出她的忍受極限是什麼，而不要讓軟弱為你們的關係帶來紛爭。

也許你是個整齊乾淨的人，你喜歡每樣東西擺放就緒，但你丈夫是個邋遢之人；他會在屋裡把東西隨處亂扔。你已經告訴他幾千次，不要把鞋子放在電視機前，然而有天晚上你經過那邊，不用說他的鞋子就在那裡，於是你去找他理論：「你到底要到什麼時候，才會把鞋子放到別的地方？我已經受夠跟在你後面清理，我一直在清個不停。」

不要這樣。你何不在家中當個和睦使者呢？安靜地把他

的鞋子放到別處，繼續做自己的事，好讓你能享受晚間的其他時光。換句話說，別再小題大作，這個問題不值得在你家中引起紛爭。

「我早就一再要我妻子離開房間時把燈關上。」大衛氣惱地說：「但她總是忘記，讓我還得回到房間去關燈。」

「不，不要一直嘮叨你妻子。你何不體諒她的軟弱，就像她體諒你的軟弱一樣呢？」我說：「畢竟，回房關燈對你也無害，也許你還可以增加些運動量。」

「但她到底要什麼時候才會改變呢？」大衛抗議著。

也許你可以幫大衛回答他的問題：當他停止嘮叨、停止抱怨、培養更好態度的時候，就是她改變的時候。

顯然，這些相對來說都是小事，但同樣的原則也適用在更重大的事情上。當你包容某個人的軟弱，多盡一份力讓家裡遠離紛爭，你就是播撒上帝在那人身上作工的種子。要記得：你無法改變人，只有上帝可以。你可以整天不斷叨唸那人，但你的言詞只會讓事情更糟。結果會帶來更多的紛爭與歧見。沒什麼比不斷的批評能更快把平安攆出你家，同樣地，你也能夠用連續不斷的抱怨、打斷或批評的態度來攪亂你的職場氣氛。

聖經教導我們：「要彼此調整適應，以保持和睦。」[2]這不是說其他人要來適應、配合我們。不是的。如果我們要有和睦，我們必須樂意改變。

你不能抱持這種心態：「唉，如果我妻子開始照我說的做，那麼我們就相安無事了。」「如果我丈夫開始自己收拾東西，那我們就會處得很好。」「如果我老闆開始對我好，那我就不會對他這麼無禮了。」

不，我們必須做出調整來保有和睦。換句話說，有時你必須嚥下驕傲。也許你只要把他的鞋子擺到別處，然後別再宣布你做了這件事。「這個嘛，我只是要你知道，我今天又幫你撿鞋子……，又一次喔……，就和平常一樣。」

不，只要把它們拿走，然後閉上嘴巴。你也許沒發現，但當你盡本份使關係遠離紛爭，就是在榮耀上帝。當你榮耀上帝，祂也會一直使你得榮耀。當你撒下憐憫與恩慈的種子，就會開始看見關係改善。

關鍵就是學習調整。我們必須樂意調適，停止等待別人這麼做；相反地，要從你在家中或職場中當個和睦使者開始。

有時我們因為一些最微不足道的小事，任由紛爭點燃。我們甚至為了根本不重要的事爭吵。有一次我與維多利亞把車駛出了社區，在途中停下來，看到一間正在興建的房屋。我就說：「我真搞不懂為何建商把車庫蓋在那裡，放在房屋的那一側。要是我，我絕不會這麼做。」

維多利亞看看那棟房子說：「這個嘛，我認為他這麼做是為了要劃分出更多空間。」

我看了一下周圍環境，並想著這棟房子的位置，然後回答：「不對，這根本無法劃出更多空間。」

「當然可以，約爾，」維多利亞回答：「這會讓他多出很多空間。」

十五分鐘之後，我們仍在爭論為何建商要把車庫放在那裡。我們的聲調愈來愈大，言詞愈來愈尖銳。最後，我突然領悟：我們幹嘛要爭論這人把車庫擺哪兒？我們根本不認識這位仁兄！這不值得剝奪我們的喜樂與和睦，因此，我和維

多利亞都同意我們彼此可以有不同的意見。

要有智慧地選擇戰爭。不要吵些並不真正重要的事，我們生活中還有夠多重大問題待解決。

有一天，我和維多利亞去看休士頓太空人隊棒球賽，那是在米妮特美德公園球場舉辦的。在當時，這座球場才新落成，因此我不太清楚最方便的出口。當我們離開球場時，我問說：「維多利亞，我應該往左轉還是往右轉？」

「我認為我們應該向右轉，」維多利亞回答。

我上下打量街道，看不出右方有何名堂。「不對，」我說：「我認為我們必須向左轉。」

她環顧每個方向，然後說：「不對，約爾，我知道我們得向右。」

「維多利亞，我們家在那一頭，」我邊說邊向左指著：「我知道我們得往那個方向。」我倒車往左轉。

她說：「好吧，算了，不過你走錯路了。」

我們才剛在球場享受了一段悠閒獨處的甜蜜時光，但現在車裡整個氣氛卻完全變調，我們煩躁、緊繃又焦慮。我們為了這麼微不足道的事，幾乎不和對方說話。如果我當初嚥下驕傲，依照她的方向走，也根本無傷大雅。即使她指的路是錯的，多繞十分鐘又怎麼樣？但我沒有這麼做，我要讓她知道我是對的，我要證明我的意見是對的。

我開始開著車……，繼續開著……，然後繞了整個修士頓市中心。我努力表現得好像我認得路，但我其實就像到了陌生的日本一樣！我根本不知道我們位於何處。我能看見高速公路，但我就是不知道要怎麼開下去。（任何在休士頓市中心開過車的人，可能都可以體會！）

每當我看著維多利亞，她就只是笑著說：「看吧，你早該聽我的。也許我們可以在明天此時到家。」她愈落井下石，我就愈氣急敗壞。

最後，在繞城三十分鐘之後，我說：「好吧，就這樣。我們要開回球場，看你能不能帶我們回家。」

她說：「也該是時候了。」

我們開回球場，她說：「好吧，你必須先向右，然後再往左。」當我們開到休士頓裡我從沒見過的區域時，我巴不得我們迷路。我才不關心到不到得了家，我只是不要維多利亞在我面前耀武揚威。我們開過了幾條邊街，最後她終於說：「好了，現在向右走。」

當然，這帶我們開上了往回家方向的主高速公路。我非常震驚，拒絕相信她辦到了。我說：「維多利亞，你怎麼認識那些方向？」

「喔，那裡有一間小布莊，」她說：「我以前都去那兒買東西。」

不要重蹈我的覆轍，不要驕傲到你總要證明自己是對的。嚥下驕傲，考慮一下別人的意見。你也許認為自己是對的，但你有可能會錯。

我知道有些人會離婚，都是因他們為了傻事或小事而挑起爭端。他們讓痛苦加劇，要不了多久，他們就無法相處。在內心深處，他們可能真心深愛對方，但幾年下來，他們任由紛爭分化他們的關係。

耶穌說：「一家自相紛爭，必站立不住。」要注意，如果你讓紛爭進入關係中，它會帶來毀滅。這也許不會一夕發生；也許不會在個把月裡甚至幾年內發生。但如果你心存惱

恨、言詞譏諷或用一些方式讓紛爭加劇，就算你沒發現，但關係已經正在步向毀滅。紛爭正在磨蝕你的根基，除非你很快決定開始對付問題，否則你的生活可能會粉碎成一片混亂。到了某一天，你可能會想：我做了什麼？我毀了這段關係，我怎會這麼傻呢？

不要這麼冥頑不靈。也許你與某個人有嫌隙已經好幾個月，你不和他說話，對他冷淡相待。人生苦短，不應活成這樣。如果可能，趁著還有機會的時候，去找那人並把事情導正。

最近我和一位心碎又挫折的人談話。當我問他在煩惱什麼時，他解釋自己與父親為了一個生意決策而彼此不和，他們已經超過兩年沒有講話。他說：「約爾，我內心知道，我必須解決這件事，但我一直拖延。然後這週稍早，我接到一通電話，通知我說，我父親已經心臟病發身亡。」想想看，這人經歷了何等的情感創傷。

不要拖延到無法改正你與其疏遠之人的問題。今天就行動；嚥下你的驕傲去道歉，即使這不是你的錯。要保持和睦。要明白，這不總是誰對誰錯的問題，這是讓生命遠離紛爭的決定。你能夠吵勝每一場架，但如果這打開了騷動的門，帶來歧見，使你崩潰，最終你根本什麼也贏不到，你可能還會失去更多。

我相信上帝始終在警告我們，給我們暮鼓晨鐘。祂可能只是說：「不要這麼好鬥，不要這麼挑剔，不要再作記錄，要開始當個和睦使者。」當我們認出祂的聲音，就必須作出回應。

「唉，只要我丈夫改變，我就會當個和睦使者。」我聽

有人這麼說：「一等我老闆對我比較好，我就會這麼作。」

不，如果你等其他人在你生命中擔任和睦使者，你可能要等上一輩子，耽誤自己的人生。和睦在於你；你要先採取行動。

「但上次是我先道歉。這不公平，這次該輪到他道歉了。」

這也許不公平，但這可以讓你們在一起。嚥下你的驕傲，當個心胸寬大的人。當你這麼做，你就在撒下種子，上帝也會不斷彌補你。

舊約裡的族長亞伯拉罕，他與姪子羅得一起搬到一個新地方。這塊地不夠供養他們兩家人，因此聖經創世記十三章7節說，羅得的牧人與亞伯拉罕的牧人相爭。

亞伯拉罕立刻解決這種情況。他知道，如果他任由紛爭持續，不僅會影響牧人，也會殃及他與羅得的關係，紛爭最終會為整個家族帶來混亂。因此亞伯拉罕選擇高尚以對，讓羅得選擇最好的土地。真有趣，不是嗎？為了避免紛爭，亞伯拉罕自願讓羅得佔他便宜。即使亞伯拉罕是長輩，應該有權選擇肥沃的土地，他卻讓羅得遂其心願。有時，無論多麼痛苦，你可能都必須讓別人隨心所欲，以避免不必要的衝突。這也許不公平，你也許毫無疑問地知道，你是對的而他們是錯的，但這不重要。要放手並信靠上帝會補償你。

聖經啟示我們，因為亞伯拉罕維持和睦拒絕紛爭，上帝就把整個國家賜給他，使他得尊榮。如果你選擇保持和睦，即使某個人得罪你，上帝都會豐盛地賜福於你。祂會讓你過得比先前更好。

聖經沒有說，只要不是你的錯，你就可以活在紛爭之

中。不，當我們活在紛爭之中，無論這是誰的錯，必會招致毀滅與混亂。不僅如此，上帝也會要求你作出調整來維持和睦。

比爾與瑪麗的婚姻出了大問題，他們其實並未擁有真正的關係；他們幾乎沒有相處可言。比爾極度自私好鬥，他簡直是個難以相處、喜愛批評的負面之人。

然而，瑪麗卻真心地熱愛上帝。她每週都上教會，盡力活出正直。比爾卻自豪於自己剛好相反的德性，他不肯接觸有關上帝的任何事，對屬靈事物也常語出譏諷。瑪麗幾乎每天都在禱告求上帝改變她的丈夫，然而幾年過去了，卻沒什麼改進。

有一天瑪麗在禱告中問上帝：「我為何得活在這種悲慘的環境中呢？你要何時才會改變我丈夫呢？」

上帝對她的心靈深處說話：「瑪麗，一等到你改變，我就會改變你丈夫。」

「上帝，這是什麼意思？」瑪麗哭著：「他才是問題所在，比爾才是那個惡毒好鬥的人，我每週都上教會。」

上帝說：「不，你沒有盡全力維持和睦，你漠視這種情況。」接著上帝說：「我認為你要負責，因為你明白真理。你知道什麼是對的，而當你開始採取行動，我就會改變比爾。」

瑪麗認真看待上帝的話，並開始特別努力在家中維繫和睦。不到一年，比爾開始改變，一開始慢慢地，然後加速進行。如今，他們都在服事上帝，而且像新婚夫妻一樣彼此相愛。

聖經上說：「人若知道行善，卻不去行，這就是他的罪

了。」[3]太常發生的是，我們都在等對方改變。我們知道這是他的錯；這是她的不對。我們必須明白，上帝認為我們有責任去行我們明白的道理，而當我們讓紛爭處在任何關係之中，我們就是在向各種麻煩敞開大門。

幾年以前，我、維多利亞與兩個孩子在公園裡騎自行車。那天對我來說其實並不順利，我有點氣惱維多利亞做的某件事。我認為那件事不對，而且讓我十分煩心。我不但沒有放開這件事，反而選擇緊咬不放。我本可以輕看這件事；因為其實並沒有什麼大不了。我本可以擺脫這事，享受與家人共度的一天，但我選擇耿耿於懷。

我把女兒雅麗珊卓安置在我的自行車後座，朝遠離維多利亞與強納森的方向騎著。自行車道相當窄，大約只有四呎寬，而強納森幾個月前才剛學會騎自行車。他還不是很有自信，因此他慢慢騎。

我騎在強納森與維多利亞前方約一百碼處，這時另一輛自行車迎面而來，高速從我旁邊呼嘯而過。此時我的第一個念頭就是：我希望強納森小心點，這傢伙根本就是在飆車！

不用說，當這位騎士在狹窄的車道上逼近強納森時，強納森驚慌地把車轉向這迎面而來的騎士。他們迎面對撞，發出一陣恐怖的金屬撞擊聲。我理所當然想著強納森一定摔傷了手或腿。

我緊急煞車，放下自行車，全速跑回強納森所在的地方。我把他抱起來，驚喜地發現他沒受重傷。他的腿與手擦破皮，卻沒傷到任何骨頭。不過，他的自行車已經變成一堆破銅爛鐵，無法再騎了。

幸運的是，那位騎士也無大礙。當事情平靜下來，我內

心有個聲音說：「約爾，這是你自找的。你有匡正事情的選擇，你本可以選擇驅散紛爭，但你卻不願意。」

我心裡明白這點，但我卻一直緊咬著事情不放。我沒有善待維多利亞，而意外發生了，至少這是造成結果的原因之一。聖經上說，不要給魔鬼留地步，不要留下紛爭的空間、爭論的空間與不饒恕的空間。當然，不是每樁意外都是因爲紛爭，但我知道這是我造成的，因此我向家人道歉。

當我們頑固地選擇緊咬著紛爭，就是在選擇遠離上帝的保護，遠離了上帝的福分與恩惠。當然，有時我們必須硬著頭皮面對問題，但有時我們卻也能放棄據理力爭的權利，選擇避免關係中的紛爭。要採取主動讓生命遠離紛爭，捨棄歧見與爭吵的狹小器量。下定決心你要做出必要調整，好讓你能過著更和睦的生活。

朋友，如果你能嚥下驕傲，盡力讓生命遠離紛爭，你將會撒下上帝賜福與得蒙高升的種子。當你這麼做，你將看見自己的人際關係開始繁盛興旺。上帝說：「與人和睦的人有福了。」如果你抱持這種心態，你的關係就會愈來愈好。

第 *13* 章

爲家人堅守立場

我們在廿一世紀面對的最大威脅之一，不是恐怖攻擊或是環境災難，而是家庭受到的攻擊。仇敵最愛的就是毀壞你與丈夫或妻子的關係，以及與父母或孩子之間的關係。太多家庭正因爲紛爭，因爲缺少委身奉獻，因爲優先次序錯誤與惡劣態度而受到毀滅。如果我們要擁有堅固、健全的關係，就必須堅守立場，爲家人奮戰。

舊約記載了尼希米重建耶路撒冷城牆的故事。這些城牆在數年前曾被拆毀，仇敵趁上帝的百姓動工之時，前來攻擊他們，劫掠他們的家園與妻小。情勢危急到一個地步，使得尼希米指示他的人馬要一手拿鐵鎚，另一手持劍。他鼓勵他們：「同胞們，爲你們的兒子，爲你們的女兒，爲你們的妻子，爲你們的家人而戰。」（參閱尼希米記四章14節）他繼續說：「你們若起來爭戰，上帝也將爲你們爭戰。」

我相信上帝今天也正對我們說相同的話。如果我們盡本

份為家人堅守立場，上帝也會做祂要做的。祂會幫助我們擁有美滿的婚姻，以及與雙親及兒女的美好關係。

當然，不是每個人都會結婚，但如果一男一女選擇結婚，有兩個議題必須先確認。第一，身為夫妻，我們就是對上帝許下承諾，要活出榮耀祂的生活。我們要在一切事上成為卓越與正直的人。

第二個要確認的主題是，身為夫妻，我們對彼此承諾與委身。我們偶爾會意見不合，說出不該說的話，甚至可能會擺起臭臉或大發雷霆。但事後，我們要克服這些，要寬恕並繼續向前。「離開」絕不是一個該有的選項，因為我們已經承諾要同甘共苦。

如果脫離關係是個選項或解決之道，那麼你永遠會找得到理由來把它合理化。「約爾，我們就是處不來，我們不相配。我們嘗試過，但我們就是不再愛彼此了。」

然而真相卻是，沒有兩人是完全相配的。我們必須學習合而為一，這表示我們必須有所犧牲；我們必須輕看一些事情。我們為了關係的益處，必須願意在某些方面妥協。

完美的配偶是不存在的。維多利亞有時會告訴人說：「喔，我丈夫約爾就是個完美的丈夫。」

千萬不要相信這種話；她可是憑著信心說的！

要堅守你的配偶，努力經營關係。就像有位女士打趣說的：「我與丈夫乃是不論好壞都已結了婚；他好得不能再好，我則壞到不能再壞。」

當你們真的發生歧見，要學習用理智來意見不合，而不是讓想法沉入心裡。我與維多利亞並非總是看法一致，但我們已經學到如何讓對方保有不同意見。當你陳明你的意見，

不要試圖讓對方改變他（或她）的心意；要讓他人有保持自己意見的權利。如果你非要別人同意你才會快樂，那麼你其實就是在試圖操控你的另一半，你正試圖強加自己的意見在配偶身上。較好的方法是表明你的看法，分享你的心，然後退一步，讓上帝在這個人或這種情勢中作工。

只要我們好鬥地強加自己的意見到別人身上，那麼家中就會有紛爭。凡有紛爭，就有混亂。沒什麼比住在緊繃的家中更慘的，因每個人都瀕臨爆發邊緣，使你感覺到任何時候都會引發一場爆炸。

只要你盡力在家中創造和睦與合一的氣氛，你就不必活在這種狀況中。下次當你有機會想要揚長而去並說出某些明知不該說的傷人、批評與破壞性的話語時，你就要趁機幫自己一個忙。做個深呼吸，暫停十秒鐘，在你開口前想想要說什麼。話語可以如同刀一樣傷人，也許你只花一秒鐘說出，但是三個月後你說話的對象仍會感到痛苦。

你可曾碰到燙爐後接著就趕緊把手抽開呢？不過幾週之後，你的手卻仍然會痛；這就是傷人與批評的話語所能造成的效應。

絕不要用離婚來威脅你的配偶。我曾聽過人說：「哼，如果你再犯一次，我就一走了之。」「如果你不照做，我馬上走人。」

不，絕不要讓那些話語脫口而出。你的話語有創造性的能力，當你說出這類話語，就是在給仇敵權利，使之一語成讖。此外，聖經告訴我們：「生氣卻不要犯罪。」當然，有時我們會生氣，而生氣也是上帝給我們的一種情緒。但我們不必爆怒並說出會毀損關係的傷人話語。要學習退一步，整

理一下思緒，然後想想你要說什麼。

有一次，我母親與父親發生意見不合。我爸非常生氣，因此他決定對我媽發動冷戰。當媽和他說話，爸就會盡其所能用最簡短、最不和善的話來回答。這樣進行了一到兩小時，他盡可能地對我媽視而不見。

我媽也因此頗感煩躁，所以她決定對此出招。她走去躲在門後，盡可能靜止無聲。要不了多久，我爸發現她不在附近而開始找她。他找遍整個屋子，卻遍尋不著。他找得愈久，就愈洩氣。他說：「努力忽視一個你甚至找不到的人，實在太難受啦。」就這樣持續了十五分鐘。

最後，爸爸開始擔心起來，就在那時，他經過我媽正躲著的門邊。媽像貓一樣迅速地跳到我爸背後，用手腳纏住他，並說：「約翰，除非你開心起來，否則我就死纏著不放。」他們大笑，直到我爸根本忘了自己在氣什麼。

試著在家中創造一個充滿樂趣的氣氛吧。每個人都有受到壓力的時候，我們都有煩躁易怒之時，我們都會意見不合，但我們不應該讓這種狀況一直持續。我們太常一意孤行：「唉，我知道我不應該說那些話，但我很生氣，我就是要說出來。」或是：「我知道我必須饒恕，但我不想。」漸漸地，關係愈變愈差。不要要這些小手段，要盡力維持和睦。

我和維多利亞結褵逾二十年，我們不是每件事都意見一致，但我們彼此委身，對孩子以及我們的姻親委身。我們事先就已承諾，要共同解決我們可能會意見相左的地方。

有些人在約會時，或是結婚頭幾年時全心投入。他們在一切都很浪漫時全心委身，但是到了熊熊熱情消退之後呢？

如今，不但沒了動人的羅曼史，你還得幫他撿臭襪子或洗他的髒衣服，這才真正需要全心委身。或當你們還在約會時，她看來始終嬌艷完美，盛裝打扮；你從未看過她不是挽髮粧點的模樣。現在，你在早晨起床時會說：「那個女人是誰？」

但是婚姻是委身，是承諾；不是感覺。

我聽過一個關於知名大學校長的真實故事。他是個教養良好的長輩，也是深受敬重的領袖。他晚年時，妻子罹患阿茲海默症(Alzheimer's)。幾個月之後，她的病況急速惡化。而幾年下來，疾病已經嚴重損壞她的心智，使她甚至再也認不得自己的丈夫。他們的生活相當寬裕，因此這位老紳士僱了幾個護士幫忙照顧他生病的妻子。

然後有一天，他到學校向校董會宣布他要辭職，以便能夠全心照顧妻子。校董們努力勸他打消念頭，告訴他學校多麼需要他。有個校董大膽地說：「校長，我實在想不透，你為何會想這麼做？你的妻子甚至不認得你是誰呢。」

這位大學校長直視這位校董的雙眼，並說：「我在五十年前就對這女人委身承諾了，她也許不認得我是誰，但我卻知道她是誰。」

這也是我們必須在關係中持守的委身承諾。

有趣的是，上帝賦予丈夫和為人父者維繫家庭的責任。丈夫(husband)這個詞源於拉丁文，意為「家庭的繫帶」(house band)。就如同一條橡皮筋纏繞著某個東西，把它綁在一起。這就是一個好丈夫應該為他妻子與家庭實現的圖像。

所羅門是人類史上最有智慧的人，他的箴言鼓勵丈夫看著妻子的眼並說：「世上眾多美麗女子，但你卻超越她

們。」所羅門以讚美和鼓勵妻子作為一天的開始。丈夫們，如果我們也開始像他一樣讚美妻子，我們與妻子的關係，會有何等大的改善，是可以想像的。有些女士好幾年都沒受過稱讚，這不是因為她們不配得，而是因為她們沒受到欣賞。她們聽到的只是自己哪裡做不好，例如晚餐什麼不好吃，或是小孩太吵鬧。

注意聽你對配偶講話的用語及聲調。你是否抱怨個不停，一直告訴她，她哪裡沒做好？還是你和所羅門一樣，祝福、鼓勵並捧著你的妻子呢？

智慧人的話

所羅門的雅歌是聖經的愛情故事。在短短的八章裡，所羅門稱讚他的妻子多達四十次。他寫下她的力量、美麗與聰慧。

「唉，約爾，你不認識我妻子，」查克說：「她是個麻煩。她好鬥又難相處。」

「也許是這樣，查克，」我回答：「但如果你開始讚美妻子，如果你開始告訴她，她有多漂亮，你有多高興在生命中擁有她，當你談論好事，你就會引出好事。當你談論負面的事時，你就會引發壞事。一切操之在你。」

男士們，要學習對妻子說祝福的話，你就會看見這女子更上一層樓。她會回應你的讚美與鼓勵，你的話語不必如詩如畫、學富五車。只要單

> 當你談論好事時，你就會引出好事。

單誠摯地告訴她：「你眞是孩子們的好母親，也是我的好妻子。我眞高興能夠信賴、倚靠你。」

如果你把妻子捧得如同皇后一般，她也會更願意把你伺候得與皇帝一樣。身爲丈夫，你必須了解，你的妻子需要你的祝福，她需要你的讚許。

「唉，約爾，我本來就不是塊浪漫的料，」你也許會說：「我可不會說那些肉麻兮兮的話。」

如果你要擁有健全的婚姻，你要了解，這不是個選擇；這是必要的。要像所羅門一樣，養成習慣看著你的妻子，並說：「你眞漂亮，我眞高興生命中有你。世上美女何其多，你卻超越她們。」

聖經上說：「妻子反映丈夫的榮耀。」

如果維多利亞形容枯槁地出現在公眾場合，蓬頭垢面，衣衫起皺骯髒，那麼她的外表與舉止都會成爲我的悲慘映射。我必須檢視自己的生命並自問：「我有好好對她嗎？我有讓她安心嗎？她知道我以她爲榮嗎？」

丈夫們，你們必須看著自己的妻子，看看她有無反映出你的榮耀。你的妻子應該是堅強、自信、安心、美麗、容光煥發與健康。你應該要在她的笑容中看到這些，你應該在她的舉止中看到這些。

以前我常和一個不尊重妻子的人打籃球，在球賽之後，他會說這種話：「喔，我要回家去見老太婆了。」

我常在想：如果你把妻子講成這樣，你對自己的評價一定也不高，因爲她所反映的是你的榮耀。我會笑著說：「喔，那我可要回家去見維多利亞皇后了。」

這是眞的！維多利亞是我們家的皇后，因爲既然我把她

尊爲皇后，那我就成了國王，我可相當喜歡這樣。

因爲聖經箴言第卅一章的作者讚美他妻子，因而他的兒女就起來稱她爲有福。[1]毫無疑問地，當丈夫稱讚並祝福妻子，他們的孩子就會效法他的榜樣。一個男人如何對待妻子，會深遠地影響孩子如何敬重他們的母親。你的孩子在潛意識中會學習你的聲調、肢體語言與個人舉止。

老爸們，你們的女兒最有可能嫁個最像你的人。如果你對待妻子頑固不加尊重，講話粗魯傷害配偶，那麼不要訝異你女兒會受到這類仁兄的吸引。我發現，我必須用我期待別人對待我女兒的方式，來對待我的妻子。

而身爲母親的，你們必須以你們希望人家對待你兒子的方式，來對待你的丈夫。

男人們，要爲妻子開車門，早上爲她泡咖啡，使出渾身解數對她表達愛意、尊榮與敬重。我聽過有人說：「如果有人幫妻子開過車門，那肯定是在他剛買了一輛新車，或剛把妻子娶回家的時候。」也許我們必須回歸到那鼓勵男人敬重並尊榮妻子的社會之中。

「如果我做那些事，我朋友可能會認爲我是個軟腳蝦，」有人可能會說：「他們不會讓我好過的。」

如果真是這樣，那麼你可能應該去找些新朋友。真正的男子氣概不會因爲他幫妻子開個車門而折損。身爲男人不表示你就是個大丈夫；以尊重待人才會讓你變成男子漢。惟有護衛妻子和家人才會使你成爲大丈夫，照顧孩子讓你成爲大丈夫，對妻子與孩子說祝福的話，才會真正讓你成爲男子漢。

當然，也許你並未在這種充滿愛的環境中成長，但你可

以設立新的準繩，你可以提高水準。

在繁衍後代的過程中，父親提供孩子的身分。女性提供兩個X染色體；男性則提供一個X與一個Y染色體。如果父親給了母親一個X染色體，這個孩子就會是個女寶寶。如果他給出去的是Y染色體，那麼這個寶寶就會是個男孩。母親無法決定孩子的性別，孩子的身分來自於父親。

爲人父者，你必須特別確保你肯定了自己的孩子；你對他們有驚人的影響。就如你祝福妻子一樣，你每一天也要祝福你的孩子。要看著每個孩子並說：「我眞以你爲榮，我認爲你很棒，沒有你做不到的事。」你的孩子需要你的讚許。你正幫助他們形成自己的身分認同。如果我們太忙沒時間盡父職，總是缺席，或者我們只是一直在糾正孩子，沒有肯定他們，那麼我們的孩子就無法像他們本應成爲地那樣自信安心。

當然，有時候由於其他責任在身，父親有時無法待在孩子身邊。然而，要竭盡所能地維持好優先順序。事業上沒什麼成就能夠彌補家庭裡的失敗。我看過有些男人在企業中功成名就，當上商業領袖，所付出的代價卻是孩子。他們的孩子成長在缺乏父親榜樣的環境中。

爲人父者，要陪你的孩子們上教會；而不是只把他們送去就了事。盡可能參加他們的球賽，認識他們的朋友，聽他們所聽的音樂。孩子們正尋找方向與指引。當有個小夥子來帶你的女兒出去約會，你要第一個在門口等著。要讓他知道，這個家有個男人正看管著這個小妮子。爲人父母者，我們必須爲孩子爭戰，如果我們爲他們爭戰，上帝將會與我們一同爭戰。

　　有位至交告訴我，他在年輕時有嗑藥問題。我覺得這很怪，因為我很了解他，記得他一直是個乖孩子。他的行為舉止並不像嗑藥的人，他說：「每個禮拜天，我父母都『藥』我去教會，『藥』我去主日學，『藥』我去上聖經課程！」他大笑著說：「那些『藥素』都還殘留在我的血管中，它們還影響著我說出與做出的每一件事。」

　　幾年以前，在南非最大的野生動物保護區中，園方過度地培育大象。管理人員決定帶走三百隻最年輕的公象，把牠們與父母及其他成象分開。這些「孤兒」被轉移到其他國家公園，在那裡犀牛是地頭蛇，是「公園之王」。犀牛沒有天敵，也沒其他動物狩獵牠們，連獅子、老虎或熊都沒有。犀牛們勢力龐大。因此，管理人員覺得，讓這群孤兒小象與犀牛混居並沒有什麼問題。然而，過一段時間，他們開始發現灌木叢中有死犀牛。他們無法理解到底發生什麼事，於是裝上監視器來觀察園區。讓他們大吃一驚的是，他們發現那些年輕公象，也就是那些不再有父母榜樣的象群，開始組成幫派，惡意攻擊犀牛群。這種行為甚至不是上帝賦予大象的天性，卻是缺少父母的影響，導致了這種怪異、致命的現象。

　　我相信，同樣的窘境也正威脅著我們的孩子。孩子們會陷入麻煩的原因，通常可以追溯到他們生活中沒有榜樣的事實。他們沒有任何可以對他們說祝福話語以及為他們禱告的人，他們沒有父親榜樣；許多人沒有健全、正面的母親榜樣。這不表示這些孩子已經無藥可救；這只單純是個事實，表達出若沒有父母親的引導，有時孩子們會做出若父母在身邊時，他們可能不會做的事情。

　　我們有責任去接觸那些沒有父親或母親榜樣的孩子。也

許你可以去輔導青少年或青少女，如果你真心想要蒙福，不要只為你的家人奮戰，也要為其他人的家人奮戰。要填補單親媽媽或單親爸爸產生的不足。當你帶兒子去打棒球，順道停下來，一起去接送那位沒有父親榜樣的孩子。要去接觸其他孩子，幫助他們發現自己的身分認同。

嫚迪生長在一個失調的家庭之中，她父親永遠不在身邊，而她母親本身就有一堆問題。身為青少年，嫚迪卻要拉拔她的弟弟。對所有看到的人而言，嫚迪應付得相當好，但在內心深處，她卻哭求著幫助。

有一天，她學校有個朋友提到自己父親開了間速食店。這位朋友便建議她：「來吧，嫚迪。也許我父親能提供你一份工作。」於是嫚迪拜訪了這間餐廳，而這位男士不僅給了她工作，還保護了她。他開始照顧她，確保她的車有換油，查驗她在學校表現正常，諸如此類等等。他自己甚至沒有發現，不過他卻成了嫚迪一直渴望擁有的父親榜樣。幾年以後，當嫚迪要結婚時，她的親身父親已經杳無音訊。你能猜到是誰領著嫚迪走上紅毯了嗎？

沒錯，就是這位速食店的老闆。他花時間去關心，他不僅為自己的家庭奮戰，也為別人的孩子奮戰。如今，嫚迪健康、完整、有著美滿婚姻，這都要歸功於這位成為她父親榜樣的人。要為你的家人挺身站立，然後成為那些需要父親、母親、姐妹、兄弟之人的「家人」。當你為他人付出時間，上帝也會供應你的需要。

第 *14* 章

投資你的關係

「夥伴們，只要一會兒就好，」泰瑞把車駛向第一
國家銀行的自動提款機時，說道：「我得停下來
提款，然後就可以上路。真高興你們接受我的邀請來看球
賽。」泰瑞把車停在提款機旁，輸入密碼，再輸入想要提領
的兩百美元。機器唧唧作響，發出呼呼聲，然後在幾秒內吐
出一張紙條……，但是沒有錢。泰瑞從機器裡把紙抽出來，
讀了一下，然後很快把紙條塞到口袋。「笨機器！」他說：
「這玩意兒從沒正常運轉過，有沒有人身上有現金的？」

「喔，我有。沒問題，」後座有個人說：「我有不少現
金，你可以借到週一。」泰瑞的朋友心照不宣地彼此看著。
無論泰瑞承不承認，他們全都知道，泰瑞無法提領到錢的原
因，是他的帳戶裡沒有存款。泰瑞假裝是個慷慨的給予者，
然而事實上他卻是個自私的「索求者」。

如果你想要人際關係興旺，就必須當個給予者而非索求

者，來投資你的關係。你每到一處，都要努力在人們的生命中做好關係上的儲蓄，鼓勵他們，造就他們，並幫助他們更欣賞自己。

當然，這並非總是很容易。有些人很難相處，因為他們想要榨乾你的生命與精力。他們不是壞人；他們只是會使你的生命耗竭。他們總有問題，或總會發生一些他們確信惟有你才能解決的重大危機。他們一直講個不停，講到你想要從旁插句話都不可能。當談話結束時，你會覺得自己似乎已精疲力竭。難搞的人不會儲蓄正面事物；他們太忙著提領了。

請不要誤會。偶爾感到消沉沮喪是沒關係的，每個人都有偶爾不順心的權利。但如果你一直都是這樣，這就是個問題了。如果你一直消耗周遭之人所儲備的情感，你將無法擁有好的友誼。

讓我告訴你一些朋友可能不會對你說的話：你的家人、朋友與同事並不想一直聽你講自己的問題。他們自己已有夠多問題，已經扛著重擔，不需要你再幫他們加料。

如果你一直講生活中那些不順心的事，或人們與環境是如何地苦待你，這是非常自私的生活方式。要試著把心思從自我轉移，別再抱著「你能為我做什麼」的心態而活。要用「我能做什麼來幫助別人、我要怎樣讓你過得更好、我要如何鼓勵你」的心態來取代。要確保你是投資在人身上，而不是一直提領他們情感的積蓄。

我喜歡把我的人際關係想成是「情感的銀行帳戶」。我和每個有關係的人之間，都有個戶頭，這些人包括家人、事業夥伴、朋友，甚至是我巧遇的人，無論是執勤中的保全警衛、加油站的員工、餐廳的服務生，我與他們每個人都有一

個情感帳戶。每次我與他們互動，我若不是在儲蓄，就是在提領。

你要怎麼儲蓄呢？這可以是簡單到花些時間走上前去與那人握手寒暄：「你今天好嗎？早安，真高興看到你。」

只是一個你用心讓他人覺得受到重視的簡單事實，就能成為情感帳戶的儲蓄。你仁慈的行動會建造信任與尊敬，僅僅藉著對某個人微笑，和他打聲招呼，表達親切，在平常情況下態度和善，你就是在儲蓄。

當你讚美人，就是在儲蓄。要告訴同事：「這報告作得真棒，你作得真好。」要告訴你的丈夫：「我真感謝你為這個家而作的付出。」要告訴你的妻子：「你讓生活變得真有意思。」當你這麼做，你不僅正在讚美人，更是在你與此人的帳戶裡儲蓄。

在家裡，你可以藉由擁抱、親吻你的妻子，告訴她你愛她，以此在你們的情感帳戶裡儲蓄。你可以透過花時間與孩子們相處，聆聽女兒彈鋼琴，到公園看兒子溜滑板，而在你們之間的帳戶裡儲蓄。

還有一種隱約但奇妙的儲蓄方法，就是輕看他人的錯誤。也許有個同事對你無禮，為著某些無意義的事對你橫加指責。不要以牙還牙，反而要放手。當他第二天道歉時，你要說：「別放在心上，我已經原諒你了。我根本沒想太多，我知道你平常不是這樣的。」

當你這麼做，你就在儲蓄鉅額資產到你與這人之間的帳戶，你的股份在他的盤勢裡明顯上漲。也許有一天當你有壓力而感到緊張時，也許這時你待他不像平常一樣，你的帳戶便會有許多儲蓄來包容這種情況。

那我們又是怎麼消耗我們的關係帳戶呢？最常見的消耗方式就是自私行徑。當我們只想著自己想要什麼、需要什麼時，我們就必然消耗關係帳戶中的資源。當我們不留時間給他人，就是在消耗帳戶。你到公司時呼嘯著經過總機小姐，甚至於沒有注意到她，也沒對她微笑。無論你的心思正在何處，或者你就是沒有禮貌，這些都不重要，反正你就是在消耗你與此人間的帳戶；你在降低她對你的評價。

其他消耗帳戶的方法，還包括那些我們不饒恕的事件，我們不遵守承諾的時候，以及我們沒有適時表達對某人感恩的時候。也許某個人盡力挺身為你做了件好事，但你認為理所當然。你沒說謝謝；因為你太忙了，或更糟的是，也許你認為自己太尊貴，而不願去說「我很感謝你的努力」這種話。不感謝他人的善行，絕對會耗損你與這些人帳戶裡的積蓄。

許多關係中的問題，就是我們的帳戶被過度提領。當我們犯錯需要一些憐憫、體諒或設想時，相關的人進到你的關係帳戶裡，卻發現已經空空如也。現在你得一直活在壓力的危險之中，讓小事被放大。我們必須看管自己說出的每句話，因為關係中並沒有取之不盡的資源可以讓我們提領。當我們耗盡了資源，那就是小事變成大問題的時候。

舉例來說，當你糾正時值青春期的孩子，而他卻出其不意地頂撞你：「你憑什麼對我說這些？」他埋怨著：「我用不著聽你的。」

透過這些話，他所表達的是你與他之間的戶頭已經空了：「最近你沒有培養出信任，你沒關注到我；你沒讓我知道我對你意義重大。」

　　他在說：「你正在提領積蓄，然而帳戶裡已經沒有存款，因為你最近根本沒有儲蓄。」

　　這種情況並非一夕之間造成的，這青少年並不是有一天醒來，就突然決定不再尊敬自己的雙親。相反地，這是因為幾年下來他都沒有獲得他所需要的。這青少年與父母間的帳戶裡，所有的儲蓄早就空空如也。

　　如果你要指正某個人，或者，也許你要給予一些建設性的批評，你必須確保你與此人間的帳戶中有許多積蓄。要確保你已贏得此人的敬重。

　　在管教孩子時，你要自問：「我有鼓勵過他嗎？我有讚美過她嗎？我對他感興趣的事物有興趣嗎？還是我一直都在消耗資源？」如果你孩子在過去幾個月中聽到的，就只有：「去清理你的房間，寫你的功課，去倒垃圾，把你的襯衫塞進褲子裡，十點就要回家……。」你就是一直在消耗積蓄。讓我們面對事實：父母在孩子青春期時會提領很多儲蓄，但除非你之前就儲蓄多多，否則無法有效地管教孩子的生活。你必須先投資關係、滋養關係、培養信任才行。

　　一位父親在孩子青春期時吃足了苦頭，他和兒子好像就是處不來。他們就是不對盤，鮮有共通點。孩子是運動明星，但父親好像對自己的事業更有興趣。他不斷工作，幾乎沒去看過兒子出賽的任何一場球賽，一段時間下來，他們的關係每下愈況。

　　有一天，這位老爹發現他得做些改變。他發現，若要贏得兒子的信任，能夠在他的生活佔有一席之地，他就必須開始做些儲蓄。他知道兒子是個狂熱的棒球迷，因此，即使自己不喜歡棒球，他還是決定休假一個月，帶兒子看遍大聯盟

的每一場球隊的比賽。這既花錢又耗時，他們得旅行到全美各大城市。但這是醫治關係的無價時光，是補充情感帳戶的時間。那段為期一個月的旅行，是父子關係轉捩點啟動的催化劑。

當這位爸爸回到家，他的事業夥伴之一發現他所做的事。他很驚訝這位父親會盡這麼大的努力與花費，和兒子參觀球賽。他問他的夥伴：「你真那麼喜愛棒球嗎？」

這位父親回答：「一點都不愛，但我真愛我兒子。」

要開始投資你的孩子。也許你無法做到這位男士做的，但你可以花時間在你兒子的身上、讓你的女兒知道你關心她。要讓情感帳戶存得滿滿的。

提領之前先儲蓄

當人們知道你支持他們，與他們並肩奮鬥，渴望他們成功時，他們的回應是很奇妙的。通常，他們在知道你並未試圖譴責他們，並未試著攻擊他們或讓他們討厭自己時，會樂意做出改變。真正的修正，總是會激發人想要做得更好。

通常在湖木教會的主日崇拜之後，或是我們在全國各地舉辦特會之後，我和維多利亞會率直地討論活動的狀況，以及哪些地方可以做得更好。當我有些自認為很好的建議或建設性的批評時，我不會直攻主題衝口說出：「這個嘛，維多利亞，如果你說了這些或那些，如果你當初照我說的去做，進展就會比較好。」不，當我認為我有一些可以幫助她的建議時，我總會先以正面話語開頭。我會告訴她：「維多利亞，你做得真棒，你的話語嵌進了人們的生命中。那個觀點

眞好，明確又有助益，但也許下次你還可以加上這些……，
這樣會更有果效，你會做得更棒。」當我開始說些正面的
話，對方的防禦心就會減弱，然後她
就會願意考量我的建議。她在注意到
有些我可以改進的地方時，也是這樣
對我。我們不去譴責對方，反而選擇
鼓勵彼此。

一段對話的前三十
秒，會決定接下來
的一小時。

如果你把儲滿關係的情感帳戶當
成優先要務，你會與接受你建議與導
正的人有較少爭執。事實上，有個專
家說，一段對話的前三十秒會決定接
下來的一小時。因此當你有些敏感議題要討論，當你有些可
能引發衝突或問題的話題時，總要以正面話語做開端。要確
保這是導入話題的適當時機，也要確保你已經思考過怎樣開
啓這段對話並留意自己的聲調。要注意肢體語言，保持和藹
面容，選擇在愛中討論事情。

當你嘗試改善關係時，如果你的言辭或舉止讓他人升起
防衛，那麼你就無法達到目的。他們不會接受你要講的話；
他們也許會覺得受到傷害，或他們會開始指出你的錯處：
「喂，你憑什麼和我說這些？」他也許會反擊：「你也沒比
我好！你以爲你很完美？」如果你用好一點的方式來討論事
情，這些混亂都是可以避免的。

研究顯示，五個正面的論述，才能抵消一個負面批評。
換句話說，在你糾正某人之前，要確保你已經給了這人五個
稱讚。令人難過的是，這個糾正與讚美的比例值，在我們今
日社會幾乎是相反的。我們會聽到五件我們做錯的的事，卻

只聽到一件我們做對的。這也難怪我們的關係不如應該達到的標準，因為我們的戶頭已經透支了。

當我們糾正他人時，絕不應該輕視他們，或讓他們覺得自己低微。在公司裡，不要以這種態度說：「你怎會想出這些？這是誰的爛主意？」相反地，即使你無法使用這個建議，仍要盡你所能地在每個建議中找到優點。

五個正面的論述，才能抵消一個負面批評。

有時候，在我們的組織裡，有人會提出一個根本不可行的新提案，令人匪夷所思。我們知道我們得否決這提案；然而，當這種情況出現時，我總是非常熱心地讓這位提案者知道，我也提過一堆行不通的提案。無論為著什麼理由，有些我真心認為能發揚光大的計畫，甚至連門兒都沒有。我希望同工知道，我與他們站在同一陣線。我們絕不應該讓人因為想要推動某件好事卻無法成功而覺得卑微，我們也絕不該趾高氣昂對人說話，無論這人是我們的配偶、同事或孩子。要以敬重待人。

要記得，真正的愛會輕看過犯。愛會體諒過錯，真愛會看到每個人最好的一面。如果你想要巨額投資某個人的生命，當他犯錯，而他也知錯時，不要大做文章。不要在其他家人面前讓孩子羞愧，不要在員工的其他同事面前讓他難堪。若你必須嚴正與他們討論事情，如果可能，儘量在私下進行，而且要盡一切所能維護他們的尊嚴。在別人面前揭發或羞辱某個人，是沒有任何正面意義的。

偶爾，你或許也會想要回敬某人曾對你造成的痛苦，但

如果你屈服於那種誘惑，長遠來說，你會輸掉這段關係。當你羞辱你明明能夠輕易寬容的某個人，你會把你與此人的關係帳戶提領一空，毀掉你們之間的一切信賴與忠誠。

幾年以前，科林‧鮑爾(Colin Powell)在為雷根總統工作時，他與幾個幕僚想出一個新政策。他們為此大感興奮，便與雷根總統召開一場會議，講解細節。

鮑爾將軍特別堅定，因為這是他的計畫，因此他使出渾身解數來推行這個提案。他告訴雷根總統這個新系統能夠發揮多大助益，但雷根總統並未被說服。他在政策中看到自己認為的一些重大缺失，就花了好一段時間來回反駁鮑爾。最後，即使雷根總統不同意，他卻仍然決定信任鮑爾將軍並接受他的新政策。

不幸的是，這是個嚴重錯誤。這項政策一敗塗地，搞出一堆問題。在記者會中，雷根總統被問及出錯之處。在對總統的一陣逼問後，有個記者終於問出了鮑爾不想被問及的問題：「雷根總統，請告訴我們，這個政策是你的主意嗎？」

雷根毫不遲疑地回答：「我為此完全負責。」鮑爾將軍站在記者室的另一端，而當雷根總統看向他時，將軍熱淚盈眶。雷根總統是在對他與鮑爾的關係做下了巨額的投資。這位總統保護了鮑爾的名聲，包容了他的過錯。當鮑爾將軍離開記者室時，他告訴其中一個幕僚：「我會為這人赴湯蹈火，在所不惜。」

如果你想要建立長久、忠誠的友誼，如果你想要建立信賴，那麼你要學習，即使在家人與朋友犯錯時，你也要保護他們。要學習彰顯慈愛，即使不是你的錯，也要為他們解燃眉之急。要盡力而為保護他人名聲，不要在你有機會或力量

造就這人時，卻讓他難堪。

當然，我們不應該姑息罪孽或遮掩故意的惡行。但無論何時，當與我們共享帳戶的某個人犯下小錯或失敗時，要盡力而為地謹慎並正直地維護關係。

我們在所到之處都應該儲蓄關係，無論是在雜貨店、棒球場、學校或辦公室，都要養成習慣在別人生命中種下好事。要以幫助別人更欣賞自己為己任，要關心人們。要花時間讓人知道你關心、也在意他，要盡力讓人明白他是特別的。當你離開辦公室，不要火速衝到停車場，花些時間問候一下接待員：「你今天好嗎？順心嗎？我真高興你是這公司的一份子。」要以某些方式來鼓勵他，要讓他覺得受重視，要幫助他明白有人正關心、在意著他。

要學習對人感恩，要學習說謝謝你。只因為某人為你工作，不表示你可以不必對此人表達感謝。「拜託，約爾，我給他高薪，我付她高薪吶，我應該不用把她捧在手上吧。」或是：「我已經繳夠多稅了，我應該不需要感謝那警察吧。我用不著感謝這位老師吧，他們本來就該做好工作。」不，要學習在人們的生命中投入正面的儲蓄。

不久以前，我正在整理院子。那是個炎熱潮濕的早晨，因此我決定進屋喝杯水。就在此時，我注意到清潔隊員們正一路沿街收取垃圾。我想著：我要多拿些水，分幾罐給他們。當他們經過我們家時，我跑去把水拿給他們。他們的回應非常令人吃驚，你會以為我給他們的是百元美鈔，他們不斷感謝我。當時我沒有想太多，只覺得這是舉手之勞，但我卻投資了那個帳戶。

幾個月過去了，有一天，我和維多利亞遲延把垃圾拿出

去倒。清潔車在清晨會經過，但我們錯過了。我不想要垃圾桶中的垃圾在街邊停留三、四天，但我實在也沒辦法。

當天稍晚，那些清潔隊員特別在去垃圾場前折回我們家，看看我們是否有把垃圾拿出來。當你投資人們的生命，這類意料之外的互惠善舉會經常發生的。

不要錯誤地活在自我中心裡匆匆度日，心裡只想著自己。要花時間為人設想，學習感激他們，讓他們覺得自己很特別。當你看見郵差投遞信件時，對他說：「嗨，謝謝，感激不盡。」當你去買日用品，要鼓勵收銀員。要友善親切，對銀行行員、理髮小姐、加油站人員撒下種子；當你遇見他們，要儲蓄正面事物在他們的生命中。

「幹嘛這麼麻煩？」也許你會問：「反正我與他們也不會建立長遠關係。」

也許不會，但在你與上帝關係的一部分裡，你仍可以對所遇到的每個人展現恩慈與感激。聖經上說：「要天天互相勸勉。」[1]這表示你每天都應該尋找你能造就的人，每天都要尋找你可以儲蓄鼓勵的人。一句簡單的讚美可能會改變某個人的一整天：「你今天氣色真好，這顏色搭在你身上真好看。」或你可以對某個人說：「謝謝你與我為友，這對我意義重大。」

我記得當我還與父親同住時，每當郵差來送信的時刻，他會看著郵差過來，臉上露出燦爛的笑容說：「嗨，快來看，世界上最棒的郵差來囉。」郵差臉上的表情就會亮起來，我父親簡單的稱讚點亮了他的一天。這花不了多少力氣；也花不了爸爸多少時間。他已經養成習慣投資人們的生命，幫助他人更欣賞自己。

你的話語有力量在人們所到之處帶來春天，能將人從失敗與沮喪中拉出，並促使他們邁向勝利。一個可能振奮人心的儲蓄，像是爸爸為那位郵差的生命所做的，只花不到十或十五秒。然而在你影響領域中的一些人，也許就正需要有這十五秒投注在他們與你之間的帳戶中。

要了解每個人都需要鼓勵，無論他是誰或他們看來有多成功。常常有人會告訴我：「約爾，你真的幫助了我。」或：「你大大改變了我的人生。」每次我聽到這些話，就使我受到鼓勵要變得更好；這在我的內心深處起了效用，讓我知道我的人生有意義，並且能夠讓世界有所不同。你認識的每個人都需要這種鼓勵。

作丈夫的，你們的妻子永遠也聽不厭：「你真美，我覺得你好棒。我真高興你是我妻子。」要讓這些情感帳戶的餘額不斷增長。

要學習慷慨給予讚美。要學習表達善意，避免散發出你太重要而沒時間為非你族類之人付出的態度。相反地，要讓你遇見的每個人都覺得受重視；要努力讓你所接觸的每個人都感受到自己是特別的。畢竟，你遇到的每個人都是依照上帝的形像受造的。

我和維多利亞很喜歡一間餐廳，那是一間食物美味，氣氛優雅，還可代客泊車的餐廳。然而我卻注意到，許多顧客把車開來就把車鑰匙扔給泊車人員，好像把他們當僕人一樣。我拒絕這麼做，相反地，我總會努力對代客泊車者表達友善。我會花十五秒說：「你好嗎？一切都順利嗎？」這點小時間與關心所能在那些年輕人生命中產生的儲蓄，真是非常奇妙。

　　我同樣也注意到，當我和維多利亞離開餐館時，會有五到十個人等候他們的車，但不知為什麼，我們的車好像總比其他人先到門口。這幾乎讓我感到不好意思，我從未要求泊車人員給我們特殊待遇，也並不期待，然而他們就是會特別為我們服務。

　　我深信，當你在人們生命中播種好事時，他們就想要對你好。我這輩子也許不會花超過五分鐘對這些年輕人說話，但他們知道我在與他們的情感帳戶中儲蓄了一些資產。

　　不要一直想著每個人能為你做什麼，要開始找尋你能夠為別人服務的事。要在你所到之處投下關係的儲蓄。要當個付出的人，而不是索求的人。當你這麼做，你的關係將不只會變得更好，你還會看到上帝以更偉大的方式施恩，你也將經歷祂更多的賜福。

第15章

善待他人

你想要從生命獲益更多嗎？有誰不想呢？來吧，來試試這樣做：每天起床後別盡想著要得到祝福，反而要盡一切所能成為他人的祝福。如果你每天都試著成為別人的祝福，這樣持續一個半月，你的生命將會充滿祝福，多到讓你無處可容。

我發現，如果我滿足他人的需要，上帝也會滿足我的。如果我讓別人快樂，上帝也會確保我快樂。我們應該每天都去尋找機會對別人好，也許你可以請某人吃午餐，或讓人搭個便車，幫人照顧一下孩子，多給點小費。要養成習慣每天都為人做些好事。不要錯誤地活在自私之中，它是你能使自我受困的堅固牢籠。你受造不是只為了關心自己，因全能上帝已將你創造為施予者。你能活出圓滿人生的最佳良方，就是把心思從自己身上轉移，去觸及他人。

早上起床時就要抱持這種態度：「我今天能祝福誰呢？

> 如果我滿足他人的需要，上帝也會滿足我的。

我能鼓勵誰呢？哪裡有我可以滿足的需要呢？」

我不相信我們今日已看到足夠多的善行。我們聽過許多關於成功與關於上帝想要爲我們成就的好事，然而，但願我們不要忘記：我們蒙福，是爲了要成爲他人的祝福，是要在所到之處分享上帝的良善。如果你渴望影響某個人的生命，你不一定要對這人說教，只要對他好就可以了，因爲你的行動遠勝於言語。你可以說：「我愛你而且關心你。」但我們還是要用行動彰顯眞愛。

如果我愛你，我會盡力幫助你；如果我愛你，即使我必須比平常早起，我會載你上班或上學；如果我愛你，我會在知道你不舒服時幫你照顧小孩。眞愛會把話語及感覺化爲行動。

要學習在日常生活中爲人做好事。當你去員工餐廳，就幫同事帶杯咖啡吧。你也許會想：我才不要咧，他從沒幫我做過什麼事。

要心胸更寬大些，要爲上帝而做，不要錯過爲某個人做件好事的機會。在高速公路上塞車時，讓別輛車在前面插進你的車道。在雜貨店中，當你提著一大籃日用品，而你後面的顧客只拎著幾樣東西時，讓他先結帳。在停車場裡，當你正要停進最後一個車位，同時卻有另一輛車也要停時，倒車出來，讓那人停這個位置。禮讓他人優先，爲他人做好事。

「唉，我以爲那是上帝的恩惠，幫助我比他們先找到車

位。」你也許會如此說。

不，這是我們自私的本性想要優先。如果你善待他人，你會擁有更多比你所需要的上帝的恩惠。

當你在餐廳用餐，要慷慨給小費。請不要在消費三十美元吃飯時，只留給女服務員一美元小費。「但約爾，我分享了我的見證，也邀請她去教會。」

不，你已經用吝嗇的小費撤回你的見證。

有一次，我與維多利亞到一間我們以前去過幾次的餐廳。我們心裡其實已經熟知菜單，也確切知道自己要吃什麼。於是當我們坐定位，便馬上點菜。當時我很餓，但廚師準備我們的食物時好像要花個幾百年。我們等了又等，這根本違背常理。因爲這間餐廳根本沒有很多客人，當服務生最後終於端來食物，竟然不是我們點的菜。她把我的晚餐拿回廚房，然後又是一陣冗長的拖延。最後，我已經等不下去，就開始和維多利亞分著吃她那一份。那是我們在那家餐廳得到過最差的服務。

到了付帳要給小費的時候，我想著：上帝，祢剛才已經看見發生什麼事囉。我知道祢是公義的神，祢當然不會指望我給多少小費啦。

幾乎是立即地，我心裡就知道自己錯了，於是說：「好吧，上帝；百分之五的小費如何？」

讓我和你說個祕密：絕不要和上帝討價還價，因爲你根本毫無勝算。我說：「好啦，上帝，那百分之十，還是百分之十五？這是一般費率。上帝，祢知道行情是如此，我應該可以這樣給。」但我仍然沒有任何平安。我知道上帝正在說：「不要錯過做好事的機會，不要錯失彰顯我恩慈的機

會。」當人們對我們好時，我們也可以對他們好；這很容易。但上帝要我們即使在人們對我們不好時，也要對他們好。

我最後終於改變態度，想著：我不僅要給這位女服務員小費，我還要在她生命中播下種子。我要多盡一份力對她好。我們為了三十美元的餐點留下了二十美元的小費，但我們把這當成播種。

幾個禮拜之後，我收到一封來自那位年輕女孩的信。我不知道她認識我和維多利亞；她根本沒有顯出任何認識我們的跡象。

信中的開頭說道：「你還記得我嗎？我是個曾經為你服務的餐廳服務員，但那可能是你最糟的一次用餐經驗。」

當我讀到這裡，我笑著想：我當然知道你是誰囉。

她在信中說：她生長於一個良好的基督徒家庭，他們每週日都上教會，但在她青春期後期，她的家人卻受到一位教會領袖的傷害，有人得罪了他們。結果，全家人都放棄上帝而離開教會。然而，在過去一、兩年，他們看到我出現在電視上。這位女服務員在信中說道：「我告訴我父母，我知道這些人是真心的，我內心有個聲音告訴我，他們是真心誠意的，而我們必須回到教會。」

她繼續說：「約爾，當你與尊夫人來到餐廳，而我們把你點的菜完全搞混時，多數人會氣急敗壞；但你們倆真是仁慈好心。最重要的是，你還給我們這麼多小費。」她說：「這證實了我內心已經明瞭的，我回家告訴父母這件事，而現在我們的生活已經重新上了軌道，我們每週都到湖木教會敬拜上帝。」

要學習善待他人；這是我們能擁有的最佳見證。現在，當我給小費，我會告訴維多利亞：「我們要在他們的生命中播下種子，這是做好事的大好機會。」當我們離開那個地方，我希望他們能說：「這對夫妻真慷慨；他們對人真好。」這世界需要多聽一段講道的程度，遠不如他們需要真實看見的程度。要學習付出你的時間、金錢，以及鼓勵的話語；去遇見一份需要。當你彰顯愛，你就在向全世界彰顯上帝。

當你彰顯愛，你就在向全世界彰顯上帝。

如果你沒因此受到讚賞，不要擔心。就算那位年輕女孩沒有寫信給我們，也沒關係；我們仍然會覺得自己做了正確的事。當你在行車時禮讓某個人，也許你永遠不會再見到他；當你出於憐憫而給了某人二十美元時，也許你永遠不會再聽到他的消息，但這都沒有關係；上帝已作了紀錄。祂看見你的一切善行，祂看見你每次善待他人的時刻，祂聽到你說出每一句鼓勵的話。上帝從頭到尾都看見你盡力幫助那從未向你道謝的人，全能的上帝不會漏看你的善行。

事實上，聖經教導說：當你暗中行善，雖然沒有獲得任何讚許，但你會得到更多的獎賞。大肆宣揚讓所有人知悉你有多慷慨是一回事，但如果你真想蒙福，那麼為善不欲人知吧。放些現金在未署名的信封裡，留在生活困苦同事的桌上。在餐館裡，匿名請某人吃頓晚餐。清理辦公室的廚房，不要讓任何人知道。當你祕密行善，當沒人感謝你，當你沒受到讚許時，你就是在撒下上帝為你生命行大事的種子。

我希望成為善待他人的人，無論有無得到回報，無論他們有沒有向我道謝。我為善不欲人知，我不想要讓人說：「看看他多好心。」不，我要為上帝而做。我相信，當我們抱持這種心態，我們將會看見上帝的恩惠以前所未有的方式運行。

有個人在經過高速公路上一個繁忙路段的收費站時，並不只給一般人會給的一美元收費，反而給了收費員五美元幫後面四輛車付費。當下一輛車停靠時，收費員就告訴駕駛：「前面的駕駛已經幫你付了。」這種事太常發生，於是有個記者聽到這項善舉，便將之報導出來。

一項小小善行卻能點亮某個人的一整天，是非常奇妙的。誰知道呢，也許其中一個受惠者剛好正低沉沮喪，處在壓力之中，但當收費員對他說：「你的費用已經付清了。」這人或許心情就稍微好轉了。也許在那神祕付費客後頭的那四個車主正心煩、焦躁地準備回家，但遇到這樣的事之後，突然間，他們的心情就被轉換過來，回家就能當個更好的父親或妻子；而這全都是因為有人撒下了種子，有人不錯過行善的機會。

我在想，如果每人每天都找機會行善，這世界會變得如何呢？我們的城市會變得如何呢？我們的職場會變得如何呢？如果我們以點亮他人的一天，以幫他人做些好事為優先要務，我們的學校會變得如何呢？

聖經上說：「有了機會就當向眾人行善。」[1]這表示我們必須前瞻、出擊，掌握機會。我今天能祝福誰呢？我能夠幫忙誰呢？你不能坐著等需求找上門，你要去追求機會，要敏銳地留心身邊的人。如果你看到一位朋友每天都穿同一套

衣服，走上前去對他說：「讓我送你一、兩件新衣吧。」或是：「這禮券送給你，去挑選幾件新衣吧。」

也許你剛好聽到一位同事說：「下個禮拜我得把車開去修車廠，真不知到時要怎麼上班。」

要告訴你的同事：「早上我繞過去載你囉。」

「不要，那太遠了，我家根本不順路。」

「沒關係，小事一樁。我很樂意。」

要留心聽周遭之人所說的話。

當然，我們無法耗盡所有的時間和金錢做這些事，但多數人卻能比目前所做的再多做一些。聖經上說，凡看所結的果子，就可以認出我們來。[2]人們不會從我們引用多少聖經節認出我們來，也不會從我們汽車保險桿上所貼的多少標語認出我們來。人們認出我們是信徒，是在我們做善事，滿足他人真正的需要之時。

也許你很有錢，如果是這樣，當你看見單親媽媽為生活愁煩，你何不幫她付一、兩個月的房租呢？告訴她：「讓我來負擔往後幾個月的車貸，讓我稍微減輕你的負擔。」耶穌說：「這些事你們既做在我這弟兄中一個最小的身上，就是做在我身上了。」[3]

不僅如此，聖經箴言還說，當你施予貧窮人，就是借貸給上帝。也許你無法把錢給人，但你可以幫人照顧孩子。你何不在一個晚上幫新手父母或單親媽媽一個忙呢？對他們說：「去犒賞一下自己吧，我送你一張禮券。去購物中心逛逛，去美容一下指甲，去按摩一下或做你喜歡做的事，我們家今天會幫你顧孩子的。」

也許你可以成為生活中缺少正面榜樣的少年男女之良師

益友，這花不了什麼錢，只是花些時間去關心，願意使情況
有所不同而已。

　　有一位在湖木教會詩班唱詩歌的年輕人，他來自一個極
度失調的家庭。他父親正在監獄服刑，母親有嚴重的藥癮，
他一直沒有得到真正需要的關心與注意。不知怎地，我們教
會裡的一個家庭出現在這年輕人的生命中，他們對他表示關
心。他們有個與這位青少年年紀相同的兒子，因此他們開始
帶這位年輕人上教會並關愛他。當他領受自己需要的愛與關
注時，他開始看到家庭的真諦。他以前從未上過教會，但他
喜愛來湖木教會聚會。這可是他一週的重頭戲，因此他每天
都期待禮拜天的到來。

　　最後他參加我們的兒童詩班，而且發現自己很喜歡唱
歌，現在關懷這男孩的那家人不僅必須帶他去主日崇拜，還
必須在週間帶他去詩班練唱。這要花上更多的時間、努力與
精神，但他們從未抱怨過。他們欣然為之，為他的生命撒下
種子。

　　不幸的是，這青少年在一次悲慘的意外中失去了母親，
她在他面前喪生。當然，他心碎幾近崩潰。在葬禮過後幾
天，家人與親戚聚在家裡，試著想出未來要怎麼做，但這年
輕人消失無蹤。他們最後發現他的房間門關著。當他們把門
打開，卻發現這年輕人正在聽詩班錄音帶，練習下一首歌，
為下一場演唱做準備。

　　當我聽到這事件，我在想，如果沒人關心他，這個男孩
會變得如何？如果沒有這個代理家庭花時間關心他，他會怎
麼處理這種情況？萬一他們太忙了呢？萬一他們抱持這種心
態：我們可以帶你去教會，但我們不會帶你去練唱，這要求

太多了。若真是這樣，又會是如何呢？

　　不，他們願意忍受不方便，他們願意犧牲自己的時間與資源，花時間關心他，來滿足這個男孩的需求，而這就是生命的真諦。最貼近上帝心腸的，就是幫助受傷的人。如果我們忙到沒時間分給朋友、鄰居或不幸的人，那麼我們就是太過忙碌了。我們的優先次序已經離了譜。

　　聖經說，到了末世，人的愛會變為淡薄。[4]這就表示人們會忙碌到只顧自己的需要，他們會只對自己成功的渴望有興趣，不會撥出任何時間使世界有所不同。

　　朋友，不要讓這段描述適用在你身上。你周遭到處都有受傷的人，他們需要你的關心與鼓勵。不要錯過這一刻的神蹟，也許你生命中現在就有人需要你的時間與精力，你注意到了嗎？

　　也許你的同事之一正處在放棄的邊緣，他絕望到很需要你的鼓勵。她需要你陪她去吃頓午餐，讓她知道你關心。不要太忙碌，不要對周遭的需要感覺遲鈍，要願意承受不便。

　　當你讀到耶穌的生平，你會注意到祂總是為人們撥出時間。祂很忙，祂有必須要去的地方，但祂始終樂意改變自己的計畫，為他人做些好事。當祂來到村落中，人們向祂呼求：「耶穌，拜託來這裡為我們禱告。」祂就會停下來，盡力為人們帶來醫治。有一次他們來找祂說：「耶穌，請到我們的城市，我們的親人病得很重，祢得為他禱告。」耶穌改變了自己的計畫，轉向那個地方。

　　當他們嘗試把小孩子帶到耶穌面前，門徒卻說：「不，不要打擾祂，祂很忙，祂太崇高了。」

　　耶穌說：「不要這樣，讓小孩子到我這兒來。」

我們很容易只專注在自己的狹小世界中關心自己：「我
有自己的計畫，不要攪亂我的行程。」不要這樣，要為人們
撥出時間，不要錯過任何機會行善，要讓他人的生命有所不
同。這不用是什麼大事，通常，愛與恩慈的小善行就能創造
出大改變。我們教會中有一個婦女小組，她們編織毯子，然
後刺繡人員就把經文繡在毯子上，再把毯子帶給休士頓安德
森癌症中心(M. D. Anderson Cancer Center)裡的癌症病患。那
些手工織毯提醒了這些正與癌症搏鬥的人們，有人在關心他
們；這番愛的表示給了他們更多的盼望。那些婦女正運用她
們的才華為別人做善事。

也許你沒有閒錢，但也許你可以織條毯子或烤個蛋糕；
你可以成為某個青年人的良師益友，你可以拜訪安養院；你
可以參與監獄事工，鼓勵受刑人倚靠上帝。要為人做好事。

前美式足球傳奇性教練安德森‧飛利浦(O. A. "Bum"
Phillips)，幾年以前從賽場上退休，但飛利浦並未真正退休。
他一有機會就到監獄，鼓勵受刑人並帶給他們希望。這就
是生命的真諦——為他人做些好事。《天路歷程》(Pilgrim's
Progress)的作者本仁約翰(John Bunyan)曾說：「若你還未為一
個無法回報你的人做些事，你就沒有真正活出今天。」

「但約爾，我買這本書是要知道如何蒙福，」你也許會
說：「我想要知道如何滿足自己的需要。」

朋友，這正是方法。如果你滿足他人的需求，上帝也會
滿足你的。你為他人所成就的，上帝也會成就在你身上。當
我開始感到沮喪低沉，或是覺得自己彷彿扛著全世界的重擔
時，我會到醫院為人禱告。我發現，當我開始給人鼓勵、給
人盼望時，我很快就找回喜樂，因它移轉了我的注意力。

不久以前，我去醫院幫一家人禱告。當我離開那間病房，就有四、五個人來找我，請我幫他們所愛的人禱告，而我則欣然接受。有一個家屬問我：「可否請你來病房幫我們的父親禱告呢？」

「當然好，」我說：「但你們何不與我一起進去呢？」

他們說：「不了，如果你不介意，我們在外面等就好。」我走進病房和這人談話，並把他當成我最好的朋友對待，為他強力地禱告。當我走出病房，他的家人非常驚訝。其中之一說道：「約爾，我們不敢相信他居然讓你為他禱告，他總揶揄我們看你的節目。」

我心想：如果我早知如此，我就不會這麼禱告哩！不過不管他怎麼看我，我都因為幫他禱告而得到更新。

這世上有兩種人：施予者與索求者。要當個施予者而不是索求者，要讓他人的生命有所不同。

我聽過一則關於內陸城市裡一個少年的故事：他大約八歲，家境非常貧困。在一個寒冷的秋天，他走到一間商店前，羨慕地看著櫥窗裡的網球鞋。當他又冷又赤腳地站在那兒，一位女士過來問道：「孩子，你幹嘛這樣緊盯著櫥窗呢？」

男孩低聲地，幾乎是很害羞地說：「喔，我只是在禱告求上帝，看看祂能不能給我一雙網球鞋。」

這位女士毫不猶豫地帶他進到這家店裡，非常溫柔又有愛心地清洗了他冰冷且髒污的腳。接著幫他套上一雙全新的襪子，並叫他挑選三雙網球

沒有什麼比你在付出時更像上帝。

鞋。男孩不敢置信，並興奮極了。他從來沒有穿過一雙新鞋子，因為他向來只穿得到舊鞋。

在這位女士結帳完畢之後，她轉向這位男孩。他不敢置信地看著她，因為從沒人這樣關懷過他。眼淚淌在他的臉頰上，他說：「女士，我可以問你一個問題嗎？請問你是不是上帝的太太？」

朋友，沒有什麼比你在付出時、在你為人撥出時間、在你為某個可能永遠無法回報你的人做好事時，更像上帝。不要陷入社會的自戀想法：我最重要，我最重要！只迎合自己是永遠不會快樂的；真正的喜樂會在你付出自己的生命時來臨。

你是否真想變得更好呢？和我一起作個決定要開始對人好，要留心身邊的人，諸如你的朋友、同事、親戚，甚至是陌生人。傾聽他們怎麼說，要敏銳而不錯過任何行善的機會。切記，真愛永遠要以行動支持。

行動要訣

第III部 建立更好的關係

1. 我要幫助他人成功,並信任上帝也會使我成功。這一週我要造就、鼓勵或改善至少三個人的生命。

2. 我要(刻意地)找出我可以行善的對象。我要讓某個人開心,我要設法成為某個人的祝福,特別是成為一位可能永遠無法回報我之人的祝福。

3. 我下定決心要使家庭遠離紛爭。我要定期提醒自己:
「我是和睦使者,不是麻煩製造機。」
「我要輕看小事,要快快饒恕。」
「我選擇看他人最好的一面。」
「我感謝我的配偶、家人、朋友與同事。」

4. 今天,我要在周遭人們的生命中,存下關係的儲蓄。我要慷慨地給予讚美,設法讓我所遇見的每個人感到受重視。

第 IV 部

養成更好的習慣

第 *16* 章

培養良好的習慣

印第安查拉磯族(Cherokee)有一則古老的故事,其中講到一位祖父在教導孫子人生原則。這位睿智的老查拉磯人說:「孩子,每個人的內心都有兩隻狼在大戰,一隻狼是邪惡之狼,牠憤怒、忌妒、不饒恕、驕傲與懶散。另一隻狼是善狼,牠充滿愛心、恩慈、謙卑與自制。」

「這兩隻狼不斷在打仗,」這位祖父說。

小男孩想了一下,並說:「爺爺,那哪一隻狼會贏呢?」

祖父微笑並說:「那要看你餵養的是哪一隻囉。」

餵養不饒恕、沒耐心、低落自尊或其他負面特質,只會讓它們更強大。舉例來說,也許你不斷抱怨你的工作,總是負面批評你的老闆,抱怨公司如何苛待你,你是多麼無法忍受開車上班。諷刺的是,當我們抱怨時,就會感受到釋放,因為餵養那些負面思想讓我們感受很好,但我們所餵養的狼

將會索求更多。

下次你想要抱怨時，先問問自己：「我是否真想要一直餵養這些負面習慣？」「我是否真的想要在原地踏步？」或是：「還是我想要抑制抱怨的靈，讓自己更上一層樓呢？」

如果你開始餵養和睦、耐心、恩慈、溫柔、謙卑與自制，你將會看見那些人格特質在你生命中增長發展。若要做出好的選擇，不但不能抱怨工作，反而要學習說：「天父上帝，感謝祢讓我至少還有一份工作。人們也許待我不公，但我不是為人工作；我是做在祢身上，是為祢而做。」當你這麼做時，就是在餵養正確事物，建立新的習慣。

所謂的習慣，就是一種後天獲得、經由學習之後，甚至能未經思考的慣性行為，幾乎不受意願控制。我們實行過太多遍，以至於這其實已變成了第二天性。如果我們有好習慣，這很好。但有時我們的習慣會使我們遠離上帝最好的一切，而我們卻沒發現。

我們所養成的許多習慣來自於成長的文化。如果你生長在散漫、邋遢、不斷遲到的家庭裡，你可能就養成了這種負面習慣。或者，若你被撫養在有粗魯、譏諷、無禮傾向的環境中，你也許會承襲一些相同的行為。你可能甚至沒有意識到，這種態度與行為是冒犯人的，因為這是你惟一知曉的模式。

相反地，有些人則生長在像是整齊、敬虔、清潔與秩序的群體中。許多人養成了關於飲食與運動的正面習慣；另有些人則有定時起床與就寢，讓身體有足夠時間休息以恢復元氣的習慣；這些都是經由學習的正面習慣模式。

習慣無論好壞，都會大大決定你的未來。有項研究顯

示，日常生活中九成的行為，乃是基於我們的習慣。讓我們
來思考一下：從早上起床到晚上就寢，我們所做、所為中的
九成，都是慣性行為。這表示我們在待人處事、花費金錢、
所見所聞等等，有九成的時間，都是自動進行著。我們做著
我們總是在做的事。這也難怪如果你想要改變生活，就必須
從刻意改變日常習慣開始。你不能繼續不斷做著你原本一直
在做的事，然後期待得到不同的結果。

　若想變得更好，就必須列出一張習慣清單，例如問問自
己是否有負面思考與說話的傾向？是否總是上班遲到？是否
一直在擔憂？是否飲食過量？是否不斷屈服於癮癖？

　要明白，你的習慣也許是不合法、不合倫理，或甚至是
背德的。它們也許是看似無害的言行舉止，無傷大雅，但如
果你不加以對付，就可能會浪費好幾年的時間與精力，毫無
建樹，也毫無益處。這可不是上帝最好的旨意。

　好消息是你可以改變，你可以培養更好的習慣。多數慣
性行為的研究指出，人可以在六週內破除一個習慣；有些研
究則說，你最短可以在廿一天內破除一個習慣。想想看，如
果你自我控制一個月左右，願意忍受改變的痛苦，就可以除
去負面的行為，養成新的健康習慣，晉升到個人自由的新境
界。

　使徒保羅說過：「凡事都可行，但不都有益處。凡事都
可行，但不都造就人。」要注意，保羅其實是在說：「我的
生命要遠避任何無益與無建樹的事物。」他在說：「我將不
受任何壞習慣的轄制。」

　事實是：成功的人會養成更好的習慣，這也是為何即使
是職業高爾夫球選手，幾乎也都需要每天練球；有些人在沒

有出賽時，一天也要練打五百到一千顆球。他們花上好幾小時重複揮桿，好讓他們想都不用想，就能做出這些動作。因此，當他們在巨大壓力下參加比賽時，他們的身體幾乎就會自動執行正確的動作。無怪乎那些高爾夫球選手會成功！因為他們已經養成了成功的習慣。

生活中趨於領先的人，通常都很守時。

如果你有不準時上班的壞習慣，要改掉。生活中趨於領先的人，通常都很守時。在上班、上學或參加會議的日子裡早十五分鐘起床，事先規劃好行程以便能從容提早抵達。要建立新的守時習慣；不要在能輕鬆養成準時習慣時，卻任由自己遲到。

或者，如果你有每天吃一堆垃圾食物與喝好幾罐汽水的習慣，就要認真養成更好的飲食習慣。不要速成節食；只要一次改變一點。要不了多久，你就會發現，自己的精力指數與個人外貌都有顯著的改變。

我們的習慣會變成人格的一部分。如果你任由自己散漫或一直遲到，這就會成為你的一部分。如果你訓練自己在事情一不順心時就火冒三丈，那麼很不幸地，這些壞習慣也會成為你的一部分。做出改變的第一步，就是認清什麼正攔阻你進步。要辨明一切壞習慣，然後下定決心對付它們。

我們要如何改變習慣？很簡單，就是停止餵養壞習慣。你必須使壞習慣挨餓投降，並開始滋養好習慣。

我聽過有人說：「壞習慣容易養成，卻難以在其中度日。」換句話說，要拂袖而去並對人粗魯無禮，任意口無遮

攔、口出惡言、傷人與譏諷，是很容易的。要做到這些很容易，但是要在這種充滿緊張與紛爭的家庭中生活，是很困難的。

刷信用卡購買所有東西是很容易的，但要活在無力付帳的壓力中，是很艱苦的。屈服於誘惑並偏行己路是很容易的，但是活在捆綁中要感到罪疚與譴責，是很困難的。

想想一個對藥物上癮的人。染癮其實很容易，剛開始好像有趣又刺激。然而要不了多久，這個癮就會開始控制這個人，使他成為這個癮的奴隸。壞習慣也一樣，要養成很容易，但活在其中卻很辛苦。

另一方面，好習慣則難以養成。好習慣源於對努力與犧牲的渴望，有時還要願意忍受艱辛與痛苦；但好習慣卻使人活得輕省。舉例來說，在面對批評或侮辱你的冒犯行為時，剛開始你很難去控制口舌並輕看之。一開始你很難去饒恕，但若活在充滿平安與和睦的環境中，當然就很容易做到了。

如果你願意忍受暫時的不適，好讓自己能堅持熬過改變的初期痛苦，長遠來說，你的生命會更好。痛苦不會永久持續；事實上，一旦你養成新的習慣，痛苦通常就會消失。

維多利亞知道我不會和她吵架，我們不讓紛爭與衝突存在家中。在我們的婚姻中，要輕看事情或原諒冒犯並不難，因為我已經訓練自己要成為和睦使者。我已經訓練自己，即使不是自己犯錯時還能道歉，不過當然，我們每次對於誰對誰錯都認知不同哩！

然而，在我們結婚的頭幾年，我的反應可不是這樣。相反地，我會激烈爭辯，把我的想法與我認為理應如此的方法告訴維多利亞。有一天我領悟：這不是上帝要我擁有的生活

方式，這不是祂所預備最好的。我內心可以聽見那微小的聲音說：「約爾，放手吧，你能做得比這更好，不要自己降格。」

我認清自己必須做個決定：我想要證明自己是對的，還是想要家中有平安？我開始改變，而放棄爭吵的權利則變得愈來愈容易。今天，要我和顏悅色一點都不難；這已經成為我個性的一部分，對我來說自然得很。然而實際上，我若不改變，可能還在二十年前剛結婚時的狀況中打轉：一不順心就爭吵，擺臉色，永遠要吵贏最後一句話。

感恩的是，我培養了更好的習慣。我已經熬過改變的痛苦，我可以在今天說這是值得的。當然，我還有其他尚待改進的地方(不過大概只有一、兩個吧)！

如果你同樣也能熬過改變初期的痛苦，不管這需要花上一週、一個月或一年，痛苦終究會過去，而你將不僅能更享受生命，還會活在更高的境界之中。

遲來的反應

許多與壞習慣相伴而來的潛在危險，就是我們之後才會在生命中承受苦果。如果你用香菸與酒精虐待身體，你可能幾年後才會罹患癌症或肝硬化。如果你一直用飲食失調或超時工作來惡待身體，沒有得到足夠的營養與休息，你可能暫時還不會吃到苦頭，但有一天，那些壞習慣將會使你自食惡果。如果你對家人、朋友與同事粗魯無禮，他們現在也許會忍受，但有一天你可能會變得非常孤單。人們可能一時容忍你的目中無人，但最終受害的還是你的人際關係。

通常，當我們論到習慣，就會想到類似藥物、酒精上癮或其他物質濫用的毀滅性習慣。然而那些可能會造就或傷害大部分人的習慣，也許是生活中更常發生的。檢視一下你每天的習慣。如果你每天浪費四到五分鐘試著找出你亂放的東西，如鑰匙、手機、眼鏡、筆記本或其他物件，到了年終，你就已經浪費了一週的光陰。聖經說要善用時間，因此散漫的生活可不是管理上帝託付給你時間的好態度。

我聽過有人說：「習慣就像地心引力，它們會一直把你往那裡吸。」如果你建立好習慣，它們會使你活得更輕鬆、更成功、更有建設性。你不會為了要做對事情而飽受掙扎。當你操練好的習慣，你的生命將會結出好果子。自然地，你會快樂，會經歷上帝的豐盛生命。但如果你養成壞習慣，它們最後終將把你拉扯過去，並拖垮你。

當然，如果你已經定型在這種模式中二十或三十年，也許你無法在短短廿一天內克服所想改變的習慣。但如果你下定決心，請求上帝幫助你破除這個習慣，並不會讓你花上好幾年。只要下定決心改變，堅持到底，你將會驚嘆自己開始養成新的習慣是多麼迅速。這會一天比一天更容易，直到那一刻，你甚至連想都不用想，就自動做了正確的事。

當我和維多利亞剛結婚時，我們常把車鑰匙放錯地方。我會一回到家就把車鑰匙放在桌上，或一起帶到樓上臥室；維多利亞則把它們留在皮包裡或是放在廚房。我們似乎每次準備好要出門時，都得先到處找車鑰匙。有一天，我覺悟到我們浪費了許多時間，於是找了個槌子與兩個小釘，把它們釘在後門的儲物櫃好讓我們能掛鑰匙。往後幾次我回家時，我還是像以往一樣亂放鑰匙，想都沒想，就把鑰匙帶回臥室

或留在運動包裡。幾次以後我就提醒自己走回樓下，把鑰匙放到現在應該放置的地方，掛到櫃子的小鉤上，我日復一日地這麼操練著。

要改變一個習慣剛開始是不容易的，一旦保持住了，最終會自然養成新的習慣。現在，我和維多利亞甚至都不用去想車鑰匙應該要放在哪裡。當我們回到家，就直接走到櫃子那裡掛上鑰匙。無論正面還是負面習慣，都能以這種方式養成，重複行為會變成幾近是自動自發。

朋友，不要被卡在壞習慣中。要下定決心培養更好的習慣。為了要改變，就必須始終如一。你必須日復一日地操練，必須設下「絕無例外」的原則。這表示，無論你感覺如何，無論你多想回到老樣子，你還是要堅守新計畫，絕無例外。

第二個改變的關鍵就是，你必須熬忍新習慣剛開始時的痛苦與不適。畢竟，如果你已經年累月地訓練身體習慣於某種模式，就已養成你所適應的習慣，那就不要訝異你的身體會在你嘗試養成新習慣時反抗你。但如果你自我訓練並堅守立場，幾個月下來，你就能建立新的習慣，生活也會更有益。

對一個要參加競賽的跑者來說，訓練的頭幾天是很恐怖的。他的胃部翻攪，雙腿疼痛，想要放棄的誘惑在每一輪都會冒出來。但當他一天又一天地鍛鍊身體，他就能跑得更遠、更快、更輕鬆、更少阻礙。

要了解，一旦你熬過了初期的痛苦，要建立更好的新模式就容易多了。想想看一艘火箭升空要發射至太空時所需要的巨大推力，大多數發射所需的能量，會消耗在它突破地心

引力的拉力之時。一旦它推進至外太空，前進就容易多了。
同理可證，對於破除惡習，如果你能夠熬過一開始的幾週，
就會容易多了，而有一天你就不再受束縛。

想想看所有你認識想要減重的人。節食在今日是個百萬
規模的行業，節食有時雖然有幫助，但長遠保持體重在控制
之中的解決之道，不是實行一個又一個的「節食新妙方」。
多數靠著那些節食配方而成功的減重，都是暫時的。而且不
幸的是，多數的節食者最後都復胖，而且體重還比之前更
重！

控制並維持自己體重的較好方法，就是養成新的習慣；
要開始運動，開始監測你所吃的食物、吃東西的時間，以及
所吃的份量。當然，這不容易；尤其是在一開始，你必須極
度嚴格地自律。每次當你拒絕誘惑，每次你做下更好的選擇
時，這就會變得更容易。有一天，你會注意到你活得更健康
而且更有收穫。

切記，在養成新的習慣時，一開始總是最困難的。你會
想要放棄或是回到老樣子，但你無須讓步。

你也許會說：「約爾，每晚我上床睡覺前，就是無法遠
離冰淇淋。」

可以，你能夠離開冰淇淋，而且沒有它，你可能還會活
得更好、更長壽。如果你要破除這個習慣，第一步就是停止
在夜間走到廚房。聖經說，遇到試探要逃跑，因此，無論是
性的試探，還是甜食的誘惑，成功的關鍵都一樣：你必須敬
而遠之！

當你去雜貨店，甚至不要走到那些美味、使人發胖、等
著誘惑你的冰淇淋櫃位。不要找些藉口像是：「這個嘛，我

買這桶冰淇淋，只是要在客人來訪時派上用場而已。」

不，你知道你會是吃掉這桶冰淇淋的惟一客人；所以要遠離這個冰品。要逃避試探，不要讓正確的飲食變得更困難。你不能錯待你的身體，卻又希望它能以上帝設定的方式運作。

改變的時刻

就像有人沒有合宜管理飲食一樣，有一些人則是沒有好好管理時間。他們沒有活出均衡的生活，卻一直活在壓力中，感到心神耗竭。他們已經養成過度工作的習慣，很少放鬆，幾乎不運動，從不為自己留些閒暇時間。但除非他們做出改變，讓生活取得些許平衡，有一天，他們會嘗到苦果。你可以暫時活在壓力之中，特別是在你年輕的時候。但當你的身體嘗到苦頭時，請不要訝異。

最好現在就養成好習慣。看看自己的生活方式，並問：「我為何要做我現在正在做的事？這是因為我的家族遺傳嗎？這是個好習慣嗎？這會幫助我成為更好的人嗎？」經過分析之後，如果你發現有些習慣並無益處或成效，那麼要放膽做出幫助你取代它們的改變。要確保你不會讓上帝以外的任何事物掌管你。

我熟識一位對香菸上癮許多年之後，要嘗試戒菸的女子。她每次都下定決心「這次」要停止吸菸，她也成功了好幾週。但有一天，她和丈夫吵架，她心煩意亂，便跑到商店買了一包菸。她想著：我要吸給他看，我要吸光整包菸！

但當她開始點燃第一根菸，她內心有個聲音說道：「你

會白費之前的一切努力。如果你吸了這根菸，你將得從頭開始訓練自己，只因為你無法控制你的情緒。」

當她想到趕走那習慣的辛苦與努力，想到她所經歷的一切，以及她前進到這一步所熬過的許許多多，她於是決定放下香菸，永不再拿起它們。

你將總有許多不應該改變的藉口與正當化的理由，你通常可以找到放棄、轉身、回頭，然後回到老樣子的理由。當你受到試探時不要訝異，只要記得聖經上說：「你們所遇見的試探，無非是人所能受的。上帝是信實的，總要給你們開一條出路⋯⋯。」[1]無論壓力有多大，無論看來多艱難，你都必須明白自己能夠禁得起。上帝會幫助你，祂會為你開一條活路，但你必須堅持下去。

如果你看見一個自己沒有用正當舉止去回應的層面，不要找藉口。要扛起責任並說：「我認清狀況，選擇改變。我要養成好習慣。」

在現實生活中，比破除壞習慣更重要的就是，我們必須取代掉它們。換句話說，如果你有擔憂的壞習慣，你的心總是狂飆到時速九十哩，在擔心你的孩子、財務、健康，此時你就必須認清，擔憂是你已經養成的一個壞習慣。要同時擔心並信靠上帝是很困難的，上帝要我們心平氣和。你可以放心地深知上帝把你捧在祂的手掌心。然而，當你長時間擔憂，就已經把這習慣變成你的第二天性；你甚至想也不用想就會這麼做，於是早上起床就開始擔心今天又會發生什麼

比破除壞習慣更重要的是，我們必須取代掉它們。

事。

在多數情況下，你不能只是決定停止擔憂。你必須用充滿信心的正面思想，來取代負面思緒。然後每一次當你想要擔憂，就用這種試探來提醒自己要處在好事之中。聖經上說：「凡是清潔的、完全的、有美名的，你們都要思念。」[2]如果你用盼望、信心與得勝，來取代憂慮的想法，那麼你就能重新訓練心志。要每天不斷這麼做，而要不了多久，你就會建立思念好事的習慣，也會破除擔憂的老舊習慣。

成功的關鍵，就是要找到你可以取代負面習慣的東西。如果你習慣一有壓力就跑到廚房吃東西，那你要去其他地方，找些其他事情做。當你感到緊繃，就到戶外散散步，你不用來個兩哩的慢跑，只要在街頭巷尾走走就可以。當你回來時，保持忙碌而且要遠避廚房！

有句話是這麼說的：「熟能生巧」。也許道理如此，但有時我們卻一再演練錯誤的事。我聽過有人告訴我：「約爾，我真的是個負面思考的人，我的父母很負面，我的祖父母也很消極，所以我就是這樣。」

恕我冒犯地說，這不是真正的你；這是你任由自己成為的樣子，卻不是上帝造你的樣式。上帝創造你是自由的，祂沒把你創造成被癮癖所捆綁。祂沒把你創造成散漫、壞脾氣、沮喪或負面思考的人。上帝把你創造為卓越的人，祂把你創造為快樂、健康與完整的人。但太常發生的是，我們養成了錯誤心態。我們告訴自己：「我改不了，我無法破除這個習慣。」不，問題在於我們一直操練著錯誤的事物。

有趣的是，使徒保羅在聖經羅馬書七章19節說道：「我所願意的善，我反不做；我所不願意的惡，我倒去做。」保

羅一直掙扎著要去做正確的事。在第19節，他讓我們洞悉他為何會有這種掙扎。他說：「我所願意的善，我反不做。」他基本上是在說：我在這方面沒有養成好習慣，我沒有執行我知道自己應該做的事。事實就是，我們都在操練一些事情，而養成好習慣的方法就是操練正確的事。你也許對發脾氣很在行，因為你一週練習好幾次。有些人對失去耐心很拿手，因為他們每天早上開車上班時都在練習。我認識精通負面的人，因為他們不斷操練負面思考。要記得，反覆操練就會養成習慣，會讓我們自動反應，因此，我們應該確保自己正在操練正確的事。

舉例來說，我們每個人都應該操練饒恕。下次有人得罪你或傷害你的時候，不要以惡報惡。要馬上原諒這個傷害你的人；要放手並開始操練饒恕。

讓我們在花錢的事上操練節制，並做出好的財務決定，許多人在財務上收支失衡，是因為養成了壞習慣，像是花自己沒有的錢與用信用卡付帳。我們不需要太多智慧就可以了解，要付兩成以上的信用卡利息並不是件好事。

我聽過有人說：「約爾，我就是不能沒有信用卡，我沒有信用卡就活不下去。」你行的，但可能會感到有些不適應，你也許得忍痛熬過過渡期。就像我父親常說的：「在負擔得起買張椅子之前，你要學習先坐在水果箱上。」他真正要表達的是，如果你能智慧地運用你所擁有的，上帝就會賜你更多。今天許多人都在禱告求神蹟出現；他們禱告，驥望在財務上能有突破。我要恭敬地說，其實，通常我們並不需要神蹟，我們只需要培養好的花錢與存錢習慣。我認識一些人，如果上帝明天就用一百萬美元賜福給他們，到了明年此

時，他們仍然會處於相同的財務困境之中。他們仍然會有一樣的問題，為什麼？因為他們沒有養成好的花錢與儲蓄習慣。

在我們買下一樣會讓我們嚴重負債的東西之前，我們需要長時間的認真思考。我們是否真需要那輛名車？我們是否真需要多的玩具？財務顧問說，如果我們用一張張一美元的現金購買每一樣東西，我們每年平均就可省下九百美元。這是為什麼呢？因為當你支付那些現金，一次一筆時，這就會讓你思考：我是否真的想放棄這些現金換取這樣東西？付現金會比單純在掃瞄機上刷卡，更讓人仔細思考。

切記，財務壓力通常是現代婚姻瓦解的前三大原因，如果你想要婚姻長久，就要建立好的花錢與儲蓄習慣。開始做對的事永遠不會嫌晚。如果你盡本分，上帝也會做祂要做的。祂會提升你、加添給你，但你必須先成為你所有物的好管家。

湖木教會有對夫妻曾欠下四萬美元的信用卡債，他們為此蒙羞，心煩意亂。他們找不到出路，在現實看來，也不可能有出路。

然後有一天，他們踏出了信心的一步；他們嚥下驕傲，來找在我們教會裡服事的財務顧問。那位顧問研究他們的財務狀況，並給他們一些如何一步步克服財務困難的指示。

這對夫妻下定決心要脫離債務，於是長達三年沒有出去用餐，沒有出去度假，沒有買額外的衣服。他們活在極度緊絀的預算中，生活很不舒適，這是個犧牲。

但他們正在翻轉前幾年的錯誤選擇，養成更好的習慣，並建立往後幾年正確抉擇的基礎。他們停止使用信用卡，並

學習分辨需要與想要的不同。他們開始練習自律與自制。三年之後，這對年輕夫婦把債務完全還清，而上帝也賜福予他們。他們正看見加增與提升，這都是從他們決定要養成更好的習慣開始。他們在地上劃條線，並說：「到此為止，我們不要再活成這樣。」

克服任何習慣或癮癖的第一步，就是認清攔阻你的事物；但是不要停留在那兒，要做下決定來解決問題。要採取行動，不要太羞愧而不敢尋求協助。人們會掙扎於藥癮、性癮與其他各種癮癖中，也許是憤怒的癮使人就是無法控制脾氣；但要明白你可以改變，自由是可得的。不要相信你被困住而永遠無法好轉的謊言，因為上帝已經為你鋪設了康莊大道。

然而你必須盡本份並願意走出去。下次當誘惑臨到，你第一件要做的就是禱告。讓上帝能參與你的狀況，因為我們無法靠自己的力量來打敗惡習。要求上帝幫助你。當你覺得情緒失控，想要粗魯地叫人滾開時，馬上就在當下禱告，低聲說：「上帝，我求祢幫助我。求祢給我閉上嘴巴的恩典與離開現場的勇氣。」

聖經告訴我們：「總要儆醒禱告，免得入了迷惑。」[3]聖經並沒有說：「禱告你們永遠不被誘惑。」因為我們都會遇到誘惑。上帝說：「當試探來臨，要求我幫助。」在你所有想要改變的層面，即使是小事，都要尋求祂的幫助：「上帝，我將走過廚房而且能聞到巧克力餅乾的香味，因此求祢幫助我抵擋會破壞我飲食控制的誘惑。」「父啊，我所有朋友今晚都要出去狂歡，而在我內心深處，我知道這是不對的。上帝，求祢幫助我做出最好的選擇，求祢幫助我留在祢

最好的計畫之中。」

「約爾，這好困難。不和朋友出去混，不去刷卡購物，不說出心聲，真的好難。」

沒錯，是很難。但活在捆綁中更是辛苦，因著知道你沒活出潛力而討厭自己，更是艱困。沒什麼比在你明知可以克服卻攔阻你的小事中度日，更慘的。

也許你正掙扎於癮癖之中，或正在與自己的脾氣與缺乏耐性搏鬥。或者，可能你活在平庸之中，只因為你讓某件小事控制了你。讓我告訴你一個你已經知道的道理：你比這更好，你是至高上帝的兒女，你有祂尊貴的血液湧流在你的血管之中。不要只是坐著接受自己的現況。你生命中沒什麼阻礙是無法克服的，無論那阻礙是大是小，無論是批評的靈，或是古柯鹼毒癮，上帝在你裡面的大能都比那試圖拉扯你退後的力量更大。要盡力打這場美好的信心之仗，不要讓世上的任何事或任何人掌控你。你的心態應該是：「夠了，我不要停留在現況，我要更上一層樓，我知道我值得更好的。」

要運用上帝在你內心的力量，別再說：「我無法破除這習慣。」相反地，要開始每天宣告：「我是自由人，靠著基督，我凡事都能，一切攻擊我的器械必不利用。」要記得耶穌說的：「人子所釋放自由的，就實實在在自由了。」要開始對你的生命宣告這點。

腓立比書第二章說，我們要做成自己得救的工夫。這表示我們內在都有良善，但我們必須盡本份讓這些在生命中成就。你有全能上帝的種子，祂已經將自制、紀律、恩慈、饒恕、耐心等等放在你裡面。因著你相信祂，這些特質已經在你裡面，但成就的工夫操之於我們每個人身上。良善不會自

動形成，只會在我們作下好決定時發生。不是有時發生，而要持續不斷、一再重複著。

我的個性是非常目標導向的，我很重視結構與組織性。如果我說中午要去哪裡，我不會晚到十分鐘；我會早到十分鐘。在做事方面，我非常有紀律。

但即使我們的個性中有優點，還是會有尚待成就的地方。雖然我天生就自律專注，卻不是很有耐心。我不喜歡等待，我喜歡直截了當把事情解決，然後做下一件事。我很容易失去耐心，因此我明白這是我尚待改進之處。我不能只是坐著說：「唉，我不是個有耐心的人；上帝造我就不是如此。」不，我知道我的內在有耐心，但我必須盡力成就這耐心。有時很有趣的是，上帝會使用人與環境，試著幫助我們更上一層樓。

舉例來說，休士頓的高速公路系統可教了我很多耐心的功課。以往交通一堵塞，我就會感到壓力和緊繃。但現在我已經學習放輕鬆，順其自然，保持平靜。我已經把內在的耐心發揮到外在，發揮到我的思想、行為與態度上。

上帝也同時使用我美麗的妻子維多利亞，讓我做成得救的功夫。我們在新婚期間，當我要出門去某處時，我會說：「維多利亞，你準備好了沒有？」

她會說：「好了，馬上好。」

依我的個性，我會上車等她。畢竟對我來說，「好了」表示我們現在就可以出發。但維多利亞的個性則是悠閒隨和；沒什麼事是大不了的。她是世界上最有耐心的人，因此當她說：「我準備好了。」她用的是相對式。她的意思是：「我大致上準備好了，因此再過十到十五分鐘，我會開始慢

慢晃到後門。」

當這種情況出現在我們婚姻初期，我會坐在車裡氣急敗壞。「我以爲她說她準備好了，」我會氣沖沖地說：「她到底什麼時候才要出門？」

如今，在結婚二十年之後，我已經學到，當維多利亞說「我準備好了」這句話，就等同於美式足球的「兩分鐘衝刺」拖延戰。表定時間爲兩分鐘，但如果你看過美式足球，你會了解這至少還會拖個十到十五分鐘。現在，當維多利亞說她準備好了，我就只會坐下來，讀一段講道筆記，看看電視，或休息個幾分鐘。我會平心靜氣，而不是愈來愈緊繃。上帝已經使用維多利亞帶出了我的耐心！

我是怎麼培養耐心的？就是操練。隨著時間的過去，我培養了更好的習慣。

也許耐心對你而言不是問題；你也許是世界上最有耐性的人，但你花了大半輩子消沉、沮喪，那麼你同樣也得把內在的喜樂引導至外在。你必須早上起床就和大衛王一樣地說：「這是上帝所定的日子，我在其中要高興歡喜，今天我要喜樂。」要專注在對的事物上；不要專注在錯的事物上。要做成你得救的功夫，不要相信你以前聽信的謊言：「我就是控制不了脾氣，我就是很急躁。」不，自制在於你；因爲上帝已經將它放在你的裡面，問題只是你還沒把它發揮出來。

要發揮這特質的方法，就是不斷在那方面操練你的肌肉，如果你想要發揮恩慈，就要以鼓勵人們開始，開始給予讚美。你不能坐著等上帝把你變成一個仁慈、有愛心的人；你必須藉著養成對人慈愛的習慣，來成就這等功夫。

　　不僅如此，我們應該不斷在前方設立新的標竿。我們的心態應該是：我要練習對家人更好，我要在尊榮與敬重配偶這方面更上一層樓，我要對孩子更寬容、有愛心。不要只是努力克服壞習慣；還要努力強化與增進好習慣。

　　你生命中也許有些需要控制的層面。上帝正說：「不要再拖延，今天就著手，今天可以是個嶄新的開始。」如果你將此銘記在心並樂意忍受改變的痛苦，從現在起一年後，你將不再一樣。你會甩掉癮癖，擺脫惡劣態度，脫離攔阻你的捆綁。

　　要確保你正在練習正確的事，要餓死任何壞習慣並餵養好習慣。如果你這麼做，你會更上一層樓，而且上帝會將祂的福分與恩惠傾倒在你的生命之中。朋友，不要讓任何事物掌控你。要建立好習慣，除去一切無法在你生命中結好果子的事物。

　　要記得，你今日的習慣會決定你的未來。來檢視你的生活，記錄你的習慣，當你發現有不對之處，就要趕快做出改變。在這過程之中，你將會養成使自己變得更好的習慣。

第 *17* 章

養成快樂的習慣

許多人沒有發現我們諸多的處世方法，例如我們的態度與舉止等，都是經由學習得來的。這些習慣都是經年累月一再重複而養成的。如果我們花上幾年專注於錯誤事物而非正確的事物，那麼這些負面模式就會攔阻我們享受生命。

我們從父母身上，或是從成長環境周遭的人身上養成許多習慣。研究告訴我們，負面的父母會養育出負面的孩子。如果你的父母較常專注於錯誤的事物，生活飽受壓力，緊繃或是沮喪，那麼你很可能會養成一些相同的負面心態。

我常聽人們告訴我：「唉，約爾，我就是愛擔心。我就是會緊張，我就不是個容易親近的人。」

不對，請務必了解，那些是你養成的習慣。但好消息是，你能「重新設定」你自己的「電腦」，你可以移除負面心態並培養快樂的習慣。

聖經上說：「靠主常喜樂。」[1]有一種譯本就只說：「要常常喜樂。」這表示：無論我們遭遇什麼，我們都要面帶笑容。我們每天起床時，都應該期待這新的一天，即使是面對困難，或面對負面環境，我們都必須學習保持正面的看法。許多人在決定快樂起來之前，總要先等待情況好轉。「約爾，一等到我找著比較好的工作；等到我的孩子振作起來；等到我的健康好轉，我就會快樂。」

不對，底線是：如果要快樂，你必須現在就決定要快樂。

快樂不是取決於環境，乃是取決於你的意願，是你所作的選擇。我看過人們經歷最可怕又不幸的遭遇，但在當時，你絕不會知道他們正面對著困難。他們面帶笑容，口報佳音，儘管面臨兇險情勢，他們仍然保持正面樂觀與精力充沛。

其他處於相同景況的人，而有些情況還好很多，卻堅持在沮喪中打滾；他們消沉、沮喪、挫敗與擔憂。是什麼造成這樣的分別？

> 快樂不是取決於你的環境，……是你所作的選擇。

這都取決於他們如何訓練自己的心志。有個人培養了快樂的習慣，她滿懷希望，充滿信任，相信最好的必要發生。另一個人則訓練他的心往負面看，他擔憂、挫敗、不斷抱怨。

如果你要養成快樂的習慣，就必須學習放鬆並順應環境，而不是感到挫折。你必須相信上帝掌管一切，這表示你無須感到壓力與擔憂。不僅如此，你還必須爲著所擁有的一

切感恩，而不是抱怨你所沒有的。快樂的習慣簡而言之，就是正面看待人生。

每個日子都充滿了意外之事與不便之處，因此你必須接受事實，明白你無法事事順心，你的計畫不會總是按照你所安排的進行。當這種情況出現，要刻意下定決心不讓環境使你心煩意亂，不讓壓力偷去你的喜樂。除此之外，還要調適修正，設法在惡劣環境中創造最好的。

我學到最棒的一個道理就是，我無須等到事事順心才能快樂。我已經下定決心，無論我的計畫成不成功，我都要享受每一天。

我們的心態應該是：即使我回家時車子的輪胎沒氣，我也要享受今天；即使球賽下雨，我也要享受每一天；即使得不到所渴望的升遷，我也要活得快樂。

當你有了這種態度，那些曾經讓你倍感壓力的輕微干擾或不便，就不再成為挫折的來源。你無須活在緊繃之中。要明白：你無法控制他人，也無法改變他們；這只有上帝能夠辦到。如果有人做了惹你不高興的事，你大可把它交給上帝。別再容讓別人的怪癖或習性擊敗你。

你因為丈夫下班回家遲到十五分鐘，使得晚餐都有點涼，而毀了你的整個晚上嗎？別這麼死板嚴苛，生命太短暫了，不要活在壓力之中。此外，長期的壓力可能會破壞你的健康，嚴重縮短你的生命。我可不想因為每次一塞車就生氣而早逝；我可不想因為有人不照我的想法做、或因為重要週末下大雨，就胃部打結。

這不值得。你可以選擇更有彈性，抱持更隨和的心態。想想看，從現在起十年後，你允許對你的生活產生壓力的許

多事，屆時根本就無所謂了。你不會記得上週你在打高爾夫球時下了雨，你不會在意你卡在車陣之中。

有一次，我和維多利亞計畫了一個完美假期。我們已經期待了好幾個月，這是我們好好獨處、休息幾天的機會。愈靠近假期，我就愈興奮。我的票都買好了，已經準備就緒等著出發。

當時我母親正在對付因兒時罹患小兒麻痺而造成的髖部問題。當醫生已經盡力用藥物治療我母親而未果時，他們決定要幫她換個髖關節，因此他們為她安排了手術。某件事卻在最後一秒造成變數，以至於他們得重新安排手術時間。手術延後到恰好是我們要出發度假的那一天，我左右為難，到底要出去度假還是留在家照顧母親，最後我們決定留在家。起初，我們非常失望；這真是掃興，但我們決定不讓這件事偷走我們的喜樂。

媽媽進行了手術，在我去醫院探望她的那一週，我也為其他二十或三十個人禱告。我一度往返一間間病房，因為一家又一家的家屬請我為他們所愛的人禱告。到了週末，我覺得比去度假還要更清新、更放鬆。

我們本可讓這件事成為我們的壓力，我們本可說：「上帝啊，這真不公平。我們計畫了這麼久，為何會遇上這種事呢？」

相反地，我們只是做出調整、修正。聖經羅馬書八章28節說：「萬事都互相效力，叫愛上帝的人得益處。」我不知道為何母親動手術的日子剛好在我們要去度假的那一天，我不知道所有原因，但我明白：上帝是為了我們的益處。我也知道，即使我的計畫沒有成行，即使事情並未順我的意，但

因著我榮耀上帝並盡力保持正確的心態，上帝將會補償我。

　　祂也會為你做相同的事。當你的計畫沒有奏效，不要變得負面尖酸。不要開始抱怨：「我真不敢相信會遇到這種事，上帝啊，我無法承受這種拖延。」上帝也許正保護你免於一場意外；你怎麼知道上帝不是在允許遲延發生，好讓你能遇見祂真心要你認識的人？要學習順勢而為，不要心煩意亂，而讓不重要的干擾偷走你的喜樂。

　　有時候，我們的計畫可能因上帝要我們去接觸某個人，或要我們做些特別的事而被打亂。許多時候，我們甚至不明白這些「內幕」正在發生，但是上帝正在使用我們。

　　最近，我和兒子強納森到我們最喜愛的一家餐廳吃飯。在我們到達之前，有一場宴會正在進行，因此餐廳女老闆通知我們要等四十五分鐘。我們無法等那麼久，感到相當失望，因為我們一直期待到那裡用餐。但我們決定輕易地克服它，我告訴強納森：「我們到那間小漢堡店吃吧。」我這輩子去那家小店的次數不超過兩次，但當我們進去時，我注意到一位穿著體面的男士獨自坐在前排的一個位置，我看了他一下，點了點頭，露出微笑。沒發生什麼事，於是我們來到櫃台點餐。

　　幾天之後，我收到這人寫來的字條。他說他正處於人生的低谷，在那天之前，他幾乎沒禱告過；但那天早晨，他禱告說：「上帝，如果祢真的存在，祢顯現一些徵兆吧。」他在信中寫道：「當我與你雙目交接時，我內心發生了一些事，我從未像那一刻一樣地感受到愛。」

　　現在，對我來說最妙的就是，當時我根本什麼也沒感覺到，除了飢腸轆轆之外，我只想要吃東西。然而，回想起

來，我發現上帝是刻意改變我的計畫。上帝打斷我的計畫，好讓我能看見這個人，即使是件小事，卻讓我和強納森能夠成為這人禱告蒙應允的一部分。有時上帝可能會帶領你到一個截然不同的方向，如此你才能給某個人一個笑容，你才能向他打招呼。你的面容就是能給人盼望，上帝可以讓人因看著你而瞧見祂的愛與憐憫。

我不相信這些事情在我感到壓力時還能成就。我懷疑，如果我因為最喜愛的餐廳沒有空間給我們用餐而心煩意亂，我是否還會有這種恩膏。

當你感到不便，事情不順你意時，不要對想發火的誘惑讓步。這不但會造成你的麻煩，也會阻礙上帝按祂真正希望的方式使用你。

有時，每件事都可能出錯。當你遇到這種日子，要站穩腳步，下定決心你要保持笑容，順勢而為，深知上帝仍掌管一切。我和維多利亞最近搭上一班回美國的班機，那時我們毫無理由地獲得升等到頭等艙。這單純就是上帝的恩惠，讓我們得以坐在飛機的前排。

我們飛行了許久，因此我想一回到鎮上就馬上進行下一件事。飛機原定中午時分在休士頓降落，而我已經計畫好那天接下來的行程。我想去最喜歡的餐廳吃午餐，陪孩子玩，去健身，還要做些其他的事。我全都已經計畫好了，而且我想，既然我和維多利亞都坐在飛機前端，我們通關應該會相當快速。

飛機照我預期地降落了，我們便趕快下機。但顯然有其他四到五條國際線的班機恰好比我們先降落，因為海關擠得和我以前看到的一樣。

　　整條隊伍一路塞到登機走道，至少有幾千人在排隊。只要看一眼，我就知道可能要花一到兩小時通關，而這會讓我的計畫完全泡湯。

　　我決定不要氣急敗壞，卻要相信上帝的恩惠。我和維多利亞半開玩笑地說：「維多利亞，看著唷，有人會來接我們，把我們帶到前面。」我心中禱告說：「上帝，拜託給祢給我恩惠。上帝，讓我鶴立雞群吧。」我一直禱告著。

　　隊伍中好像又湧進了更多人，但這嚇不倒我。我正期待上帝的恩惠，因此我避到旁邊，暫時脫隊，讓我可以看到前面。這時我看到有位女士朝我這裡走來，她穿著制服，帶著臂章，拿著無線電對講機。我知道，她一定是海關人員，我告訴維多利亞：「她來囉，她也許還是湖木教會的會友咧。」我好興奮，我知道她要帶我走到隊伍前面。

　　當然，這位女士筆直地朝我走來。她說：「先生。」

　　我咧嘴大笑，說：「是的，女士，」我已經準備拿起我的手提行李，好讓我能夠前進到隊伍前面。

　　她說：「可以麻煩你回到隊伍中嗎？」

　　「上帝啊，這可不是我禱告的！」

　　我一整天都那麼想著，而且我的計畫沒一樣如期進行。但感謝主，我已經學會了調整、修正自己，我已經下定決心，無論事情順不順心，我都要享受每一天。

　　即使在交通阻塞時，即使在服務員不小心把食物灑在你的新外套上時，即使你得大排長龍時，下個決定要讓自己保持快樂。

　　要明白，上帝沒把你創造成負面思考的人，祂並未要我們任何一個人活在沮喪、壓力、憂慮或挫敗之中。上帝要你

開心、平安、滿足並享受你的生命；上帝要我們成為活出信心生活的榜樣。當人們看見我們，他們應該看見好多自己想要擁有的喜悅、平安與快樂。

要誠實檢視自己的生命。你的內心擁有你知道自己應該擁有的快樂嗎？每天起床時，你對未來感到興奮不已嗎？你以家人為樂嗎？以你的朋友為樂嗎？如果沒有，是什麼偷去了你的喜樂，讓你心煩意亂呢？你在擔心什麼呢？要找出來。列張表並更進一步採取行動，開始在那些方面重新訓練你的心志。

許多時候，你能夠做出細微的改變，就是在態度上輕微轉變，或是在待人的方式上細微地轉變，或是面對問題時的細微調整，而這都會使你的生命與喜樂指數大為不同。

幾年以前，俄羅斯的科學家伊凡‧帕夫洛(Ivan Pavlov)對幾隻狗進行了一個實驗。他研究牠們的習慣，以及牠們對特定情況的反應。每次他要餵食的時候，他就搖鈴。當狗看見食物，牠們就開始變得興奮並流口水，等不及要吃東西了。

在接下來幾週，每當帕洛夫要餵狗時，他一定會先搖鈴。過一陣子之後，狗就會把鈴響與食物聯想在一起。

幾星期之後，帕洛夫決定試試不一樣的方法。他在沒有餵食的其他時間搖鈴，只為了觀察狗的反應。有趣的是，每次他搖鈴，即使狗兒沒有看到食物或聞到氣味，牠們仍會開始流口水，而牠們心中所想的就是要吃東西了。帕洛夫稱此為「條件反射」(conditioned response)。

同樣道理也可適用在我們身上。我們可能任由自己養成各種負面的條件反射。舉例來說，我們遇到塞車時，血壓幾乎立刻升得半天高，而氣急敗壞。或者，也許是公司裡的某

個人不和我們說話，有人刻意忽略我們，我們不但沒有泰然處之，並設身處地爲他人著想，反而覺得受到冒犯。我們已經幫自己設定了某種反應的條件反射，任由這些負面心態偷去我們的喜樂。

若要培養快樂的習慣，就必須重新訓練那些負面反應。當你早上起床，你可能覺得沮喪或灰心。你也許不想去工作，但你不僅不要拖拖拉拉度日，也不要這麼想：「沒什麼好事會發生在我身上，今天會是很爛的一天。」你反而要脫離這個習慣。無論情況看來如何，都要說：「這是耶和華所定的日子，我要享受它，今天我要歡喜快樂。」要憑信心說出來。每次當你這麼做，就是在重新訓練你的心志，就在養成新的快樂習慣。就像我們能養成失敗、灰心、苦毒或自憐的負面習慣，我們也同樣能養成享受每一天的習慣。

要訓練你的心志看好的一面。要爲你所擁有的心懷感恩，並除去一切負面的反應。

朋友，今天我們的世界已經充斥太多的傷心事，許多人甚至因爲生活飽受壓力、緊繃與憂慮而身體罹患病痛。當然，憂鬱症可能是因爲化學作用不平衡所造成，但我看過太多人整天感到挫敗、憂鬱，因爲他們已經習慣定睛於負面事物。他們專注在自己的問題或不對勁之處，而不是正確的事物上；或是專注在自己失敗或做不到的事情上，而不是他們能夠盡己力完成的事情上。

不要放大你的問題；要放大你的上帝。

要改變你的焦點。你可能有些小問題，但如果你不斷專注其上，它們

就會看來愈變愈大。不要放大你的問題；要放大你的上帝。要走出懷疑不信並邁入信心，要走出灰心並邁入喜樂，下定決心你要快樂過生活。

我不是說你要總是覺得自己興高采烈，因為這不實際；我是在說知足常樂。事實上，喜樂的定義之一就是「沉靜的欣喜」(calm delight)，這表示你內心平安，你面帶笑容，你期待未來。當然，你也許面臨一些問題，我們都有尚待克服的困境；但我們知道上帝掌管一切，我們知道祂把我們捧在祂的手掌心。

關鍵就是要重新訓練我們的心志，使其轉離負面的條件反射，我知道有些人其實會在每個星期一早上感到沮喪，他們不喜歡自己的工作，害怕去上班，而每個星期，他們都養成週一早上憂鬱症候群(Monday Morning Blues)的壞示範。

詭異的是，研究宣稱，我們在週一早上心臟病發的機率，會比一週其他時間的機率更高，因為人在週一會比其他日子更緊繃、更感到壓力。

相反地，使徒保羅卻說：「我已學到無論在什麼狀況中，都能滿足。」想想看，他說：「我已經學到滿足。」換句話說：「這不是自動發生，我必須訓練自己的心志保持平靜，我必須訓練自己的心志去看事情的光明面，我必須訓練自己的心志專注在好事上。」

我們也必須這麼做。快樂不會自動降臨在我們身上，而是我們必須作下的選擇；積極正面不會自然而然地臨到，我們必須每天作決定。在有選擇餘地時，我們的心志通常會轉向負面。如果我們不警覺，漸漸地我們會愈來愈乖戾；我們將不太會笑。很快地，我們就變得無趣、批評論斷，開始挑

三揀四。

　　相反地，要拒絕讓這些負面思想佔上風。當你早上起床，要面帶微笑。要在一天開始時就設定正確的格調，因為如果你不設定，有人自然會幫你代勞。

　　「約爾，如果我微笑或表現得好像心情很好，我根本就是在假裝，因為我真的很沮喪，我有這麼多問題。」

　　你必須明白，當你微笑，這是信心的行動。當你微笑，就是在對整個身體散播一個訊息，對整體宣布一切都會很好。如果你養成這種信心的態度，就會撒下上帝在你生命中作工的種子。

　　我讀到一篇報導，是關於一對就讀大學要取得學位的夫婦。他們住在一棟公寓，隔壁住著另一對年輕夫婦，因此這兩對夫婦很快成為好友，而且他們有許多的共通點。

　　然而，第二對夫婦看來好像事事順心，他們住在邊間，比其他房間都更好、更寬敞，還用全新的家具裝潢住所。第一對夫妻則幾乎沒什麼家具，他們少數有的幾件也是陳舊的二手貨。一對夫妻穿著體面，而且是最新款式；另一對夫婦卻不斷穿著相同的衣裳。有一度，這兩個作丈夫的都想在大學裡謀個助教的職位，但卻為第二對夫婦的丈夫獲得。

　　第一位年輕人對自己霉運當頭感到非常挫敗。雪上加霜的是，在耶誕節時，第二對夫妻從父母那裡收到了一台全新的名牌休旅車；第一對夫妻則只能開著破舊的小貨車，車內卻沒有任何空調，而他們所住的區域則是濕熱地帶。許多時候，他們會在早上開車去上學，又熱又慘，還得看著朋友開著全新的休旅車。

　　隨著諸如此類的事不斷發生，使得這年輕人更加負面、

沮喪。他開始抱怨他們的景況，不久之後，他對妻子的態度也與以往大相逕庭，他們開始吵架爭執。諷刺的是，以前他們的關係從未出過問題，但負面態度很快蔓延到他們生活的每個層面而將他們向下拉扯。

有一天，這位年輕人在學校裡上電腦統計課。他花了好幾個小時，把龐大的數據資料輸入電腦。他正在努力處理這冗長複雜的方程式，把所有數據整理就緒。他把數據排好在正確的格子裡，按下電腦上的「輸入」鍵，要電腦算出答案。當他等待時，他靠著椅背雙手在胸前交叉著。他以為電腦分析、運算所有資料需要十到十五分鐘，但他抬起頭卻大吃一驚地看到電腦居然已經完成運算了。他不敢相信，想著：這真奇妙！我花了好幾小時把資料輸入，但電腦卻只花0.1秒不到，就把答案給我。在那時，教授剛好經過，看見這學生既茫然又迷惑。

「怎麼了？」教授問道。

「沒事，教授，沒什麼不對。只是我花了這麼多時間把資料輸入電腦裡，卻不懂為何電腦可以這麼迅速地算出來。」

教授微笑並說：「讓我來解釋給你聽。」他告訴這位年輕人，電腦是如何接收所有資料位元，不是把它們歸類為陽極電脈衝就是陰極電脈衝，然後把它們儲存起來。接著電腦單純地記憶起資料，並用正確的順序把它們組合起來。運算速度會這麼快，就是因為資料先前就已經過分類整理。

接著教授說了些真正吸引這年輕人注意力的話，他說：「電腦的運作其實很像人腦，任何東西進入我們的心智電腦之前，以及在任何視訊、聲音、味道、感受或直覺儲存在大

腦之前，它們會先被歸類為正面或負面。這種感知會永遠儲存在我們的記憶之中。這就是為何有時你會想不起某個人的姓名，卻可以記住你對他的觀感。」教授繼續說道：「但人腦和電腦的相異之處在於，每個人都會建立一套正面或負面主控其心志的習慣。」

教授的話點亮了年輕人內心的明燈。他領悟到他已養成了讓自己陷入悲慘的習慣，他自己甚至不自覺，但他其實一直把生活中的一切都標示為「負面」了。當他看著鄰居兼好友，他所能看到的就是別人有他卻沒有的。「他們住的房間比較大──負面。他們開的車比較好──負面。他們事事順心──負面。」他發現自己無法享受人生的原因，就是因為他不斷把輸入心智電腦的每個資訊都歸類為「負面」。

毫無疑問地，你輸入心靈中的，就是你會得到的結果。當然，也許你會遭遇負面環境，也許你運氣不佳，也許你沒有得到你渴望已久的升遷。現在不但不要自動把事情歸類為「負面」並儲存起來，你還要改變心態。要提醒自己：「我知道上帝為我預備了更好的，我知道當一扇門關上時，上帝就會開啟另一扇門。」當你這麼做，你將會打敗負面情勢，翻轉它們，並標示為「正面」。

你甚至可以在最困苦時也這麼做，也許你痛失所愛的人，我知道這很痛苦，但我們的態度應該是：「我知道他們在哪裡，他們在更好的地方，一個喜樂的地方，一個平安的地方。」當我們這麼做，就是在把經歷歸類為「正面」。

要注意你餵養給自己的東西；你正在儲存更正面還是更負面的事物？你不能在心中把所有的事歸類為負面，卻又期待要活出正面、快樂的生活。

「上週我遇到塞車，結果害我錯過重要會議。」

不對，要換個態度宣告：「天父，感謝祢把我在適當的時刻放在正確的位置，我不要沮喪，我相信祢正引領我的腳步，祢將會翻轉並爲我的益處，使用那個我錯過的會議。」

當你這麼做，就是在翻轉負面環境，將之歸類爲「正面」。在過程之中，當你更習慣這種心態，你將發現自己在建立快樂的習慣。

我們的大腦擁有被認爲是「網狀活化系統」(reticular activating system)的神奇功能，這是一種我們的心智能夠淘汰被視爲不必要之思想或衝動的功能。舉例來說，幾年以前，我的姊姊麗莎住在鐵路旁的連棟建築之中。每晚都會有火車大聲地鳴笛經過她窗邊三、四次。那輛火車簡直就在震動那個地方。當麗莎剛搬進去時，無論她睡得多沉，火車都會吵醒她。但在那裡住了幾週之後，妙事發生了。那些火車可以在大半夜經過，而麗莎卻完全沒注意到。幾個月以後，麗莎已經可以一覺睡到天亮了。

有一次，我留宿在她家中，火車又在半夜經過她的窗邊。我想，我當時必定是從床上跳了三呎高，火車的聲音聽起來簡直像是世界末日。

次日，我問麗莎：「你怎麼有辦法晚上在火車經過時還能睡得著？」

「什麼火車？」麗莎問道。

她心智裡的網狀活化系統已經處理掉火車經過的聲音，讓她能夠在當下還睡得安穩。

同樣地，我們也可以運用正面方式訓練自己的心志，使得負面、灰心的思想來臨時，它們無法再影響我們。當恐懼

的思想來臨時，要學習像麗莎一樣把它轉開。或當沮喪的想法像是「今天一定會是很慘的一天」來臨時，要把它轉開。如果你保持這樣，要不了多久，你心中的網狀活化系統就會說：「他不需要這種資訊，她不用在意這些。這些恐懼或擔憂的訊息連發送都可以免了。」當然，這有點過度簡化了我們的心理運作，但就像麗莎能夠轉開火車的聲音，我相信我們也可以轉開負面的訊息。當我們學習翻轉負面事物，把每件事都標示為「正面」時，就可以調頻到喜樂、平安、信心、盼望與得勝的思維中。

「唉，約爾，我的孩子表現不好，他們偏離常軌，我好擔心他們。」不，要翻轉這個想法為：「天父，感謝祢賜福於我的孩子，他們正做下好的決定。我宣告祢的話語說：『至於我和我家，我們要事奉耶和華。』」

「唉，約爾，我的財務有問題，油價這麼高，生意卻很差，我真不知道要怎麼過。」

不，要把這聲音轉開，並開始調頻到：「上帝供應我的一切所需，我手所做的必要興旺成功。我是蒙福的，無法被咒詛。」

在卡催娜颶風來襲之後，有一天我看到一則新聞報導，是記者在訪問遭遇颶風的紐奧爾良居民。一個又一個的災民訴說他們的故事，他們多數都極度負面與苦毒，責怪他人，怪罪政府，埋怨上帝。

有個年輕女子來到麥克風前，而我馬上知道她將會顯現不同態度。她面帶燦爛的笑容，面容幾乎閃閃生輝。

記者有點譏諷地問她：「好吧，來說說你的故事，哪裡出了問題呢？」

　　「沒什麼問題，」這位女子說：「我在此不是要抱怨，我只是要感謝上帝，我還活著，還擁有健康，感謝上帝，我的孩子沒事。」

　　記者嚇到了。其他所有人都在抱怨沒水、沒電，氣溫還高達華氏一百度，又完全沒有冷氣。記者繼續挖：「好吧，那能源方面呢？你有沒有冷氣呢？」

　　這位女子說：「沒有，我不僅沒有能源，我也沒了家園，被洪水沖走了。」然後她笑著說：「我告訴你我有什麼。」她彎腰拿起她的聖經說：「我有盼望，我有喜樂，我有平安。」她容光煥發地繼續說著：「我知道上帝與我同在。」

　　這位女子選擇接受這般心碎、負面與不幸的景況，她卻也選擇翻轉它們，將其標示爲「正面」。她拒絕調頻到自憐的想法，她拒絕讓自己的負面情勢偷走她的喜樂。她其實正在說：「我知道上帝仍然掌管我的生命，祂說若非經過祂的允許，就連一隻麻雀也不會掉地上。所以，我知道祂正看顧著我，我知道祂會看顧我和我的孩子。」

　　要訓練你的心看好的一面，要趕走任何負面的條件反射。也許你身邊的所有人都在埋怨，但你總可以在每個情勢中看見光明面。如果你照著聖經做，你絕對能一直都很開心。

第 *18* 章

處理批評

「我不敢相信她竟然這樣講我！」泰拉生氣地哭著說：「我不想和我無法信任的人一起工作，我不想和在我面前說一套，在我背後又做一套的人一起工作。」

「她不是那個意思，」泰拉的朋友波妮試著安慰她：「她就是那樣，她批評所有人；這是她提升自信心的方法。」

「好吧，也許如此，但我可不吃這套。」

我們每個人都會遇到遭受批評的時候，有時是公平的，但更多時候是不公平的，使我們的心靈產生壓力，造成我們關係的緊張。在工作上或社交圈中，有人說出關於你的負面話語，或因為某件事怪罪你，試圖讓你難堪，或把小事拿來大肆宣揚。通常，批評你的人對幫助你興趣不大；他們只想拖垮你。

當然，建設性的批評可能會很有幫助。真正為你好的人

253

所提出的真知灼見，能讓你看見自己需要改進之處。但是悲哀的是，多數批評的本意都並非是要造就人，而是剛好相反。這並非出於祝福的心，反而常試圖蓄意傷人。最傷人的批評就是不當又不公平的，這種批評反映出批評者的程度，更甚於反映受批評的人。

我發現，無憑無據的批評通常是出於忌妒，通常是源於爭競的心。你擁有別人想要的東西，而他們不但不為你高興，更不會保持良好心態去明白；另外，上帝也會對任何信靠祂的人成就類似的事，批評者反而心生忌妒。他們試圖用批評、譏諷、刻薄或對人傲慢，來遮掩自己的缺乏安全感。

你愈成功，就會遇到愈多批評。如果你在公司得到升遷，不要訝異批評者會從四處冒出來。

「拜託，他沒那麼有能力，」有人可能會說：「她只是會操縱人，只會討好老闆。」

或者，你的朋友在你單身時與你好得很，然而一旦你結了婚，他們就開始說出這種話：「我不敢相信她丈夫會娶她，她根本沒個性。」

不幸的是，並非每個人都會與你一同慶賀勝利，不是每個單身朋友都會在你嫁給夢中情人時樂不可支，而你的同事在你得到升遷時，也可能不會讚美你。令人難過的是，對有些人來說，你的成功引發了忌妒、批評的心，卻不是欣賞與讚美。

我有個處理批評的要訣：絕不要介意。許多時候，即使批評是對你發出，但這甚至不是針對你。如果批評者無法打擊你，他自會去抱怨別人。那是批評者內心的某個東西在攻擊人，除非他們對付它，否則這將會攔阻他們更上一層樓。

　　我所學到最重要的功課之一，就是慶賀他人的成功。如果同事得到你所渴望的升遷，沒錯，你有可能會忌妒。當然，你可能會想：為何我沒得到？我辛勤工作，這不公平。

　　然而，如果我們保持正確態度，為他人的成功感到高興，到了適當時刻，上帝就會為我們開啓更好的。我發現，如果我不能與他人同慶，就無法達到自己渴望達到的境界。許多時候，上帝已經準備要高舉我們，但祂會先給個測試，祂想要看看我們是否準備好了。當我們最好的朋友結婚，而我們仍然單身時，我們是否能為他們感到高興？或者，當我們禱告了好幾年要擁有自己的房子，卻依然在承租小公寓時，我們的親戚卻搬進夢中豪宅，我們能否為他們感到高興？這是個試驗。如果你變得忌妒、批評，你的態度將會把你絆在原地。要學習慶賀他人的成功，讓他們的成功啓發你，並且明白，如果上帝為他們行奇妙的事，祂當然也可以為你成就。

要慶賀他人的成功。

　　如果你要變得更好，你將必須知道如何面對批評，就是去面對那些談論你、論斷你或甚至錯誤控告你的人。在舊約時代，這些人被稱為「投石者」。當仇敵攻擊一個城市，他們的優先要務就是撬開城牆上保護這城市的石頭，然後他們會把這些石頭投進這座城市的井裡。這些攻擊者知道，如果他們能用石頭把井塞住，切斷水源，最終城內的人就得出城。

　　你看懂這個比喻了嗎？你的內在擁有一座好井，那是一

座喜樂、平安與得勝的井。但太常發生的是，我們卻讓投石者把我們的井塞住。也許某人說出貶損你的話，而你不但沒有不予理會，反而一直鑽牛角尖，愈來愈生氣。要不了多久，你就會想說：我要報復；我要以牙還牙。他們中傷我；讓我也來掀他們的底。

不要這樣，反而要優先使你的井保持純淨。如果有人批評你，試圖讓你形象受損，要明白，這是你路上遇到的石頭。如果你陷在其中，或氣急敗壞想要報復，那麼就會讓投石者稱心如意，再投下一塊石頭到你的井中，而現在你的喜樂、平安與勝利就更受限了，他們無法以應有的方式流動。

事實上，我們的生命中都會出現一些投石者，都會有一些試圖用言詞與行動來打擊我們的人。他們也許表面上是你的朋友，但你知道在你背後，他們一有機會就要把你撕成碎片。

勝過不實批評的方法，就是別讓自己報復或心生報復的念頭，不要與他們一般見識而開始說他們壞話。最重要的是，不要開始防衛，或嘗試證明你是對的而批評者是錯的。不，你能打擊投石者的方法就是甩開批評，繼續向前。要定睛在獎賞上，定睛在目標上，並去行你相信上帝要你做的事。

這就是耶穌在差遣門徒到各城各鄉教導人們、醫治病人、照顧窮乏者時所做的。耶穌知道他的跟隨者有時會遭到拒絕，不是每個人都喜愛他們或欣然接受他們的信息。有些人會心生忌妒，開始說他們的壞話，試圖讓他們留下壞名聲。耶穌知道這些投石者會出現，因此祂指示門徒：「當你們進到鎮上，凡不接待你們，不聽你們話的人，你們離開那

家，或是那城的時候，就把腳上的塵土跺下去。」[1]

請注意，祂不是說，「如果」他們不接待你，「如果」他們開始談論你並散布謠言；祂是說「當」他們這樣做的時候。耶穌並未勸祂的門徒要辯護或憂慮，也沒教他們要護衛或建立自己的名聲。祂只說：「把腳上的塵土跺下去。」這其實是一種象徵，意思是說：「你們無法偷去我的喜樂，你們可以拒絕我說我壞話，但我不和你們一般見識。我不與你們爭論，我要讓上帝成為我的辯護人。」

有時當你離開職場，只要甩掉塵埃。那些中傷你，勾心鬥角，試著把你拉下來的人，都不用去理他們；不要把這些沉重、沒用的重擔拖回家，要把它甩掉。有時即使是離開親戚家，你可能也得說：「我要甩掉這些，我才不要喝他們的毒藥。」

「我聽到我工作上的競爭者在講我壞話，」瑞克說：「我才不要吃虧，我要以其人之道還治其人之身，我也要讓他嘗嘗厲害。」

「你可以這麼做，」我告訴他：「但這不是贏得勝利的方法，相反地，讓上帝作你的辯護人，如果你選擇高格調的路，上帝會為你爭戰。你與批評者一般見識或作人身攻擊，是不可能真正贏得勝利的，你要更高尚。」

當有人對你負面批評，你的態度應該是：「我比這好，所以我不要讓這些石頭塞住我的井。我不要讓他們忌妒的心限制了我的生命，我要充滿喜樂。」

也許你並未甩開塵埃，最近你讓投石者擊敗而陷在他們的批評裡，惱恨那些說你壞話或拒絕你的人。你覺得反應緩慢，因為你的井快塞住了。該是清理石頭，讓你的內在井水

保持新鮮乾淨的時候了。

有一次使徒保羅搭乘的船隻在一座小島擱淺，他在找尋木柴時被毒蛇咬傷；人們以為他馬上會死。這就是別人批評我們的時候，當某個人在背後說你壞話、試圖抹黑你之時，我們看起來的樣子；我們能夠感受到他話中所帶的刺。但我喜歡保羅所做的，有一種譯本說：「他就把蛇甩開。」這就好像他正在說：「沒什麼大不了，我不會讓這件事奪走我的喜樂。這也許有毒，也許看來很糟，但我知道上帝掌管一切，我知道上帝能照顧我。」

奇蹟似地，蛇咬竟然無法傷害保羅。雖然這蛇既危險又有毒，保羅卻知道祕訣就在於把牠甩開。

許多人讓負面話語或別人的意見徹底毀了他們的生活，他們活著乃為了取悅別人，真以為自己若讓天下所有人快樂，自己就能快樂。他們不希望有任何人說他們壞話。

這根本是不可能的。你必須接受事實，知道不是每個人都喜愛你，不是每個人都接納你，你當然不可能滿足每個人。無論你怎麼做，有些人就是會雞蛋裡挑骨頭。你可能一次又一次地為他們效力，但他們會不斷提醒你，你沒辦法待命的那一次。生命太短暫，無法浪費時間取悅這種人。

沒錯，我們應該恩慈有愛心，但不要花太多時間嘗試取悅無法取悅的人。除非他們對付自己內心的問題，否則他們不會快樂。要這樣說：「我不要迎合他們，我不要嘗試取悅他們，因為我知道，無論我做了什麼還是沒做什麼，一個月之後，他們還是會詆毀我。」當你接受並非每個人都會喜愛你的事實時，你就有極大的自由。

聖經裡的箴言說：「好說閒話，喜愛挑剔的舌頭就如毒

蛇一般。」如果你容許人的話語污染你的生命，它們就會污染你。你想得愈多，就吸收愈多毒素。

如果有人提起另一個人所說關於我家人或我的壞話，我會嘗試盡快阻止他們。我會說：「我真的不想聽，我不想要吸收毒素。」我發現，要甩掉你不知道其中細節的事容易多了。如果有人在談論你，不要回家撥電話給七個朋友問他們：「你聽到了什麼？」只要甩開它們。要記得，多數時候，其實這並非真的與你有關。真正的問題是，他們還沒有對付自己內心中忌妒、批評的靈。

我們無法活在理想主義中並如此想著：我是好人，我仁慈又有愛心，沒人會說我壞話。

不幸的是，有時候你人愈好，別人就愈會講你。你內在的良善似乎還激起了他們的邪惡，他們會覺得被你純潔的心定罪。你大可賙濟貧窮，幫鄰居除草，收容暫時無容身之處的人，你認為這麼做會使批評者滿意，但不會，因為忌妒的靈來了：「哼，他以為他是誰？真是自命清高！她幹嘛每天提早上班？她只是在奉承老闆。為何她隨時隨地都對所有人那麼和善？她只是試圖要得到某些好處。」

最好的應對之道就是忽視這些投石者。他們不肯努力盡全力，所以覺得自己應該要攻擊你，好減輕他們的良心不安。當你聽到負面批評或不實指控時，只要提醒自己：「這沒什麼，只是另外一個投石者。我已經下定決心：我的井裡不要再增加石頭，我要自由自在過人生。」

投石者的批評只是一種分散注意力的事物，要試圖讓你轉移焦點，偏離你應該做的事情。你不應該浪費五秒鐘的精力，去嘗試想出為何某人說了什麼話，或者他們是什麼意

思。你每天就只有這些精力，所以要馬上甩開讓你分心的事物，好讓你能正面使用你的力量。否則，如果你任由自己專注於這些令人分心的事物上，你在工作上會無法盡全力，回到家後會無法真心渴望與家人互動，因為你已經心神耗竭。你精神渙散，只把所有精力花在其實一點都不重要的事情上。

奔跑自己的賽程

要認清，你無法阻止人們說壞話。如果你嘗試成為「閒話糾察隊」，希望確保沒人說你壞話，那麼你會活在沮喪中。不，要接受事實，知道人們就是會說刺耳的話，但你值得更好的；你無須飲下他們所給的毒藥。你可以超越這些，你可以保持高格調。無論如何，都要享受生命。

不要把所有時間花在說服批評者上面，只要奔跑自己的賽程。

我沒時間成天想著所有不喜歡我的人，我了解，每一天都是上帝的恩賜，我的時間太寶貴而無法浪費在取悅每個人的事上。不，我已經接受事實，知道不是每個人都喜歡我，也不是每個人都了解我。你不必試著解釋自己，不要花時間嘗試說服批評者；只要奔跑自己的賽程就好。

我以省察內心開始每個早晨。我要確保，我盡了全力去做我相信上帝要我做的事。當我遵照聖經，並在內心覺得，我的生活都有依此而行時，這就是最要緊的。我無法承擔批

評與負面聲音使我分心的後果，而你，也無法承擔！

　　有些人則花心思在注意別人說他們什麼，比花在自己認真思考夢想與目標的時間還多。但如果你想在生命中成就偉大的事，無論是想成為一個出色的老師，一個成功的商人或是冠軍運動員，要了解，並非每個人都會成為你的啦啦隊長。不是每個人都會對你的夢想感到興奮。事實上，有些人可能會全然忌妒得要命，他們會挑錯、批評。而學習甩開不實批評，對你而言是很重要的，因為在你做出改變，想要取悅別人的那一刻，你就在退步了。當然，你可以說：「我不要再提早到公司，因為我的同事已經開始講我壞話。」或是：「我不要買那輛我真正想要的車，因為我知道人們會批評，他們會譴責我。」不，我發現無論你做什麼或不做什麼，都有人會不滿意，因此用不著浪費時間擔憂這些。只要去成就上帝放在你心中的渴望，並信靠祂會處理這些批評。

　　我有一件拿手的事就是專心一意，我不會讓別人說的話使我分心。我發現，不是所有人都了解我，我也領悟到，自己沒有義務去花上所有時間，嘗試說服他們改變想法。我蒙召要在人們的心中撒下盼望的種子，而不是蒙召去解釋每個經節，詳細闡釋神學教條或爭論，因這無法碰觸到人們的現實生活。我的恩賜在於鼓勵、挑旺與激發。

　　我曾聽過人說：「唉唷，那個約爾‧歐斯汀，他能力不夠啦。」或是：「他太過頭了。」如果我隨著每個批評做出改變，我會迷失在旋轉門中！我相信上帝高舉我的一個理由，就是我忠於自己，我拒絕讓人勸退而不做自己心裡明白上帝要我去做的事。

　　或許你也需要擺脫嘗試去取悅每個人的念頭，別再憂慮

有人可能會批評你。要記得,當你在嘗試正面地改變這世界時受到批評,那麼你可有伴了。耶穌一直因為行善而受到批評,祂甚至還因為在安息日醫治人而受到批評。祂和稅吏共進晚餐也受到批評,批評者還稱他為罪人之友。祂因為幫助一個有需要的女人而被批評,那是一個幾乎被人們用石頭打死的女人。耶穌並沒有徒勞地想要做出改變,以迎合所有人,祂也沒有嘗試自我辯白,好讓每個人都了解祂;祂專心一意地實現祂的命定。

這個真理真的幫助我得著自由,我生命中曾有段時間渴望所有人都喜愛我。如果我聽到一句負面批評,我會想:喔,糟了,我失敗了。我做錯了什麼?我需要改變什麼?

有一天,我領悟到要所有人都喜愛我,是不可能的,而如果有人選擇誤解我的信息或動機,我一點辦法也沒有。現在,我不會讓批評者使我氣急敗壞或偷去我的喜樂,因為我知道這大部分不是我的問題,而是上帝賜給我的成功激起了他們的忌妒心。

如果你正在家族、公司或職場上做出改變,勢必會受到批評。不要讓他們使你飽受壓力,只要認清:當你登得愈高,就愈會成為顯著的標靶,也會有更多批評者想要對付你。

使徒保羅有一大群追隨者,久而久之,人們就不斷忌妒他,進而惱羞成怒地在某些場合將他轟出城外。保羅怎麼應對呢?他有沮喪地這樣說嗎?「上帝啊,我盡力而為,但沒人了解我。」沒有,他只是跺去塵埃,事實上他是在說:「這是你的損失,不是我的。因為我要為上帝行偉大的事,我不會讓你的拒絕或負面批評攔阻我去實現命定。」他的態度是:「儘管投擲你要丟的石頭吧,我的井上面蓋了蓋子,

我不會讓你毒害我的生命。」我聽過有人說：「如果有人把你趕出城，你就跑到最前面，表現得好像你在領導隊伍行進。」換句話說，要甩開批評，不斷向前邁進。

我喜愛聖經說：「凡為攻擊我們造成的器械必不利用，凡在審判時興起用舌攻擊我們的，必要定他為有罪。」[2] 也許你必須忍受有些人說你壞話，但如果你保持高格調不斷盡力而為，你會證明他們的批評是無效的。不僅如此，儘管你受到批評，上帝卻會將祂的恩惠傾倒於你。

要明白，你的命定不是繫於人們如何講你。休士頓有些好批評的人預測，湖木教會聚會的人數永遠無法媲美康柏中心的規模，他們說我們根本沒機會。

事實上，在一場市政領導人雲集的商業餐會上，有人告訴他同桌的人說：「除非太陽打西邊出來，否則湖木教會絕不可能入主康柏中心。」

你的命定不是取決於批評者。

當我聽到這句話，我只是甩開它。我知道我們的命定不是繫於反對者，我知道這些話只會使人分心。我也明白，不是所有人都可以了解我們搬遷教會的決定，我聽到有人說：「他們幹嘛要搬？他們為何想要更大的教會？他們幹嘛離開自己的根？」許多時候，我會想要走過去解釋，希望能說服他們，我們的搬遷是個好主意。但我知道不是所有人都想要了解，而我相信不可能的事已變成可能，因為現今湖木教會自二〇〇五年七月起，就已經在康柏中心舊址敬拜上帝了。

朋友，你的命定不是取決於批評者；上帝才是那定奪

的。別再聽反對者對你說的話，也別再爲取悅他人而活，要甩掉批評，在生命中不斷進取。

另一個關鍵要訣就是，別讓批評者改變你；我們必須外剛內柔。我們通常遇到批評時會變得強悍冷血，如果我們一不小心，當批評者在背後批評我們時，我們很容易就會把他們的毒素吸入內心而開始改變。但你必須使內心保持純淨，忠於上帝創造你的樣式。

有時候，當人看到我們性格中，或甚至是我們外貌上的一些細微古怪之處時，他們會拿來開玩笑。如果被我們知道了，我們常會矯枉過正，而這會開始影響我們的性格與自處的方式；但我們不能因傷人的話語和無意義的言詞而讓我們扭捏不自在。

我有個高中時期的朋友，他人緣佳，風趣又外向，但他有著尖銳的笑聲。有一天，我們一些朋友開始取笑他，在校園中到處模仿他的笑聲。他們沒有惡意，只是在耍寶，試著製造笑料。但我注意到這位年輕人是如何開始改變，他不再像以前一樣開懷大笑，他變得沉默、保守許多。他曾合群又是派對的重心，但逐漸地，他把自己真實的個性藏到一個殼裡。他失去自信心，變得缺乏安全感，開始矯枉過正；而這就是我們不甩開塵埃時會發生的事。

也許你有些顯著的特徵或性格特質，但要明白，是上帝刻意將你創造如此。若有人取笑你，或讓你覺得彆扭不自在，只要把它甩開，不要讓他們的言行舉止陰魂不散地纏著你。

舉例來說，我笑口常開。事實上，我總是面帶笑容，我沒辦法不這樣，因我從小就如此。在我七歲時，發生車禍而頭上裂了一大條縫。有些朋友來到醫院急診室探望我，他們

擔心我會傷心大哭。結果當他們走進來，我躺在急診室單架上，事後他們告訴我：「約爾，當我們走進去時，你正在咧嘴大笑。」

這就是上帝造我的樣式，有時人們也會取笑我笑個不停。你會以為他們應該很高興有人老是在笑而不是皺眉，但我曾聽人說：「他幹嘛老是笑個不停？」這幾乎等於是說：「他腦筋大概有問題。」

在我父親回天家幾個月後，我開始講道時，有人開始叫我「微笑牧師」。這個稱呼真是貼切響亮，很快地，一位名記者就訪問我並用一種相當譏諷、貶抑的語氣問說：「你被稱為『微笑牧師』有何感想？」

我的回答讓他很驚訝：「我很喜歡，我很快樂。我相信上帝渴望我們快樂，因此我毫不介意。」他瞠目結舌，好像不知道要怎麼接下去。

我不想要讓別人的說法或想法讓我改變，而偏離上帝造我的樣式，你同樣也應該對真正的自己有信心。

有一天，我看到有人為我製作一齣搞笑短片，這是一齣我在講話的電視短片，每次我一笑，我的門牙就會砰砰作響並閃出一顆星，好像某種牙膏廣告一樣。當我看到這短片，我就大笑，可能比和我一起觀看的人笑得還厲害。我心想：這一點都不困擾我，我本來就笑口常開，如果有人不喜歡，我還要笑更多咧。誰知道呢？也許高露潔或其他廠牌牙膏會想贊助我們的電視節目呢！

你應該要能自我解嘲，不要讓不實的批評造成你生活中的壓力；要專注在上帝為你預備的一切事物上。

第 *19* 章

讓自己保持快樂

活出更美好人生的最重要關鍵之一，就是讓自己保持
快樂，而不是為了取悅所有人。我們很容易會扛
起錯誤的責任，認為我們有義務要讓每個人開心，要去「調
整」這一位，要「拯救」那一位，或要解決別人的問題。

當然，想要盡量多幫些人是很崇高且值得欽佩的，而對
有需要的人伸出援手當然也是好的。然而，太常發生的是，
我們失衡了，我們為每個人做每件事，卻沒留時間讓自己保
持健康。我發現，當我嘗試藉由滿足身邊每個人的需要，而
想讓他們都快樂時，最後受苦的是我自己。

上帝不要你把別人的快樂建築在你自己的痛苦上。乍聽
之下，這好像有點自私，但這當中存在著微妙的平衡。你的
優先要務應該是要照顧好自己；為了要照顧好自己，就必須
認清，有些人不管你幫他們做了什麼，不管你對他們多好，
不管你為他們付出多少時間、心血，他們還是不會快樂。因

為他們有自己的問題要面對，或有內心的難題要解決。

　　你不應該為別人糟糕的選擇負責。如果你這麼做，要不了多久，那人就會控制你、操弄你。

　　也許你因著任由別人奪去你的喜樂而倍感壓力，也許此人是你的配偶、孩子、朋友或鄰居。他們就是不肯改正，他們總在對你傾倒問題。

　　他們期待你帶他們跳脫所有問題，讓他們保持快樂。現在你因為花太多時間與精力在他們身上而感到挫敗，好像每一次你把他們扶正，過一週之後他又出現老問題。如果你繼續幫助他們，你不僅在傷害自己，而且還在幫倒忙。你變成他們的拐杖，因為只要他們隨時可以來找你，就能讓你感到罪疚而要為他們解決所有問題，如此一來，他們永遠不會對付自己的真正問題，也不會改變。

　　事實就是：有些人其實並不是真想得到幫助；他們根本不想改變，他們喜歡這種長期困境所為他們帶來的注意力。有時候，你能為他們做的最好之事，就是不要去幫助他們。

　　來想想一個小孩子，如果每次這個孩子一發脾氣，你就趕快跑過去給他想要的東西，他就會持續這個模式。這個孩子知道要怎麼做才能遂其所願，而且他會用這招來控制你。但如果這孩子大吼大叫，你卻仍然不讓步，而只是不予理會或是訓斥他的行為，他要不了多久就會發現，發脾氣也沒用。

　　同樣原則也適用在大人身上。只要你任由他人逼你依照他的意思去做，他就會繼續這樣下去。

　　但是朋友，生命太短暫，不能一再被那些拒絕作下正確抉擇的人控制與操弄。請了解：你對其他人的快樂不負任何義務，你只對自己的快樂有責任。如果有人控制你，那不是

他們的錯；這是你的錯。你必須學習設立界線。別再讓他們隨時召喚你去讓他們傾吐問題，別在他們一發脾氣時，就迎合他們，別在他們一作錯決定時就借錢給他們，要讓他們對自己的行為負責。

你不須要變得粗魯或漠不關心，但有時我們可能太好心、太慷慨，而讓人們控制了我們。有時我們必須明白，自己不能再幫那個人，此外，他們也正在傷害我們。

許多人成天憤怒、挫折與灰心，因為他們錯誤地對不肯作正確決定的親近之人，懷有不當的責任感。他們背負重擔，嘗試改正這個人，嘗試讓別人快樂。

如果你願意把這些人交託給上帝，就能脫離這些。別再嘗試以天下興亡為己任，這不是你的責任，因你無法讓每個人都做正確的事，你無法迫使孩子服事上帝，你無法強迫親戚作好的決定。要卸下壓力，讓上帝來處理。

「但約爾，如果我不借錢給他們，他們可能會失去房子。」我聽到有人說：「如果我每天早上不撥電話給他，他會生我的氣。」或是：「如果她發脾氣時我不順著她，她可能會兩個星期都不和我講話。」

也許這都是真的，但你想要在往後的二十年都活成這樣嗎？還是你想要幫助那人得著自由？因為當你任由他來控制你，你不是在幫任何人，事實上，就某種意義上來說，由於你任憑他走捷徑，你這是害了他。

我領悟到，剛開始時會很難拒絕這個引發壓力的控制者，但如果你堅守立場作出必要改變，長遠而言，你的生命與別人的生命都會變得更好。

琳達與特洛伊的婚姻是一片淒慘。琳達來自一個極度負

面的家庭環境，在成長時遭受許多不公平的困苦待遇。不幸的是，她把自己的不快樂與負面思想，全都拖進她與特洛伊的婚姻之中。如果事情不順她意，她會擺臭臉或發脾氣；有時，她會板起臉長達兩、三天。她總會發生一些需要加以注意的危機，弄得不僅她自己悲慘，還盡力把身邊每個人拖下水一起悲慘。

特洛伊是個好人也是好丈夫，因此他幾乎盡一切力量要讓琳達快樂。他總是鼓勵她，試著解決她的問題，讓她知道一切都會很好。三年來，他迎合她的一切需要，放棄自己的快樂，想要使琳達開心起來卻徒勞無益。然後有一天，他忽然領悟到，琳達永遠不會改變，他終於受夠了。他發現，雖然他的出發點是好的，卻絲毫沒有幫到她；他在傷害她。他已經成了她的拐杖。

特洛伊勇敢地對琳達說：「親愛的，我愛你，但我發現我無法讓你快樂。我已經盡力了，因此，我要讓你知道我不會再嘗試了。」

特洛伊坦誠真心的陳述使琳達大吃一驚，迫使她檢視自己的內在並面對真正的問題。此外，因為特洛伊貫徹原則不再溺愛琳達，琳達就得為自己的行為負責。這暮鼓晨鐘出現在二十年以前，而如今他們的婚姻穩固。

如果與你相關的人也有類似琳達的狀況，不要讓這人偷去你的喜樂。不要因為你親近的人不快樂，你也因此過得不快樂。如果他們堅持作出糟糕的選擇，選擇活在沮喪的坑中，你要仁慈有禮，但不要與他們一同留在坑中。在適當時刻，用自制的語氣，告訴這人：「如果你不想要快樂，沒關係，但你也無法阻止我快樂。」

　　當然，這裡有條界線要立下，但你不用對配偶的快樂負責，也無須對孩子的快樂負責，因為我們每個人都有責任讓自己快樂。

　　相反地，如果你正好是那個會大發脾氣、有控制慾的人，恕我直言，該是你長大為自己的生活負起責任的時候了。別再指望他人扛著你，別再要求配偶每天討你開心，不斷努力激勵你。這對另一半並不公平。停止在他不順你意時或不聽你吩咐時操控這個人；你要負起責任並學習讓自己快樂。

　　我所要講的不是自私或自我中心，我們應該成為付出的人。然而，任人控制你，讓你覺得罪疚直到你依照他們的心意去做，是與付出大不相同的。上帝沒有呼召你為了讓人快樂而造成自己不快樂；再一次強調，如果你允許這種狀況發生，那麼錯不全在另一個人。你也許扛起了錯誤的責任感，而現在你讓他們控制了你。

上帝沒有呼召你為了讓人快樂而造成自己不快樂。

　　如果你正處於都是你在付出、總是在鼓勵或拯救對方的關係中，這就是一種失衡的徵兆。你已經成了拐杖，而除非你做出改變，否則這段關係就陷入混亂。你必須表明立場，而你在表明時可以在愛中進行，但你必須對這人說：「我愛你，但我不會讓你一直把問題丟給我，使我悲慘地生活，也不會讓你不斷榨乾我的時間與精力。你必須負起責任，學習讓自己快樂。」

　　「唉，約爾，如果我這麼做，可能會傷到他們，」我聽到你說：「他們可能會生氣。」

對，他們可能會，但這是他們和上帝之間的事。當你站在上帝面前，祂不會問你：「你有沒有讓周圍所有的人都開心呢？」祂會問你：「你是否完成我對你生命的呼召呢？」

班是個卅一歲的人，仍然住在父母家裡。他懶散缺乏紀律，也不肯去找工作，只喜歡坐在屋子裡看電視。諷刺的是，他不認為自己有問題，他不認為這種生活方式有什麼不好；事實上，他認為這種生活棒極了。

班的父母不斷討好他，因為他們疼愛兒子而不想對他太嚴厲。偶爾，他們會試著叫他出外找工作，但班不理會他們的要求，也拒絕採取任何行動。何必呢？他又沒有動力。

這種情況持續了好幾年。有一天，班的父母對兒子的懶散實在感到心煩意亂，只好去找專業醫師求助。這對父母向醫生解釋情況，並說自己的兒子有多懶：「醫師，最誇張的是，這孩子甚至不覺得自己有問題。」做父母的悲嘆著。

醫生的回答讓這對父母大吃一驚，他說：「喔，我也贊同你兒子的看法。他沒有問題，是你們有問題，因為你們已經幫他擺脫了所有問題。」他繼續說：「你們已經幫他擋住了一切痛苦，幫助他避開自己人生所需面對的責任。如果你們想要兒子變得更好，你們必須讓他回到自己的問題中。」

這對父母嚇到說不出話，但醫生繼續講著：「你們不可以讓他事事順心，別再拯救他脫離所有問題。」

這很難了解，但去拯救某個人，讓他的日子好過並不一定是對他最好的方式，代他解決問題也不是。有時你必須說：「我愛你，但如果你要住在家裡，就得起床出去找工作，你得開始負些責任。」

聖經說：「不工作就不能吃。」也許你必須說：「如果

你不去找工作，就會發現什麼叫作長時間禁食。」

我聽過有人說，孩子都需要有兩種特質：他們必須有感恩與渴求的心。他們若不感恩，就會把一切當作理所當然，他們會期待每個人用銀盤子，捧著他們需要的東西貢上來。

他們卻也要有渴求的心，就是渴望學習，渴望服務，渴望成功，渴望做得比現在更好。身為父母，有時我們喜歡讓孩子日子太好過。我和維多利亞會要求孩子們幫忙家務，其實，讓管家確保孩子的房間保持乾淨，是最輕鬆的，但我卻明白這不是最好的。在我寫下這些話時，我們的孩子正值十二歲與八歲，他們每天早上都會自己整理床鋪，自己找衣服，自己穿上去。當他們下樓時，他們有自己的家務要做。當然，維多利亞或我可以自己做，或者我們也可以花錢請人做那些相同的事。不過我知道，如果我們讓孩子太輕鬆，他們會養成錯誤的習慣與心態，而我們的過度好心，其實也會在日後傷害到孩子。

同樣的，大人們也必須要有感恩與渴求的心。我就很渴望幫助每個人，我想要解決他們所有人的問題。「讓我來代勞吧。」但我必須明白，這並非最好的解決之道。幾年以前，我遇到一個大約與我同齡、無家可歸的人。他向我要些錢，在我正要掏出二十元紙鈔之時，我卻在心中感到一股阻力，因此，我並沒有給了他錢之後就走開，反而與他對話。

當我們談話時，他說出自己的故事，講他是怎樣從一個城市流浪到另一個城市，過著困苦的生活。他試著保住工作，但就是沒有用。

我對他深感憐憫，真的很想幫助他，因此我邀他去教會。我說：「嗨，我是這鎮上教會的牧師，你禮拜天早上會

在哪兒？我會請人到那裡去接你。」

「喔不，我無法去教會，」他說：「我沒時間去教會。」

我想著，天啊，你是要忙什麼呢？你不用除草，又不必清理房子！

我和他聊得愈多，就愈發現他並不想要得到幫助。他不想改變，他寧可走捷徑，只想要我給他錢。請了解，我沒說他生活過得很好，但是當人們不想改變，當他們不想接受幫助時，我們若解救他脫離困境，反而是在幫倒忙。我本可以輕鬆地把錢給他，然後一走了之，但我不想做任何事來拉長他的悲慘際遇。是的，我們應該幫助貧窮人，但有個重點是，如果你不斷幫助一個拒絕嘗試自助的人，你其實對他的傷害多於幫助。

太常見的是，我們受他人控制的程度，遠比自己所意識到的還要更深。「我必須一週工作六十個小時，不然我老闆會瞧不起我。他將不邀請我參加重要會議，他會排除我。」

不，你要認清狀況。你正受到操控，你必須設下界線。對你的老闆說：「這些是我能做的。我無法每晚加班，我有家庭，我有其他要務。我在上班時間會全力以赴，但當一天結束，我就會下班回家。」

你必須面對問題，不要讓自己受人控制或逼迫，以致出於罪惡感而做某事。從現在開始留意為何你會如此反應，為何你會做某些事情。

也許你做事是出於罪惡感，更甚於發自渴望或使命感。你夜復一夜超時工作，因為在其他人還在加班時離開，會讓你有罪惡感。或許你是出於罪惡感而幫助某人，你過度忠

誠，精疲力竭，心力交瘁，因為你害怕傷了他。這些都肇因於你扛起錯誤的責任感，試圖讓所有人快樂。

你不應該感到罪疚，因為你無法滿足別人專橫地強加在你身上的要求；你必須改變自己的回應方式。如果每次你與配偶意見不合，就被冷眼對待，往後四小時有如在人間煉獄，這就是一種操縱。下次類似情形發生時，你必須開始對付，而不要用相同的方式回應。「好吧，她又不理我，我也讓她瞧瞧，我要去看球賽！」或是：「那我去打高爾夫球。」或是：「我要出去購物！」

不要這樣。如果你改變應對方式，不僅僅不讓步，也不去玩那些花招，這樣就會迫使另一方也改變回應的方式。

假設有人邀請你參加一個活動，你查閱行事曆後發現，自己太忙沒辦法參加，但你卻覺得有屈從的壓力，因為你知道如果回絕了，這人會很生氣，你簡直在辜負他的好意。

你必須認清這就是控制的靈，而你必須能說：「我很想去，但真對不起，我無法接受你的邀約。」如果他們不能體諒，就是他們的問題。

為了減輕壓力，你要察知生活中那些難伺候的人。這些人幾乎不可能快樂，你必須一週撥好幾通電話給他們；你必須隨招隨到，如果你沒做到，他們就會生氣；他們會對你失望，而且會設法讓你因此感到愧疚！

我發現，這些難伺候的人通常都喜歡控制人，他們對你沒興趣；他們有興趣的是你能為他們做的事，他們有興趣的是你能怎樣使他們的生活更好。如果你掉進嘗試讓他們快樂的陷阱中，就會精疲力竭而活得沮喪挫敗。

許多年以前，我想要幫助一對夫妻。他們人很好，我也

非常喜歡他們。事實上，當他們搬到另一州時，我還給了他們一些錢並設法保持聯繫。如果他們需要任何東西，我隨時待命。但我好像永遠做得不夠，他們永遠不快樂。

我對他們仁慈、慷慨，但他們從未看見。他們不斷找理由抱怨，挑錯或讓我覺得愧疚，好像我沒有盡力幫助他們。

有一天我覺悟了，他們就是很難伺候，而我也沒有責任讓他們開心。我無法讓他們喜愛我，也無法讓他們心生感激，我只能盡自己的本分不讓他們偷去我的喜樂。

我繼續和他們為友，但我必須退一步讓他們自己設法快樂起來。而這使我非常快樂！這真是一種自由的生活方式。

要檢視你如何花費時間，並檢查你做此事的動機；是出於罪惡感嗎？還是因為有人在控制你、操弄你？如果是這樣，你要做些改變。如果你不拿回生命的主控權，別人就會代勞，而且會把你帶往你不想去的方向。你必須對自己有足夠的安全感去對別人說不。你若拒絕一位朋友的晚餐邀約，而他卻因此生氣苦惱，你要明白：他這樣並非出於愛或友誼的反應；這個人想要操控你。他正在利用你得到他要的。

真正的朋友會體諒人，真正的朋友不會在你無法達成他的每個要求時苦惱生氣。

最近，我收到許多請我去各種場合演講的邀請，我也始終深感榮幸被邀請。但我身負對湖木教會與對家人的義務，因此無法接受大部分的邀請，即使那些邀請是出自好朋友，或是我多年來所愛、所尊敬的人。起初，對我來說，回絕別人的要求是極度困難的，因為我不喜歡讓人失望。但我已經學到，我必須照顧好自己，這是我的優先要務，其次是我的家人。

　　頭幾次，我拒絕邀約的時候，我非常緊張，猜想人們會怎麼想。我苦惱地想著，他們也許會認為我很自大，他們也許認為我自以為太重要了。但每次那些人回信，他們都說：「約爾，小事一樁，沒關係，無論你何時能來，這個邀請都依然有效。」這就是真朋友，不是只關心自己的利益。真正的朋友不會在你沒順他們的意時，試圖對你施壓，讓你覺得有罪惡感。

　　了解自己無須讓每個人快樂，是何等令人感到自由。更重要的是，我真心相信，如果你活著只為了取悅別人，你就無法實現上帝對你的命定。

　　當我離家上大學的第一年，我內心知道應該要回到湖木教會開始電視事工，我強烈地感到這份感動。但我擔心父母會怎麼想。畢竟，我的兄弟姊妹都從大學畢業。我哥哥保羅花了十二年甚至更長的時間讀書，準備成為外科醫生，因此當我離開學校返家，我不知道雙親會如何反應。

　　有一天，我和父親談及此事，而他對這個可能性保持開放態度，他說：「約爾，這很棒。放手去做你想做的事吧。」父親並不介意我離開學校，來發展湖木教會的電視事工；然而，我的母親則又是另一回事。媽媽需要禱告！因為她難以忍受自己有任何一個孩子不是大學畢業的。

　　這對我來說真的很難。就像我說的，我不喜歡讓人失望，特別是不想讓我的父母失望；但最後我必須下定決心去做自己認為對的事，我必須忠於自己的心。當然，我母親最後讓步，改變立場了。不久前的某一天，我才對她說：「媽媽，雖然我沒有大學畢業，但現在我做得很好。」

　　有時候，你無法讓所有人開心，即使是你最親近的所愛

之人。當然，我們應該榮耀父母，尊敬他們，聆聽他們的意見。但最後，你仍必須忠於自己的心。一節有趣的聖經經文說：「他們使我看守葡萄園；我自己的葡萄園卻沒有看守。」[1] 所羅門的意思是：「我很拿手地讓每個人開心；我讓父母和家人開心，還照顧所有的親友，但在這麼做的同時，我卻忽略了照顧自己。」

太常發生的是，我們活著取悅他人，卻忽略了花時間取悅我們自己。我們最後允許別人掌控我們的生活。

如果你允許他們這麼做，有些人會把你所有的時間與精力榨乾。如果你勇於面對這些人，並開始做出必要的改變，你會看見自己的生命邁向新的境界。

我不是說這很容易，因如果你已長時間受人控制，這些人是不會喜歡你堅守立場的。但總要懷著愛心做你必須做的事，要仁慈而尊重人，要堅定立場並下定決心活在自由之中。

如果你是那位控制別人者，而不是被控制的人，你同樣也需要改變，你無法靠著操控別人而為所欲為，卻希望受到祝福。別再對人施壓要他照你的心意去做；要選擇高格調的路，行在愛中，而你將會看見，你的人際關係與生命變得好許多。

讓這成為轉捩點吧。如果你活在取悅他人之中，或一直嘗試收拾所有事情，那麼要讓自己擺脫這錯誤的責任感。沒錯，要對人伸出援手。對，要仁慈且富有憐憫，但要確保你讓自己快樂。在上帝之外，你的優先要務是你自己。

朋友，如果你跑自己的賽程而不讓別人控制你或操弄你，你將不僅能擔負更少壓力，保有更多時間與精力；而我同樣也相信，你會更快樂，能夠自由地實現上帝為你預備的最好計畫。

行動要訣

第IV部 養成更好的習慣

1. 我要每天檢視我的生活，並認清負面影響我生命的習慣。今天我決定，我至少要開始破除一個壞習慣，並用正面的習慣來取代它。

2. 我要察知負面的條件反射；我要訓練自己的心志去看好的一面。我要放輕鬆並學習順勢而爲。

3. 我不會因爲被批評而分心，我明白，不是每個人都會和我意見相同或是鼓勵我，但我要專注在我蒙召要做的事上。今天，我要尋求新方法來善用我的恩賜、才幹與上帝賜予我的資源。

4. 我明白，我無須對周圍所有人的快樂負責。今天，我知道我對自己的快樂有責任。我要對身邊的人體貼寬容，但我拒絕被操控。我不要爲他人的行爲或態度扛起錯誤的責任感。

第V部

欣然擁抱你的處境

第 20 章

欣然擁抱你的處境

你有認識人對自己生命中的定位不滿嗎？也許是某位女士因未婚而沮喪，而且她的生理時鐘已經在拉警報；或者是某個人因為在職場上未被公平對待而感到生氣苦惱。這些人不斷在擔心，嘗試推敲出事情的答案，嘗試改變惟有上帝才能改變的事。

我相信，我們之所以會造成許多不快樂與挫敗，是因為我們對於生活中發生的情勢與環境，一直加以拒絕與抗拒。我們不明白禱告為何沒有蒙應允，為何事情不快點改變：「為何這會發生在我身上？」結果，我們活在內心的不安與侷促之中。

要學習放輕鬆並接受現在的處境。不可否認的是，現在可能不是最好的狀態，我們都有想要看見改變、想要看見快點成就的事。如果我們真心相信上帝正掌管並引領我們的腳步，就必須相信，我們現在的定位，正是我們當下應有的定

位。我們無須不斷與生命角力及抗拒情勢。

沒錯,我們應該抵擋仇敵,抵抗疾病和奪去喜樂的事物。不過,這並不表示我們必須每一分鐘都處在掙扎與對抗之中。有些人好像要讓自己精疲力竭,總是不斷在禱告、抗拒與指責。他們祈求:「拜託,上帝,祢得改變這種情況。求祢改變我的丈夫;我不喜歡我的工作;我的小孩不爭氣。」

不該這樣,而是要把這些全都交託給上帝。你的態度應該是:「上帝,我信靠祢。我知道祢掌管我的生命。也許我不明白所發生的一切事,但我相信祢將我的最大益處放在心上。我不要一直抗拒與掙扎,我要放輕鬆享受人生。」朋友,如果你可以誠心作這個禱告,就能夠挪去你大半的壓力。

聖經說:「你們要休息,要知道我是上帝!」[1]要注意,你必須休息,必須安歇在自己目前的定位之中。事情也許不圓滿,也許你仍有尚待改進之處;但只要你活在壓力與憂慮之中,就是在對全能的上帝掣肘。如果你能夠來到安息之處,上帝就能為你爭戰。祂能翻轉你的負面狀況,為你的益處使用它們。

聖經記載:「已經相信的人得以進入那安息。」[2]在上帝的安息中是表示:儘管遭遇了困難,你依然信靠祂會處理一切。這表示,也許你不了解情勢,但你不會一直嘗試要去打破砂鍋問到底。這表示,你心中有夢,但你不心焦,你不因為夢想還沒開花結果而感到挫敗。換句話說,當你真正處在上帝的安息中,你知道上帝將你捧在祂的手掌心上。無論你在何處,你都接受這是上帝給你的處境。

我不是說上帝想要你留在原地，但如果你眞正倚靠祂，如果你相信祂掌管一切，那麼無論你身在何處，無論處在好或壞的景況中，這就是你應該在的地方。也許某件不公平的事情發生，也許有人惡待你，或你的財務狀況不佳，同樣的，這依然不會給你活在苦惱與挫敗中的權利。

我們必須了解，上帝已應許祂會爲我們的益處使用一切迎面而來的情勢，祂會使用這個困境在你身上作工。你現在所遭遇的也許不好，但如果你保持正確心態，祂會爲你的益處使用環境。

你也許會說：「約爾，你不了解我的遭遇。我做正確的事，卻經歷不好的遭遇。」或是：「我的婚姻眞糟糕。」或：「人們沒有善待我。」

請不要把這當成鬱鬱寡歡、意志消沉的藉口。要想想舊約人物約瑟，他因冤獄被囚十三年，他本可不斷抗拒，他原本可以花上所有時間，嘗試想出爲何這些可怕的遭遇會發生在他身上，他本可活在苦惱、負面與苦毒之中，不過他沒有。他只是欣然接受自己的境遇並善用情勢。他的態度是：「上帝，這就是目前我被放置的位置。也許我不喜歡，也許我不了解。我認爲這不公平，但我不要一直鑽牛角尖。我要盡力而爲，並深知祢最終會爲了我的益處而使用情勢。」

這正是上帝爲約瑟做的。如果你保持正面心態並定睛於上帝，祂也會爲你做相同的事。

也許你因爲還沒結婚而感到沮喪，除非你找到另一伴否則你不會快樂。但不要如此，你反而應該放輕鬆，並享受上帝目前給你的定位。沮喪度日不會讓事情更快成就，而不斷抱怨你的婚姻狀態可能還會拖延實現。或許你每隔五分鐘就

禱告，告訴上帝要做什麼以及怎麼做，甚至你還已選好了白馬王子——他應該長什麼樣子，他應該開什麼車，他應該身高多高，他應該賺多少錢：「上帝，我得結婚，我無法忍受還要再過一個月的單身生活。」

不對，你已經向上帝表達了你的願望。那麼何不放輕鬆並說：「上帝，願祢的旨意而非我的旨意成全。我把這件事交託給祢，我相信祢把我的最大益處擺在心上。」

誠實並這樣禱告是很好的：「上帝，祢知道我今天就想看到事情發生，但我要倚靠祢並相信在適當的時刻，祢會把理想的人選帶到我的生命中。」這就是信靠上帝的意義，你可以停止嘗試靠自己釐清所有事情。

我最喜歡的聖經經節之一，就是羅馬書八章28節：「萬事都互相效力，叫愛上帝的人得益處。」[3]如果你能保持信心的態度，上帝將會使每個情勢為你的益處效力。

「唉，約爾，我工作上的人並未善待我。我不愉快，我不喜歡這樣，我想要脫離這種狀況。」

不對，我們無法用禱告趕除生活中所有不順的事。上帝不會立刻移除你所有的困難，祂使用這些情況來煉淨我們，在我們身上作更新的工作。在困苦的時候，上帝鍛鍊我們的品格。事實上，在諸事順利時，我們成長不了多少；困苦之時才是我們成長的時候，惟有此時我們才能在壓力點鍛鍊屬靈的肌肉。

當然，沒有人喜歡過得不順，但如果你能記住，上帝會從你的不安逸之中擷取益處，這就會幫助你熬過困苦時刻。過後你會比之前更堅強，上帝也會預備你去行更偉大的事。

但你必須先通過試驗。如果你成天擔憂，嘗試找出每件

事的前因後果，抗拒每一件不順你意的事，那麼你只是在拖延過程。你必須認清，你之所以處於現在的位置是有原因的，這可能是因爲你的選擇，或者，也許只是因爲仇敵的攻擊。無論原因是什麼，除非上帝有個目的，否則祂不會讓任何事發生在你的生命中。也許你不喜歡；也許你不痛快，但如果你保持正確態度，最終，你會比以往更剛強、更美好。

信心不會馬上救你脫離所有問題，相反地，你的信心會帶你度過難關。

要明白，信心不會馬上救你脫離所有問題，相反地，你的信心會帶你度過難關。如果上帝挪去你現在禱告求祂挪去的一些事情，你就不會準備好領受祂爲你預備的晉升。祂正在使用你現在的經歷，讓你爲將來的好事準備就緒，如果事情不如你意，並不表示上帝不愛你。如果你的禱告未依你的期望，或未按照你的時刻蒙應允，也不表示上帝在生你的氣或是祂在嘗試懲罰你。

要有更大的視野，因爲也許這表示上帝爲你預備了更好的；也許這表示上帝正保護你遠離前方的危險；或者，也許上帝只是在你身上作工，以便祂能帶領你進入全新的境界。你何不停止抵抗生命中發生的每一件事呢？別再與每件不順心的事搏鬥了。

「上帝好像從不回應我的禱告，」有人可能會說：「祂從不照我的意思做。」

也許上帝正在回應你的禱告，祂的答覆就是「不」。也許祂正說時候未到，或者，也許祂說：「我不會把這個阻礙

移開,除非你改變態度,不再抱怨。」做些簡單的調整,而你將會看見事情開始改變。

我感謝上帝沒有回應我的某些禱告,因為有時我以為對自己最好的,其實根本不是最好的。然而,如果你不斷強力操控,試圖讓事情發生,上帝有時就會讓你偏行己路,如此一來,你就得更辛苦地學習祂要你學的功課。

我看過有人很快就跳進一段他們覺得不太對頭的關係、或一個商業交易中,因為他們太熱切渴望了。上帝是溫和的,如果你堅持己見,祂會退一步讓你遂行己願。然而,多半當我們這麼做的時候,我們最後只能屈就於次好的。

如果事情不如你預期般地快速發生,或如果你沒看見環境為你的益處改變,那就鬆手;放輕鬆並學習信靠上帝。要明白:上帝站在你這邊。祂不是在嘗試要你倒退,因為沒人比全能上帝更渴望看見你實現祂的命令,也無人比祂還希望你看到夢想成真。祂既已把夢想放在你的心中,就讓祂帶領你、引導你吧!

我相信,我們所能做出最好的禱告就是:「上帝,不要照我的意思,惟願祢的旨意成全。」我每天都這樣禱告說:「上帝,求祢幫我開啟對的門,關上錯的門。」如果你接受祂的方向,忠於自己的心,上帝將會保守你。聖經箴言說:「在你一切所行的事上都要認定祂,祂必指引你的路。」[4]有一種譯本說:「祂會用成功作為你的冠冕。」

不久以前,我和一些同事搭乘小飛機飛到另一個城市。這架飛機每個走道旁只有一個座位。在我們起飛之後,我想要把桌子放下以便寫些東西。這架特殊飛機的桌子恰好在窗子下面,有個標示寫著「拉」,因此我就拉,但是卻打不

開，桌子卡住了。我朋友強尼坐在走道另一側，因此我看著他輕輕鬆鬆拉出桌子，而他的窗戶長得和我的一模一樣，因此我又回頭努力著，嘗試拉出我的桌子，我更用力地拉著。我心想：我最後一定要把這桌子給拉出來。

我用力拉了又拉，桌子卻仍然沒出來。約在這時，強尼經過，並開始拉著要鬆開桌子的紐，但是他也拉不出來。我們另一位同事也試過了，但是仍然不成功。最後，我坐到走道旁的另一個位置，就在那時我抬起頭來，然後注意到，就在我們剛才拉桌子的窗戶上方，有個用粗體字寫的小標示說：「本座位沒有桌子，只有緊急出口。」

我說：「親愛的上帝啊，謝謝祢沒讓我稱心如意。謝謝祢沒幫我開這扇門。」感謝上帝，設計這架飛機的人知道會有我這種人登機，所以他們把門栓放置於上方，讓我們必須用雙手才能打開緊急逃生門。不然的話，把門栓拉開可能真的會成為我這輩子做的最後一件事。

感謝上帝，祂知道什麼對我們是最好的。感謝上帝，祂滿有憐憫，不會總讓我們偏行己路。

我已經學到，當我的禱告未蒙應允，或當事情沒照我所期待那樣快地發生，這若不是表示上帝在保守我遠離前方的危險，就是表示還不到適當時機，或是上帝預備了更好的計畫。

我在上大學的第一年，申請了大學電視台的一份職缺。這所學校擁有一間大型、知名的製作設施，而我一直想要參與其中；電視製作是我的熱情之所向。剛入學的第一週，我與掌管攝影師與僱用助理的製作經理會面。在當時，我已經有數年的攝影經驗。

製作經理盡力款待我，他花了好幾小時帶我參觀，我們看來真是一拍即合。當我要離開的時候，他說：「約爾，我會在這週撥電話給你，讓你知道結果。」

一週過了，但我沒接到他的通知。第二週，仍然沒有消息。再過一週，仍是石沉大海。最後，我撥電話給他，他不是一直在忙就是外出。這真是奇怪：我從沒想到自己申請這份工作會有困難，但這扇門就是不開。更糟的是，我好想要這份工作，但我知道事情就是不順我意。最後，我接受事實，欣然想著：「沒什麼大不了，我放手了。」

回想起來，我現在明白，如果我接受了那份工作，我可能不會回到湖木教會開創電視事工。我了解自己的個性，我會被興奮淹沒，全心投入，我很肯定自己就會一直留在校園電視台裡。

但上帝知道什麼對我最好。雖然那份工作當時對我來說是最好的，我不知道上帝要帶領我前往何方，也不知道祂預備了什麼。但若我一直留在那裡，就會錯過上帝要我在湖木教會所做的，而你可能也讀不到這本書了。

太常發生的是，我們短視。我們只能看到路途的一小段，而且模糊不清。然而，上帝卻能縱覽全局。祂知道事情何時會成為死路一條，祂知道何時會有人使我們分心，而攔阻我們實現自己的命定。

現在你可能對某些事感到沮喪挫敗，但十年之後，你回想起來時，卻會感謝上帝沒有照你希望的方式應允你的禱告，或開啟那扇門。現在也許你無法看清，但這就是信心的真諦。你何不倚靠上帝？相信祂把你捧在手掌心，並深知到了上帝要開門的時候，沒人能夠關得住。沒什麼障礙是太高

大無法突破的。你的仇敵也許強大，但是上帝卻是全能的。當上帝說該是高舉你的時候，你就會被高舉。好消息是，你的晉升一秒都不會耽延，突然之間，上帝就能翻轉情勢；突然之間，上帝就能把門打開，這都只要上帝的恩惠來一觸即發。

我們的態度應該是：「我不要活在沮喪、挫敗之中，我知道一切都會有好結果，我知道一切最後都會爲了我的益處互相效力。」

也許你經歷過困苦，但要記得，上帝已應許，祂絕不會讓你承擔過於你所能承受的。

「約爾，我不明白爲何這種事會發生在我身上，爲何我的禱告未蒙應允？爲何我會患病？爲何我的婚姻無法持續？」

有些事你在上天堂之前可能永遠也無法明瞭。如果你不斷想要找出原因，只會帶來挫折與困惑。要學習信靠上帝，並明白，只要盡力而爲，只要你在上帝面前心純意正，你現在的處境就是你應該所在的定位。這也許不容易，但最終，上帝會爲你的益處使用環境。

信心最重要的層面之一就是，即使在我們不明瞭時仍然信靠上帝。我有一個朋友罹患癌症，我以爲他會消沉沮喪，就撥電話去鼓勵他，結果卻讓我感到驚喜。他說：「約爾，我很平安。我不喜歡這種狀況，但我知道上帝仍然掌管一切。我內心相信祂會帶領我度過這一切。」

即使在最困苦的時候，即使在你生命跌落谷底之時，你都無須心煩意亂讓自己激動不平。有時，我們以爲必須分分秒秒不停地禱告、抵抗並引用經文。當然，這沒什麼不對，

但要保持平靜，保持安穩，保持喜樂，保持面帶微笑，這都是在打美好的信心之仗。

如果你處境困難，要振奮地明白，上帝仍然掌管你的生命。祂創造你的身體，祂了解你的情況。不要成天感到灰心失意；你的態度應該是：「上帝，我信靠祢。我知道祢能成就人所不能成就的，我將我的生命完全託付在祢的手中。」上帝悅納這種信心的態度，悅納下定決心信靠祂的人，悅納他們說：「上帝，無論事情是否順心，我都要信靠祢，我在順境與逆境中都要信靠祢。」

> 上帝，無論事情是否順心，我都要信靠祢。

還記得嗎？舊約裡有三個希伯來青年，他們不肯向尼布甲尼撒王的黃金偶像下拜。王憤怒至極，因而要把他們丟進火坑中。

這些希伯來男孩說：「王啊，我們毫不擔心。我們知道我們的上帝會拯救我們，但即使祂沒有，我們仍不會對偶像下拜。」注意，他們欣然接受自己當下的處境，即使環境艱難，即便他們不喜歡。

你也可以行同樣的事。停止因為禱告沒有依照你所希望的成就而活在挫敗之中，別因為事業進展不如期待，或因為你的婚姻、財務出問題而活在沮喪之中。不，只要不斷進取向前，要保持喜樂與熱忱。也許你並未處在你想要達到的境界，但要明白：上帝仍掌管你的生命。不僅如此，只要你不斷通過試驗，沒有任何黑暗勢力能攔阻你實現上帝賜你的命定。

　　你可以把重擔卸下，你無須一直掙扎抵抗，嘗試改變所有人與所有事。不須要，只要欣然接受你目前的處境並相信上帝仍然掌管一切。祂正在你身上作工，祂正引導、指引你。

　　如果目前你處在風雨中，或你正面臨一些重大困難，聽聽上帝對你的心說的話：「要超越這些，別再搏鬥，別再嘗試改變惟有我才能改變的事。」

　　要相信上帝對你的生命有個偉大計畫。朋友，如果你學習欣然接受你的處境，就能更上一層樓。你會克服一切攔阻，並能活出上帝為你預備的得勝生命！

第 *21* 章

我心得安寧

你有沒有注意到？在困苦的時候，我們會變得更剛強。此時我們被擴展延伸著，而我們的品格也受到上帝鍛鍊，預備我們迎向更上一層樓。

也許我們不喜歡，因有時伸展會讓人覺得不適。但如果我們能保持正確心態，將會比之前變得更好。

通過試驗的關鍵就是平靜安穩。當你處在平安之中，就有力量。當你安歇，上帝就能為你爭戰。許多人讓自己精疲力竭、感到挫敗，因為他們得不到想要的職位，因為他們的孩子不學好，或因擔憂健康問題而感到沮喪。不要這樣，要把這些全都交託給上帝，並樂意懷抱良好的態度度過難關。

在聖經歌羅西書第三章，保羅禱告求使人們有力量能承受他們遭遇的事。想想看，偉大的使徒保羅沒有禱告求上帝挪去一切困境，他沒有禱告求上帝立刻拯救他們；他禱告求使他們能有度過難關的力量。

　　有時我們會禱告說：「上帝，祢必須今天就幫助我脫離這困境，我受不了了，如果再這樣持續一週，我就完了。」但更好的禱告應該是：「天父，請賜給我力量，使我抱持良好的態度熬過這一切。求祢幫助我保持喜樂，求祢幫助我內心平安。」除非我們改變，否則我們的環境不會改變。

　　也許你會說：「這太難了，我健康嚴重出問題，工作又遇到這種事⋯⋯。」不會太難，你的內在有至高上帝的大能、大力。你可以抵擋任何衝著你而來的事，你得勝有餘，你是贏家而非受害者。當然，我們都想要上帝馬上救我們脫離困境。然而多數時候，這不是祂作工的方法。要下定決心把你所面對的狀況交託給上帝，並停止憂慮，不要讓境遇支配你的思想與話語；相反地，要來到平靜安歇之處，即使情勢艱難，而你也不喜歡如此，但你正在成長。

　　上帝對每件事都有個計畫與目標。也許我們現在還無法看見，但上帝已經應許，除非最終能帶來益處，否則祂不會讓我們的生命發生任何事，而這就應該要挪去我們的一切重擔，意思是說，如果我們的禱告未依我們的心意蒙應允，上帝必定已預備了更好的。祂知道什麼是最好的，因此你可以相信，萬事都將互相效力，使你得益處，於是你無須在壓力來臨時倍感壓迫。

　　要如此下定決心：「我不要因為生意不如期望而感到灰心。」或：「我拒絕因為孩子不學好而失去信心。不，我要平靜，信靠上帝，深知在適當的時候，上帝就會翻轉情勢，使我得益處。」這是何等自由的生活方式。

　　也許你飽受胃病、頭痛、潰瘍與各式各樣的病痛之苦；也許，你晚上睡不好，因為你內心不斷浮現你所對抗的一切

不順心之畫面，你正嘗試改變上帝才能改變的事。當上帝沒有改變情況，若不是時候未到，就是祂要在你身上作工。要把你的心專注在平靜安穩之地，使你可以真心地說：「好的，天父，不要照我的心意，惟願祢的旨意成全。」

當你了解這個原則，生活就會輕省許多。你不會因為計畫沒有實現而感到挫敗，你不用因為沒有得到渴望的升遷而沮喪一個月。你不須要因為有人待你不公而生氣，因為你知道上帝掌管一切，而且祂在使你置身於祂想要讓你經歷的處境中。只要你不斷信靠祂，上帝會為你爭戰。這就是聖經出埃及記第十四章說的：「如果你們保持平靜安穩，那麼這場仗不是你們的，是主耶和華的。」

請思想這段信息：上帝要你安歇，要你心中保持平安。一旦我們沮喪、挫敗、大感惱怒時，上帝就會退後等著。若要讓上帝知道我們信靠祂，我們必須保持平靜，保持笑容，每天抱持良好態度。當你不斷堅持下去，當你穩重堅定，當你不受環境動搖，你就在表明：「我相信上帝全然掌管我的生命。」

我以前習慣和朋友一週打好幾次籃球。有一個晚上打完球之後，由於時間還早，我就問一位朋友要不要一起去吃些東西。他隨即回答：「不了，約爾，我還得趕到醫院，我正在進行化療。」

「你在開我玩笑吧！」我問：「你說你在幹嘛？」

「我癌症復發，」他回答：「因此我每週要作三次化療。」

我感到十分驚訝，甚至看不出他有何不適。他總是面帶笑容，總是神情愉悅，總是抱持信心的態度。他看來就好像

是天之驕子。

其他處在類似情況的人可能像是行屍走肉，總是自憐、自艾又責怪上帝。但他不是，他知道上帝仍掌管一切。即使他不喜歡自己的處境，即使他不舒服，他卻不讓這些使他消沉。他的態度是：「我不要成天為自己悲哀，我不要讓這疾病控制我的人生。我要面對它並繼續向前。」他正是這麼做，幾年之後，他的癌症已經痊癒。上帝完全醫治了他，我不久前還看到他，他健康得不得了。

也許你正在某個堅苦的戰役中搏鬥著，但好消息是，上帝比你遭遇的任何困難都大，祂能在你走投無路時開道路。不要停止活出自己的人生，不要讓困境成為你生活的中心。要不斷進取，信靠上帝，並明白：當你相信，萬事都可能。也許現在的景況看來黑暗淒涼，但聖經上說：「一宿雖然有哭泣，早晨便必歡呼。」[1]情況依照自然律看來如何並不重要，因為我們的上帝是超自然的上帝。當你信靠祂，就可以得享安息。你無須感到壓力或擔憂，你知道一切都會有好結果，你知道上帝把你捧在祂的手掌心上。當你一直有平安，上帝將會確保你實現祂為你所定的每一天。聖經說：「無人能將你從上帝的手中奪走。」這表示沒有病痛是太嚴重的，也沒有仇敵是太強大的。如果上帝要幫你，誰膽敢與你為敵呢？即使你處於不安的環境，也要提醒自己，你在遭遇這些事之後會變得更好。即使是最壞的狀況，也就是說，即使是死去，我們也是到天堂與主同在！

有些人的信心繫於環境。當境遇好時，他們的信心就上升；當景況不佳時，他們的信心就下沉。你不須要活成那樣。當你知道上帝正引領你的腳步，就可以始終如一。無論

你的生命遭遇什麼，上帝都會爲你的益處使用它們。

有時候上帝可能要我們經歷一些事情來幫助其他人，祂可能會把你放在困苦之地，好讓你成爲別人禱告的答案。

「約爾，我受不了我的工作，這些人眞煩，他們眞讓我感到憤怒，我應該沒必要忍受他們。」

你是否曾想過是上帝刻意把你放在那裡，好讓祂能在他們身上工作呢？也許上帝要你對某個人說出盼望的話語；也許祂指望你發出亮光。也許上帝想要你種下信心的種子，好讓祂可以改變他們的心。

瑪莉安在成長過程中受過一些困苦、不公平的境遇。意料中的是，她的第一次婚姻沒有維持多久，而她很快又嫁給第二個人，並開始讓他的生活陷入悲慘。她不是故意要難以相處；她只是太受傷、太痛苦，無法信任任何人，以致成了一個負面、苦毒的人。

寇提斯是瑪莉安的丈夫，想過好幾次要離開她。他有一切理由可以這麼做，也不會有任何一個認識這對夫妻的人爲此責怪他。但他內心深處知道，自己應該與瑪莉安在一起。他後來告訴我：「約爾，這是我所經歷過最苦的日子，我很痛苦，我不喜歡這樣，也無法理解。」但寇提斯繼續與瑪莉安在一起，願意付上代價讓她得著幫助。今天瑪莉安健全完整，他們的關係非常堅固。

瑪莉安發現她得到了何等珍貴的禮物。她說：「約爾，要是寇提斯又和我前夫一樣並一走了之了呢？要是他沒有關心我到願意和我在一起呢？那我現在就會在收容所或是公墓裡了。」

就和你要變得更美好一樣重要的是，要了解上帝做每一

件事並非都是為了你。有時上帝要你為別人受苦,有時上帝領你經歷困境,好讓你能幫助有需要的人。就在那時,我們必須說:「上帝,我信靠祢。我相信祢掌管一切。即使我不明白這些,而這也不是我所選擇的,我仍會承擔,而且靠著祢的幫助,我會保持良好的態度。」

也許你不總是願意這麼做,但就當是你因著愛與信靠上帝而為祂犧牲;上帝會獎賞這樣的態度。不要放棄令人頭痛的丈夫或妻子,不要放棄那些孩子,不要排擠那自私的同事;要繼續愛他們,繼續為他們禱告並鼓勵他們。上帝正在做紀錄,當你播下種子幫助他人,上帝都看見了,祂將會獎賞你。

有時我們可能太專注在自己渴望的事物上,而讓這些東西耗盡我們。我認識一些人,他們如果沒結婚就不快樂,若生意沒有起色或脫離某種現況,他們就不快樂。不該如此,而很重要的是,我們要把這些狀況交託給上帝並學習知足常樂。當我們不堅持自己的意願與我們自己的方式,上帝就會行神蹟。

我姊姊麗莎與夫婿凱文很想要孩子,但麗莎就是不孕。她嘗試了各種不孕療法,也花了許多錢。但幾年以後,醫生說:「麗莎,我很遺憾,我們無法再為你做什麼了,你無法擁有任何孩子。」

麗莎好失望、好灰心,她花了這麼多時間、心血與金錢。她不斷禱告、相信並盡了一切力量。她幾乎要被想要小孩的渴望掏空了,而此時她身心耗竭。有一天她厭倦了掙扎、搏鬥,她說:「上帝,我不要再一次求祢給我小孩,祢已經知道我渴望的,我現在就把這些全部交託給祢。」她後來說,從那天開始,她盡全力不去擔憂。她不再求上帝賜她

孩子，相反地，她只要一想到這事，她就感謝上帝仍然掌管一切。真的，她說：「上帝，願祢的旨意，而非我的想望成全。」

幾個月之後，麗莎與凱文接到朋友撥來的一通電話，是關於領養一對雙胞胎女兒的事。長話短說，他們最後就領養了這對雙胞胎。幾年以後，他們又領養了一個孩子，一個小男嬰。今天他們擁有三個可愛的孩子，但若不是麗莎鬆開她想要孩子的渴望，一切都不會改變。

有時，我們可能因夢想或想要克服阻礙而身心俱疲到極點；那是我們所想的、所講的與所禱告的一切，而除非事情照我們所希望的成就，否則我們不會快樂。這導致了挫敗，而如果我們不留心，可能還會導致憎恨。當你察覺這正在發生，就必須退回平靜安穩之處，讓自己可以誠實地說：「上帝，我信靠祢。我相信祢知道什麼對我最好。而上帝，即使事情沒有按照我所希望的成就，我也不要悶悶不樂。我不要讓這毀了我的餘生，我要下定決心滿足於祢今天給我的處境。」

我最喜歡的教會史故事之一，就是史派福(Horatio G. Spafford)的故事；他是一位生長於一八〇〇年代的富有律師暨商人。然而，史派福的故事不是我們今日所追求的成功故事。事實上，他在生命中遭逢可怕的悲劇。他的妻子與四個女兒搭乘橫越大西洋的船隻，這艘船隻卻與另一艘船相撞，史派福的四個女兒與其他兩百多名乘客全部罹難。史派福的妻子拍電報通知他這個可怕的消息。

史派福於是訂了船票，橫跨大西洋的航程，要去與他悲傷的妻子團聚，在那時，船長通知他，他們正經過據信是史派福女兒發生意外的地點。史派福莊嚴地看著翻騰的波浪，

而當晚他為此寫下的詩歌《我心靈得安寧》，便成了基督徒懷抱信心的愛曲：「有時享平安，如江河平又穩，有時遇悲傷似浪滾，不論何環境，我已蒙主引領，我心靈得安寧，得安寧。」

無論我們的生命遭遇什麼，我們都必須能夠說：「我心靈得安寧。也許生命帶給我一些咒詛，但我心得享安寧。雖然我所有的夢想都還沒實現，但沒關係，我不焦急，我知道一切將成就在上帝所定的時候。」

「我的計畫不奏效，然而，我心靈得安寧。我從醫生那裡聽到壞消息，情況好像不樂觀。但我知道上帝另有消息，我知道祂能成就人所不能。無論我發生什麼事，都平安，我的心都得享安寧。」這就是我們必須抱持的心態。

也許你需要培養新的觀點。也許你太專注於你所沒有的，你所做不到的，你生命中出錯的。也許你不斷地每五分鐘就告訴上帝一次，要做什麼與要怎麼做，並讓祂知道，除非事情進展恰如你意，否則你不會開心。

要下決定把這些都交託給上帝。聖經詩篇五十五篇22節說：「你要把你的重擔卸給耶和華，祂必撫養你。」不論此刻你的生命看來多麼黑暗陰鬱，如果你能卸下那些重擔，你會更上一層樓，並看見生命中的太陽驟然升起。

這要由信靠上帝掌管一切開始，在接下來的篇章，我們將更深入檢視這是如何在我們的生命中運行。但在此同時，你就可以決定，無論是身在何處，都要信靠上帝。當你這麼做，這場仗就不是你的；這場仗乃歸屬於主。求上帝賜你忍耐的力量，並確信，即使在生命裡最兇險的風雨中，祂依然照顧你。

第 *22* 章

得享平安

你是否知道，即使在最困苦的景況中，也能得享平安？許多人嘗試移除問題，希望到了那時他們就會快樂，就可以享受人生。但上帝想要我們學習在風雨中仍有平安，祂希望我們即使是生活不順心，仍有平安，也就是說，即使在你老闆不善待你，你沒有得到渴望的升遷，你的小孩不做該做的事時，依然如此。如果我們錯誤地把平安建立在環境上面，就永遠無法得著上帝最好的預備，因為總有事情會使我們心煩意亂，永遠也無法除去生活中瑣碎的痛苦，永遠也無法達到沒有挑戰或沒有灰心時刻的境界。我們必須改變自己的人生態度才行。

使徒保羅經歷過各種心碎的光景：人們對他不公，有人散播關於他的謊言。然而，他說：「儘管遭遇這些，我們得勝有餘。」這就是我們必須有的態度，因此，不要嘗試用信心來驅趕你所有的困境，要用信心在困境中得享平安。

曾經有一次，耶穌在一艘小船上睡著了，忽然有暴風雨來襲。風強雨驟，把船來回吹動著。門徒全都苦惱恐懼，最後說：「耶穌，拜託請起床，我們要死啦！」

耶穌醒過來後，只是對著暴風雨說話。祂說：「住了吧，靜了吧。」風勢就馬上平靜下來。耶穌之所以能在這種情勢中帶來平安，加利利海隨即波平浪靜，是因為祂自己的內心就有平安。祂處在暴風雨中，卻不讓暴風雨驚擾祂。

> 你可以處在暴風雨中，但不要讓暴風雨驚擾你。

平安不一定是沒有困境，也不總是沒有仇敵。你的外在可能被困境與衝突四圍環繞著，內心卻能擁有真平安。

也許你對生活中的一些事感到苦惱憂慮，也許你擔心你的財務狀況，或在工作上面臨一些不公、不義的事，而你卻被這些事弄得心煩氣躁。日復一日，它們壓著你，榨乾你的喜樂、精力與熱情。你已經讓風雨闖入你的內心，但你必須做些改變。

也許你會說：「只要我度過這個，就可以回復正常生活。」

不對，即使挑戰結束，又會有其他事情偷去你的平安。你必須改變方法，並停止讓那些事情煩擾你，還要把這些情況交託給上帝。

要明白，除非你來到平安的境地，否則上帝無法真正以祂所希望的方式在你身上作工，因為上帝在具備信心與盼望的態度上作工，而非在不信、憂慮、失望與灰心的態度上作

工。你每天都有機會失去平安：有人也許在電話中對你粗魯無禮，使你想馬上衝過去掐住他們的脖子。不要這樣，你要對自己說：「不，我要保持平靜，我不要讓他使我氣急敗壞。」

或者，也許你的老闆不給你應有的待遇，你沒有得到所期待的大升遷。此時要說：「沒關係，我知道上帝掌管一切，我知道上帝為我預備了更好的。」

「唉，我因為這人結束我們的關係而心煩意亂，」蘇珊說：「不該是這樣的，這不公平，我想撥電話給他，向他抗議一番。」

「不，你要保持平靜，」我建議她：「如果你保持平靜安穩，上帝會把更好的人帶進你的生命之中。祂會翻轉仇敵的惡意作為，化為對你有利的情勢。但你必須盡本份保持平靜，不要活在苦惱、憂慮與沮喪之中。」

有時，我們會為了無法改變的事而失去平安。你無法改變晨間的交通，你大可保持平靜；你無法使你的配偶、老闆或鄰居做正確的事，只有上帝可以；你大可在上帝改變你周遭人生命的過程中，享受人生。

有一次我和維多利亞帶著孩子們去密蘇里州的布蘭森(Branson, Missouri)度假。時值耶誕佳節，機場擁擠不堪。我們必須在孟菲斯(Memphis)轉機，而短暫停留；我們下了飛機後，因為孩子們餓了，我們就帶他們去吃了點東西，然後前往另一個登機門。到那裡好像要花永恆之久，我們必須搭接駁車，然後接下來一路用跑的。當我們到達登機門，飛機仍然在那裡，但登機走道的大門已經關上了。我懇求櫃檯後的女士讓我們登機，還禱告求上帝的恩惠，更陪著笑臉極盡諂

媚之能事……。

但沒一招奏效。

我心中想著：我可不想坐在機場三、四個小時，等待下一班飛機。我可以感覺自己的壓力開始升高，我必須在此時此地就作決定：我要保有平安，還是要捨棄平安？因為我只保有了一半！

當我們最後終於到達布蘭森，我們下了飛機後，有一對老夫婦走向我。這位太太說：「我不想打擾你，但是我必須告訴你，我真的很喜愛你；我一直聽你的節目；我真喜歡你。」她繼續說著，不斷讚美我。我開始覺得好一些，錯過班機的痛不再那麼刺人。我注意到她丈夫在她繼續滔滔不絕地說話時，正看著我，好像在說：「這傢伙到底是誰？」當我們最後要離開時，我聽到這位太太說：「親愛的，你認識他的，他就是那位唱『幾分傷心幾分癡』的歌手。」

我想：這下我的心情又和之前一樣啦！

我們必須學習保有平安，即使人們不認識我們，即使當我們被卡在車陣中，即使在我們錯過班機，即使是我們的計畫沒有實現時，都要如此。

你怎麼知道這不是上帝要你停留之處呢？你怎麼知道上帝不是在保守你遠離一場意外呢？我很喜愛聖經中的箴言說：「既然主引導我們的腳步，我們何須理解生命中所發生的一切呢？」只要順其自然，別再擔憂你無法改變的事情。把所有情勢完全交託給上帝，深知祂掌管你的生命。

我們能向上帝表明我們信靠祂的最好方式之一，就是在面對下列景況時保持平靜：當你遇到風雨肆虐之時，在人們惡待你時，當你從醫生那裡接到噩耗時，或失去工作時。在

面對這些景況時，自然而然你應該覺得灰心，你應該會心煩意亂；但相反地，你卻要面帶微笑，仍然要邁開輕盈的步伐向前行，居處於平安之中。你真正在說的是：「上帝，我信靠祢。我知道祢比這疾病更大；我知道祢比我婚姻的問題更大；我知道祢比我的仇敵更大。」

要成為在風雨中保持平靜的人，即使有人批評你，還是要提醒自己（如果必要，也要提醒別人）：「沒關係，我知道上帝掌管一切，我知道上帝會為我爭戰。」

「咦，難道你不至少回應一下嗎？難道你不澄清一下嗎？」

「不，我知道上帝會為我辯護，如果我受到誤解，祂也會導正事情。」

有人也許會說：「聽說你從醫生那兒接到噩耗，我想你一定很難過。」

「不，我不難過，」你可以回答：「我有平安，我知道我的生命在上帝的手中。」

「聽說你面臨重大敵人，」有人警告。

「對，這是真的，但我不擔心，我知道上帝更大。沒人能夠對抗我的上帝，在人看來也許不可能，但在上帝凡事都能。」

最近，我正要找停車位準備停車，剛好看到有位仁兄正要把車開出來，我就把車停在路邊打著轉彎燈。耐心地等待那位仁兄把車開出去後，我就可以停進去。然而，當這位駕駛退後時，他擋住了我幾秒鐘，這時就有另一輛車，當著我的面急速地搶著停進那車位去！面對這一幕，我還真難以置信！不用說，我心裡認為，那位把車停進去的駕駛一定早就

看見我在等，但我必須作決定：我要失去平安，還是不理會這件事，以保持平靜？我要氣急敗壞，還是要播下信靠上帝會補償我的種子？

很自然地，我想要按喇叭讓他知道我的想法，但我心中閃過一個念頭：好極了，我要等到他進去，然後去把他的輪胎放氣！

但我決定這樣面對：這不值得讓我失去平安，我要祝福他並繼續向前。我為這個無理的駕駛呢喃了一段禱告，然後倒車去找其他停車位。

不要讓任何人偷走你的平安。要明白，若你允許，你身邊總是有人會讓你不好受，而且通常你還無法以禱告讓他們走開。即使他們真的離開了，上帝也許還會再多派兩個人來取代他們！也許公司裡有人在說你閒話，在你背後對你議論紛紛，或是對你頤指氣使。他們使你不愉快，而如果你靠著自己的力量來面對，也許會想衝過去與他們爭論。但如果你保持平安，如果你氣量寬大以高格調應對，如果你輕看這些，上帝就會為你爭戰。

我們翻閱聖經就可以發現，真正信靠上帝的人被比喻為老鷹。老鷹有些對頭，其中之一就是烏鴉。烏鴉總是嘎嘎叫，為老鷹製造問題。事實上，我們的生活中也會有些烏鴉，也許你還遇到一整群烏鴉大隊，中間還插花了幾隻山雞與火雞！

有些人可能會得罪我們；而且如果我們允許，他們還會激怒我們。我們要轉而向老鷹學習；當老鷹展翅高飛，通常會有一隻烏鴉緊跟著牠開始糾纏不放，激怒、打擾牠。雖然老鷹比烏鴉大多了，卻無法迅速地應對。老鷹若要趕走這個

攪擾，只要伸展八呎長的翅膀，順著熱流振翅高飛。最後，牠飛到其他鳥類飛不到的高度，烏鴉在那裡幾乎無法呼吸。在少數情況中，老鷹會在兩萬呎處被發現，幾乎和噴射機飛行的高度一樣。

同樣地，如果你想要擺脫對頭，就必須飛得更高。不要向下沉淪與他們一般見識，不要爭辯；不要試圖報復，不要和他們冷戰。要心胸寬大，輕看他們的過犯。行在愛中，放膽祝福你的仇敵。烏鴉終究是不能與老鷹相比的。

朋友，你就是鷹；你是依照全能上帝的形像被創造的。要學習超越環境，超越辦公室裡的勾心鬥角。不要讓人把你捲入紛爭與分歧之中，以致你惱怒或說人閒話。

總要記得，那些火雞、山雞與烏鴉無法活在你本應翱翔的高度。上帝完全掌管你的生命，祂已應許：如果你保持平靜安穩，祂會幫你撥亂反正。祂會把公義帶入你的生命，你無須擔憂，也無須被環境掌控，你可以如鷹展翅上騰。

你不會看見老鷹在雞舍裡和雞隻張口啄架，老鷹活在高空，親近上帝之處。

不僅如此，當風雨來襲時，老鷹不單只是穿梭於風雨中。相反地，牠伸展翅膀，御風而上；牠會展翅上騰到完全離開氣流，牠並不擔心自己所面臨的風雨。牠不心煩意亂，牠知道自己的出路。

無疑地，牠可能會掙扎、扭曲地對抗風雨，最後精疲力竭，一敗塗地。但是上帝既已賜牠超越一切的能力，這樣活著是多麼羞愧啊！

然而這正是很多人的寫照；上帝已將祂的平安賜給我們，祂已經告訴我們要把憂慮卸給祂。祂說，如果我們安

歇，祂會爲我們爭戰。然而太常見的是，我們放任自己擔憂、苦惱，任由別人偷走我們的喜樂。如果我們的計畫未如預期地實現，我們就大發雷霆，或者，也許我們會因上司、丈夫或妻子不照我們的心意去做而感到沮喪。

也許你無法改變生命中的一些層面，但你可以超越它們。把那些景況交託給上帝，今天就決定你不再讓那些事情使你苦惱、煩憂。

有趣的是，烏鴉光是要飛起來，就必須不斷振翅，而雞甚至連地面都離不開，無論牠振翅多少次，牠就是飛不遠。但是老鷹只要把握對的氣流，就能翱翔天際。牠不用和烏鴉一樣，不斷勞碌緊張。牠只要展開翅膀，安歇在上帝賜予牠的天賦之中，跟隨風的帶領。

如果你不斷感到挫敗，就嘗試修整你生命中的每一件事，試著去澄清別人對你的評論，一直擔憂你的健康或財務狀況，那麼你就是在做烏鴉的動作，是不斷在勞碌努力，翅膀拍個不停。朋友，生活不必成為這樣。你何不放輕鬆？上帝全然掌管你的生命，祂說祂永不撇下你，也不丟棄你，祂說祂是比手足還親密的朋友。

你也許會說：「我真不知道生意要如何成功。」或是：「我不知道要怎麼解決這個問題。」

聖經上說，我們眼所見的只是暫時的，這表示它們本來就會改變，只要上帝的恩手輕輕一摸，祂就能翻轉任何情勢。突然之間，上帝可以使你生意興隆，能夠給你新點子或新客戶，讓你生意有起色。上帝能把真正愛你的人帶入你的生命，祂能在對的時刻把你安置在適當的位置。任何情況，上帝都能在一秒之內翻轉過來。

今天就決定你要進入上帝的安息，不要再活在憂慮之中，也不要讓人偷去你的喜樂。不要放棄上帝放在你心中的夢想，也許你需要的只是建立新的觀點，一個全新的視野。也許你已經長久處在困境之中，受到風雨肆虐，看起來好像沒有任何好轉的跡象，而你則灰心喪志；生命看來黯淡無光，而你也發現自己活在遠低於你相信上帝要你活出的層次。但你必須和老鷹一樣飛得更高，超越環境。

有時，我坐在將要起飛的飛機上，所看到的天空是灰暗多雲，幾乎是烏雲密布。然後飛機在跑道上加速起飛，衝向雲霄。最後，我們衝破陰沉的天空；而注意囉，雲端之上可是陽光普照，天空湛藍，還可以感覺到空氣清爽宜人。

現在，這激發我想到：陽光一直普照著，只是我必須用更高的眼界來看。同樣地，你生命中的雲層只是暫時的，可能目前看來灰暗陰沉，但太陽一直在那兒明亮地照耀著。在你覺得沮喪時，你所能對自己說出最好的話就是：「這也會過去的，它不會一直永遠在那兒，有一天雲層終將散去，我會再次看見上帝的良善彰顯在我的生命之中。」

朋友，要有更高的眼界。上帝與你同在，對祂來說沒什麼是太過困難的。要放開一切拖累你的事，如此你才能明白上帝全然掌權而免於憂慮、挫敗或沮喪。當生命困苦，事情不順時，不要當雞，也不要當烏鴉，要當上帝要你成為的老鷹。伸展你的雙翅，上騰到上帝要你活出的境界；你受造要御風高飛，要翱翔天際。

第 *23* 章

記得那上好的

詩人說：「我要提說耶和華所行的許多奇事，我要不斷思想祢的作為。」[1]注意，他說上帝所行的良善一直在他的心中，這真是很棒的生活態度！

然而，太常發生的是，我們總記得應該要忘記的，諸如失望、傷害與失敗，卻忘記了我們應當要記得的，像是勝利、成功與美好時光等。

在舊約裡，上帝命令百姓慶賀一些節日，好讓他們不致忘記祂為他們所行的事，以便他們可以把這些激勵人心的故事傳給下一代。以色列人一年會有幾次放下手中正在做的事，每個人都慶賀上帝帶領他們脫離奴隸生涯，慶賀上帝如何擊敗仇敵，或慶賀上帝如何保守他們遠離災禍。這些慶典不是可有可無的；它們是強制規定的，而上帝的百姓都必須參與，並記念上帝對他們的良善。

在聖經其他地方，則記載了上帝的百姓是如何放置「紀

念石」。這些大型石碑是要提醒人們，上帝所賜予他們的特定勝利。每次當他們或後代經過紀念碑，就會記得上帝所行的大能之事。

我們也必須做相同的事。花些時間記憶你的勝利，慶賀上帝在你生命中所行的事，並放置一些紀念石碑。

這是建立信心並激勵自己最好的方式之一。要記得上帝在你看似走投無路時幫你開路的那時候；要記住當你極度孤單，而上帝把那位特別的人帶入你生命中的時候；別忘記上帝曾經醫治你或你所認識的人；想想祂是如何在風雨中保守你，指引你，賜福於你。如果你內心感知上帝的良善，你不會一直想著：唉，我真懷疑自己到底能不能脫困？我真懷疑上帝到底會不會在我生命中工作？

不要這樣想，你要說：「我知道，如果上帝為我行過一次，祂會為我再行一次！」

定期回顧上帝對你的良善是有益的，也就是只要想著你生命中的重大勝利、意料之外的成功，或是想想之前你明白上帝曾為你介入的某種情勢。要記得你孩子出生的那一日，記得上帝如何賜你工作，記住上帝把那特別的人帶入你生命之時。要提醒自己是怎麼陷入愛河而走入婚姻；為你的配偶與家人感謝上帝，記住上帝為你所行的事。

我經常且刻意這樣做。我想著自己還是二十出頭的小夥子，走進德州休士頓的一家珠寶店。當時我在想著自己的事，希望能買到手錶的電池，然後從裡面走來一個我見過最美麗的女人。我看見維多利亞的那一刻，心裡想著：上帝，祢剛應允了我的禱告！我們交往了一年半，兩人還真是難分難捨，於是我們結婚了！至少這是我記得的。但我沒把遇見

與迎娶維多利亞視爲理所當然，這不是巧合也不是好運，這是上帝引導我的腳步，讓我在適當的時機出現在正確的位置。當我憶起這些，就提醒了我：上帝掌管我的生命。這讓我有信心知道，如果上帝當時引領了我的腳步，祂今天一樣也會引導我的步伐。

當我們學習回想上帝所行的好事，就會幫助我們保持信心的態度並心存感恩。當你不斷想著上帝對你有多好時，要抱怨個不停是很難的。當你一直談論上帝在你生命中賜下的福分與恩惠時，要變得負面而轉向懷疑不信是很難的。

「唉，約爾，如果上帝也爲我行那樣的事，也就是說，如果祂也給我個嬌妻，或如果祂賜我很棒的人，我也會有些好事可以回想。」

不要這樣說，上帝已經爲我們每個人成就了某些事。我們只須回想並記憶我們從何而來。也許你習慣於負面思考與說話，你曾經灰心失敗；但如今你更上一層樓，知道自己是得勝者而非受害者。也許你一度飽受各種癮癖與壞習慣所苦，但上帝以超自然的方式釋放了你，今天的你健康完整。要感謝上帝所行的事，記住祂如何使你得自由。記得你從何而來，是激勵自己的最好方式之一。

有時我們把這些事視爲理所當然，有些人甚至不知道這是上帝在他們生命中的工作。

我聽過有個人開車繞行在停車場裡，試著找個停車位。最後他十分沮喪地說：「上帝，如果祢給我一個停車位，我就每個禮拜上教會。」

就在那時，前排有輛車倒退出來，這位沮喪的駕駛就把車停進那個車位。他抬頭說：「不用了，上帝，我剛找到一

個。」

太常見的是，我們忘了上帝是一切美善事物的賜予者，上帝是讓我們有「好運」的那一位，是在適當的時間把我們放在正確位置的那一位。你有多少次行駛在忙碌的高速公路上時，曾對自己如此說：「哇！那輛車差點撞上我，再差一秒我就出意外了」？這就是上帝保護的手，要明白，當你的生命受到上帝引導時，沒有一件事是巧合。當好事發生在你身上，要敏銳地認出這是上帝的工作，並學習常常回想。

在我和維多利亞結婚不久之後，有一天我獨自開車行駛在休士頓的高速公路上。那時是週一下午，剛下了一陣傾盆大雨長達二十分鐘之久。我正行駛在左側第二車道上，而當我變換車道時，車子濺出了一大灘水。我的輪胎打滑，以致車子飛了起來，我無法控制車子而筆直地衝往高速公路中間的水泥護欄。我以時速五十哩撞向中央分隔島，當我撞上護欄時，我的車被彈回高速公路並失控地劇烈打轉。

我沒時間禱告，也沒時間引用詩篇第九十一篇，更沒時間撥打廿四小時禱告熱線，我只有時間說：「耶穌！」當我又轉回高速公路上時，我發現自己正對著迎面而來的十八輪拖拉連結車的車頭燈。我似乎要撞到他的車頭了，我和他的距離不可能超過五或六呎，我閉上眼睛，預期隨時聽到金屬碰撞聲，以為吾命休矣！

然而，不知什麼原因，不知怎麼地，我突然發現自己在高速公路另一端的溝渠裡。我竟在德州休士頓的尖峰時刻越過了六條車道，而居然沒有一輛車撞到我！

在我檢查確認自己身體各部位都還在原位後，我爬出車外。在我爬行時，我注意到這輛幾乎撞上我的十八輪連結

車，已經停到公路旁邊，正在倒車。這輛連結車花了約十分鐘回到我剛才所在的地方。

這位駕駛跳出駕駛座，來到我斜靠著車子的地方，他一開口就對我說：「天啊，你一定是個盡本分、做善事的人。」

我笑著問：「你這話是什麼意思？」

「我不知道我是怎麼和你錯開的，」卡車司機搖頭說：「你就在我的正前方，我試著緊急轉向，但我的車載滿貨物，沒辦法轉。因此，我只能硬著頭皮準備撞車。」

他滿臉困惑地說：「我知道這聽來很詭異，但就在最後那一刻，我感到有一陣風把我推向另一個車道。」

我心裡想著：他也許稱這個是一陣風，但我知道這是上帝派來的天使，是上帝保護的手。

對我而言，這又是另一個我可以放在生命中的紀念石。我知道，若不是上帝的良善，今天我可能就不在這裡了。然而，對於上帝在我看似走投無路時顯現並開路，我沒有把它視為理所當然。我記得上帝在我生命中行過的事，而我為此感激祂。

我鼓勵你隨時帶著一本筆記簿，類似日記或日誌那樣的。一旦有上帝作為的事發生在你生命中，你就寫下來。你知道上帝開了一扇門時，就把它加進去。當你知道上帝救了你的命，或你知道上帝對你說了特定的話指引你方向，那就把它寫進去。在你灰心失意，準備放棄時，上帝用聖經經文激勵你的心，振奮了你的靈，那麼把這寫進去。持續記錄上帝為你成就的好事。

這不用都是些大事；對別人來說這可能看來微不足道，

但你知道這是上帝在引導你的生命。也許你出期不意地遇到某些人，他們把你介紹給另一個人，而讓你多了個新客戶，就把這記錄下來。也許你行駛在高速公路上的時候，看見一個廣告看板，讓你想到一個新點子而把它帶進辦公室，受到老闆器重使你得到升遷，要明白這是上帝在你生命中的工作，並把它寫下來。

然後定期把這本筆記簿拿出來，讀讀上帝在你生命中行的一切好事，你就會飽受激勵！當你回憶上帝是如何為你開門，如何在這裡保守你，如何在那裡使你恢復，又醫治你，你的信心就會增長。特別是在困苦之時，當你快要灰心沮喪時，要把這本筆記簿拿出來再讀一遍。如果你這麼做，就不會灰心失意度日。你會明白上帝掌管著你的生命，祂把你捧在手掌心，而且祂會看顧你。

第 24 章

上帝掌管一切

若你真正要變得更好，相信上帝掌管你的生命是至關重要的。太多人成天擔憂、苦惱，他們總在嘗試釐清每一件事：我要怎麼脫離這個問題呢？要怎麼改變我的孩子呢？我什麼時候才可以結婚呢？我的夢想為何無法實現呢？

這不是上帝要我們活出的方式，當我們真心倚靠祂並相信祂掌管一切，就能安歇，我們的心靈就會有平安，因我們的內心深處知道，一切都會很好。

許多時候，我們失去平安而開始憂慮，是因為我們沒有看見自己禱告或相信的事情正在發生；每件事月復一月，年復一年地看來毫無進展。但我們必須明白，上帝正在我們生命的幕後工作著，祂已事先為你安排好光明的未來。若把布幕拉起，讓你一窺那看不見的領域，你就會看到上帝正在為你爭戰。你會發現你的天父已為你的益處安排好一切，你會

看見上帝如何預備爲你開門，並把機會帶到你的路上。我深信，如果我們真的能看見上帝在幕後指揮一切，我們就無須擔憂，也不會再倍感壓力地活著。

上帝正在我們生命的幕後工作著。

事實是，我們都會遇到困難；我們的生命中都有些事會偷去我們的

喜樂，偷去我們的平安。我們必須學習把這些交託給上帝，並說：「天父上帝，我倚靠祢。我相信祢掌管一切，即使我可能沒有看見任何事確實發生，我相信祢正在我的生命中作工，行在我前方，修直我的彎路，讓我在適當時機能夠就位在正確的地方。」

你也許正試著釐清每一件事，試著解決所有問題。但如果你能單單學習放手，並開始相信上帝眞的在引導你的腳步，這就能卸下你的壓力，使你更享受人生。

聖經提醒我們：「因爲上帝一直在你生命中作工。」請注意，上帝不是有時做工，然後停工兩、三年去度個假，等回來再多作些工。上帝乃是不斷在你生命中作工，這表示，雖然你可能無法看見，但上帝仍在爲你的益處張羅著事情。祂正安排合適的人列隊進入你的生命路程，祂正觀看著往後幾年，並把一切都完美安排好，幫你列出你甚至還沒想到的問題解決之道。祂爲你和孩子預備合適的伴侶，爲你預備了即將開啓的最佳機會之門；上帝不斷在我們生命的幕後工作。

「唉，」你說：「約爾，我已經爲我的孩子禱告兩年了，但我沒看見任何事成就。」「我一直相信我的財務狀況

會改善，但它們還是每下愈況。」或是：「我一直禱告能遇見合適的伴侶，但已經四年了卻還沒遇到。」

不，你不知道上帝在幕後做什麼。不要只因為你沒有看見事情發生，就灰心喪志，這不表示上帝沒在工作，事實上，許多時候上帝在我們最看不見時，卻成就最多的工作。

當我們正逢青黃不接，看不見事情成就時，那只是信心的試煉。我們必須堅守立場向上帝表明我們受造的特性。許多人負面、灰心地說：「唉，我運氣一直不好，我知道沒好事會發生在我身上。」「我知道我永遠擺脫不了這個問題。」

不對，你不要再說這些話了。如果你想要通過試驗，就必須面帶微笑並說：「雖然我還看不見任何事情成就，但我知道上帝正在我生命中作工。」

「也許我的孩子不學好，但我知道這只是時間問題。至於我和我家，我們要事奉耶和華。」

「我的財務狀況也許還是老樣子，但我不擔心，我知道我蒙福，而不能被咒詛。我知道在適當的時刻，事情會為了我的益處改變。」當我們抱持這種信心的態度，將會看到上帝在我們的生命中行偉大的事。

許多時候，上帝正在工作而我們卻沒有認出來，我們必須更體察上帝的良善。當你有好運，當事情為你的益處改變，當你發現自己在適當的時刻處在正確的定位時，要明白，這不是單純的巧合；這是上帝正在引領你的腳步；這是上帝在你的生命中作工。如果你敏銳察知，這將會鼓勵你並建立你的信心。

我們每個人都能回顧生命，並會在其中看見是上帝之手作工的重大時刻。這幾乎就像是我們在玩連連看的遊戲，例

如，我能看見我是怎樣在這裡遇到這個人；有幸讓我在那裡得到工作因而遇見我的另一半；如果我當初沒出現在那裡，我可能永遠得不到那個升遷等等。

這不是走運；這是上帝的恩手。從頭到尾，上帝都在幕後工作著。

我記得和維多利亞剛結婚不久，我們看到一間我們真的很喜歡的房子。那是一間破敗的舊屋，但坐落的地點非常好；我們知道這是為我們預備的。以天然的觀點來看，這不合乎常理，因我們當時住在一棟美麗的連棟住宅中，然而我們卻知道這就是上帝要我們做的。因此我們踏出信心的一步，買了這棟破屋。在交易敲定的那一天，我們站在前院，而有位不動產經紀人經過，就進來對我們出了一個比我們買入價高出很多的價格。我們心想：「這是怎麼回事？」我們無法理解。後來我們才發現，他們正處在該住宅區交易限制轉換的過程之中，幾年之後，我們用高於兩倍的價格出售那棟房地產。這就是上帝讓我們在適當的時間出現在正確的位置。

要明白，宇宙的創造者正在你的生命中作工。你也許正在做月復一月、年復一年一直在做的事，但突然之間，你遇到一個提供你新職缺的人，你想到一個讓你邁入新境界的點子。你在適當的時間出現在合適的位置，遇到你夢中的白馬王子或白雪公主。上帝可能已在十年前就已安排，讓每件事就緒，然後突然間，這些全都一起發生，突然間這就是上帝的時刻臨到之時。

在此之前幾年，你可能會想著，我的生命一無所成，我可能永遠也擺脫不了這個問題。然而，自始至終，上帝都在

作工，事情都在幕後發生。

我要請你別落入沒有喜樂、沒有熱情的陷阱，也別處於自認為沒有好事發生的人生之中。你必須甩開這些，並開始現在就相信（不是從現在起兩週後，而是就在此刻），上帝正在你的生命中作工。就是此刻，上帝正為著你的益處安排一切。就是現在，上帝正為你爭戰。就是現在，上帝正把你的彎路修直。今天也許你沒看見這些實現，但關鍵在此：你用信心與期待度過的每一天，都會使你更靠近你看見事情成就的日子。如果今天沒有實現，你的態度應該是：「沒什麼大不了，我知道明天就會實現。如果明天不實現，再過一天就會實現。無論這成不成就，都不會偷去我的喜樂；我不要活在沮喪之中。我知道上帝掌管一切，而就在適當的時刻，這將會實現。在此同時，我要放輕鬆享受人生。」你必須相信上帝正在掌權，相信上帝正在你生命的幕後工作。

聖經說：「上帝運行在你們信主的人心中。」[1]注意，他的大能惟有在我們相信之時才會啟動。上帝能夠在你的一生中為你作工，但你卻會因為不信而得不到完全的益處。當然，也許你可以這裡得點好運、那裡又得點好運，但當你真正相信，當你真正每天一起床就期待好事發生，你就會看到上帝更多的恩惠，你會看見他在幕後成就的工作。

即使當我們遇到困難，即使在事情不順之時，我們都必須相信上帝已經有了答案。換句話說，這個問題並非在上帝的意料之外。孩子不學好、財務困境、孤單寂寞，都不會阻撓上帝，上帝都有答案，他從頭到尾都一清二楚。上帝知道我們在未來會面臨的每一個試煉，他知道我們將要經歷的困難；好消息是，上帝已經有解決之道，他已經開了一條出

路。這告訴我們無須擔憂度日，無須成天飽受壓力，因為上帝掌管一切。

當我們傾向負面並開始抱怨時，就必須轉變態度。我們的態度應該是：「我知道上帝正在解決這個問題，我知道祂正在改變事情，預備合適的人，柔軟人們的心。我相信，上帝不僅會帶領我脫困，祂還會讓我變得比之前更好。」當我們秉持這種心態，就能卸下所有的壓力，能放輕鬆享受生命，因我們知道上帝掌管一切，我們知道，只要相信，上帝始終在為我們的益處作工。

回顧你的人生，看看那些必定是上帝成就之事，是很激勵人的。我認識一個年輕女子，她在路邊認識她的丈夫。她的車尖峰時刻在高速公路上爆胎，而他停下來幫她換車胎。他們於是開始交往，然後結婚，至今過著美滿的婚姻生活。

現在，想想那些情況交集在一起的機率。這必定是出於上帝的手。上帝對這位女子說：「是時候了，你始終信實，你已通過試驗。現在，讓我向你彰顯我這些年來在幕後的工作。」祂讓那位年輕男子從另一個城市搬遷過來，給他合適的工作，安排他的生活細節，好讓他在那確切的時刻來到高速公路上，只有上帝才能精心安排這一切。

卸下你的壓力，並開始相信上帝正在掌管你的生命。

當年我們在交涉取得康柏中心之時，我們需要市議員的十張贊成票。我們已經努力了兩年，取得了其他一些票數。當進入最後投票時，我們恰巧取得十票，也就是最低的票數要求。但不幸的是，就在投票的前幾天，我們收到通知說，有一位市議員改變了心意。他甚至不會出席最後表決，這等於是投了我們反對票；而這些人正是我們極度需要的一票。

　　我們灰心得不得了。情況看來無望，我們一切的努力與禱告好像都付諸流水；但我們決定回去與另一位市議員會面，看看他能不能改變心意。他是個年輕的猶太人，一位體面的紳士，但他堅決反對湖木教會使用康柏中心超過兩年的年限。然而，我們想：請他重新考慮又有何損失呢？

　　到了最後一刻，與我們會面的這位男士改變了他的心意。是他的贊成票讓我們取得足夠的票數，來確保康柏中心成為湖木教會的設施。

　　後來我與此人談話並問他：「真正使你改變心意的關鍵是什麼呢？」

　　他說：「約爾，我接到一通老朋友的電話，她是一位年長的猶太女士。我已經好幾年沒和她談話，我真的非常尊敬她。但她告訴我一定要把票投給你的教會。」他繼續說道：「即使你幾千個會友曾撥電話來我辦公室，要促使我投下贊成票，即使你與你的團隊都非常有說服力，但使我改變心意的卻是這位女士。」

　　來思考一下：就我所知，我從未見過這女士，我也沒請她撥電話。直到今天，我仍然不知道她是誰。我只知道當我們盡全力時，上帝也在幕後進行我們靠自己永遠成就不了的工作。而我們無法靠著自己的才能與力量做到的，上帝已經讓別人來為我們效力了。

　　上帝知道誰能夠影響你的生命，祂知道誰應該對你說一番金玉良言。也許你甚至不明白這為何且如何發生：為何有人對你好？你為何會有這種好運道？這就是上帝在命定你的腳步。好幾年來，祂在幕後工作，但時候一到，事情全都一起成就。

不要成天想著：我的狀況可能永遠不會改變。我永遠無法脫離債務。我的餘生都要帶著這個疾病。我想自己大概永遠結不了婚。不對，當你這麼做，你就是在綁住上帝的手。當你要陷入負面的思考或是態度時，要把態度轉向，並說：「我知道上帝正在我的生命中作工，我知道時候就要成熟，而且有一天，我會看見上帝在幕後為我所做的一切工作。」然後每天出門時都期待好事發生，深知宇宙造物主正在引領你的腳步。

不久以前，我與一位男士聊天，他在卅五年前設計休士頓市區靠近康柏中心的高速公路出入口斜坡。他講到當時他是怎樣設計出口斜坡，好讓人們可以輕鬆把車停進停車場。他明白會有大批人潮湧向市中心，因此他與市府一起測定該區所有燈號的時間，使之更便民、更方便、更有益於前來康柏中心參加活動的民眾。

我想著：這又是另一樁上帝的美事。卅五年前，上帝在幕後工作，讓人更容易來到我們教會，讓人可以尋得盼望與幫助。在這位工程師與我聊天時，我笑著告訴他：「我應該要在當時就向你道謝，但當時我只有三歲！」

當然，這幾年來，體育館用來舉辦籃球賽、演唱會與其他活動，但我相信那些都是次要的。我相信上帝好久以前，就已經計畫湖木教會將從那個地點對世界發出盼望。

同樣地，我相信上帝也在你生命中的幕後工作著。祂正在運作，要把你推入一個全新的境界。也許多年來你都沒有看到頂點，因此你必須學習信靠祂。停止憂慮，不要讓自己因為夢想沒有如預期般快速實現而心灰意冷。在上帝完美的時刻，祂對你生命的計畫將會開花結果。

在日常生活中尋找上帝的恩手

要在你生命中的每一件小事上信靠上帝。大約半年以前，我接到一些令人失望的消息，那是個很棘手的問題，我不知道該怎麼辦。一開始，我會憂慮，想破頭要釐清事情。在那種壓力的環境中，如果我們不留心，就可能讓自己的心志浮現出各種最壞的畫面。負面聲音會告訴你：「你在走下坡，你將無法支付帳單，你可能會失去房子。」

也許你身體有疼痛，心裡就發愁想著：「喔！這可嚴重了，最好趕快去看醫生。」

不，我們必須選擇控制思慮，相信上帝仍在那狀況中工作。

當我接到這壞消息，我正在辦公室裡，正要去搭電梯，但就在那時，一位我自幼就認識的女士走出來。她很愛我，一直為我禱告。然而因為我們的計畫行程不同，我大概已經四、五年沒遇過她。我們互相以擁抱問候，就在她開口之前，我已經知道她要說什麼。她說：「約爾，我仍然每天為你禱告。」

我心想：這絕非巧合。這是上帝在引領我的腳步來到適當之處，好讓祂可以鼓勵我。這是上帝在說：「約爾，一切都在我的掌管中，一切都會沒事，只要保持平靜安穩。」

如果我們留心，就會常常察覺上帝的動靜；我們將明白祂正在對我們說話，引導我們，指引我們的腳步。

我父母家有個小房間，其中有一扇面對院子的大窗戶，鳥兒在院子裡的樹林間飛來飛去，我母親特別喜愛其中一隻。那隻小紅雀每一天都會棲息在離窗戶最近的樹枝上，我母親非常喜歡牠，喜愛到每天都期待看見牠。這隻小紅雀每

天都會準時露臉，並在院子裡待一個下午，這樣持續了五、六個月，但最後這隻友善的鳥兒不再來駐足。我試著把我的寵物鼠送給我媽，來安慰她，但她一點也不想要！

大約一年之後，我父親回天家。現在母親獨居在家，她必須做些調適。我確信有時她會覺得寂寞，會灰心失意。

然後有一天，那隻小紅雀回來了。對某些人來說，會認為那是巧合，或只是一種自然界可以解釋的現象。但對我母親與家人來說，這是上帝在說：「我仍有計畫，我仍然掌管一切。」

如果我們敏銳，如果我們留心體察，我們終其一生都會在每一件小事上看見上帝的恩手，那是上帝在讓我們知道，祂仍在幕後工作著。

我有個朋友罹患醫生所謂的末期癌症，他們不給他任何希望。但有一天，他的四歲兒子拿著聖經來找他。小男孩把聖經打開並說：「爸爸，我要你唸這段經文給我聽。」這個小男孩還不認識字，因此他也不知道自己指的是哪一段經節，但當他父親唸那段經文時，那段話正中他的心懷。那是約翰福音十一章4節，耶穌說：「這病不至於死，乃是為上帝的榮耀。」

我朋友銘記於心，他覺得這是上帝在說：「我知道你正在經歷的，我看到你的每一滴眼淚。也許你覺得不可能，但要記得，我是成就不可能之事的上帝。要不住相信，不住倚靠，我仍然掌管一切。」

這些小記號只是上帝為我們建立信心的一瞥，它們提醒我們，上帝正在幕後工作著。我們的責任就是敏銳察知祂的帶領，留心祂的恩手在我們每日面對的環境中運行。如果你

將自己調頻到與上帝的頻率一致，你很快就會發現，多數時候，你不是碰巧遇到某個人，你不是運氣好，你不是剛好在適當時機出現在正確的位置，那都是上帝在引領你的腳步。

湖木教會在休士頓東北邊聚會的最後一週，對我來說是個非常深刻的經驗。我一輩子都和家人在那個牧區聚會，我在那裡長大。雖然我很興奮要搬到市區，但要離開這個地方也是很令我傷感的。在我開車去參加最後一次禮拜六的晚崇拜時，那裡許多美妙的回憶一一浮現心頭。當我回想起上帝所做的一切，我抬頭望向天空，看見一道美麗的彩虹。這道彩虹看來簡直就像一端在東北邊的牧區，另一端跨越了休士頓市區，朝向市中心而去。這幾乎就像是上帝在讚許我們的搬遷，說：「我很喜悅，你們在這裡的工作已經成了，該是進入一個新開始的時候了。」

你也許會說：「唉，約爾，我以前也看過彩虹，它們根本沒意義。」

這是因為，彩虹乃是針對信徒的應許！你必須相信上帝正在你生命中作工，然後留心看祂成就事情。那可能是有一天你在靈修時一段跳進你心中的經文，也許是你後院裡的一隻小鳥，也或許是你看見天空裡的彩虹，並明白該是自己邁入嶄新開始的時刻。上帝給我們這些小兆頭，來建立我們的信心，讓我們知道祂仍然掌管一切，祂仍在幕後工作著。

即使在我們困苦之時，上帝仍在我們的生命中作工。有一對年輕父母對我提及他們已回天家的女兒。這女孩在三歲時罹患重大疾病，臥病在床而後離世。她的父母痛苦不堪，幾乎崩潰。他們在醫院裡幾乎與她寸步不離。

最後，這個小女孩陷入昏迷。這對父母知道他們要失去

她了，但就在她過世之前，她露出最安詳的微笑，說：「看哪，媽媽，看哪，爸爸，耶穌說到那邊是很好的。」說完便閉上雙眼，嚥下最後一口氣。

即使我們以為自己無法再歡笑的時候，上帝仍然與我們同在。祂是比手足更親密的朋友，祂賜你新的開始。聖經說：「一宿雖然有哭泣，早晨便必歡呼。」[2]

今天就放膽信靠祂，即使在你失望、心碎與痛苦之時，也要無懼地相信上帝與你同在，因祂說祂總不撇下你，也不丟棄你。

你無須釐清所有事情。也許你不知道自己的未來如何，但只要你知道誰掌管你的未來，一切都會很好。上帝多年以來都在幕後為你的生命作工。

我不知道祂為我的未來預備了什麼，但我知道我很期待。想到創造天地、在天際放入星辰的上帝是如此在意你我，而不斷地為我們的益處作工，就讓我春風滿面。明白上帝比你一切的遭遇更大，明白祂早已為你十年或二十年以後才會遇到的問題，安排好了答案，應該會讓你在今日享受生命時，擁有驚人的信心。

無論你的環境是好、是壞，你必須知道上帝已經知曉一切，而且祂正在幕後為你的益處打點未來。要學習信靠祂，別再憂慮，要拒絕一切指向挫敗或缺乏耐心的想法。切記，當你相信，你就在啟動祂的大能。要牢記，你沒看見事情發生不表示上帝沒有在作工。你何不放棄掌控，然後說：「上帝，我要倚靠祢。我知道祢對我的生命有個偉大的計畫。」

當你這麼做，將會發現你的重擔大大減輕。你不僅能更享受人生，還會看見上帝更多的賜福與恩惠，你會變得更好！

行 動 要 訣

第V部 欣然擁抱你的處境

1. 我知道上帝在信心與盼望之處作工。我要把我面對的情勢交託給上帝，我不要任由自己擔憂或沮喪。我要認清：即使我無法看見有正面進展的外在憑據，上帝仍在幕後作工。

2. 我要在生活的小事上尋找上帝良善的記號。我要實際認出祂賜福於我，我要更體察祂在我日常生活中的工作，無論是陌生人的一句好話，天空中的一道彩虹，窗台上的一隻小鳥，還是野地裡盛開的花朵。

3. 今天我要宣告上帝在我生命中的恩惠，我要大聲說：「天父，謝謝祢在我生命中作工。雖然我還無法看見，但我知道祢正在為我的益處安排一切。」「我知道烏雲終將散去，我會再次看到上帝在我生命中的恩惠。」「我正期待上帝恩惠的碰觸，能夠為著我的益處與祂的榮耀翻轉我的情勢。」

4. 我知道上帝把我放置在我的處境上是有理由的。祂正引領我的腳步；我正處在我目前應有的定位，即使這不是個好處境，上帝卻給我力量自處，而我知道前方有美好的日子。上帝將我捧在祂的手掌心上，祂會保守我，指引我來到祂為我預備的上好之處。今天我選擇用自己面對環境的方式，為他人帶來正面影響。

第VI部

培育你的内在生命

第 25 章

更上一層樓

上帝對每個人的計畫，就是要我們不斷邁向新的境界。但是我們能登得多高，會經歷上帝的多少福分與恩惠，將直接與我們如何配合及跟隨祂的指引有關。

在我們的一生一世，上帝會改造我們，並顯明我們必須改進的地方。祂常透過我們的良知，或透過微小的聲音對我們說話。祂知道會使我們退步的事物，祂知道我們的軟弱、過犯與我們不為人知的祕密。當祂讓我們注意到這些的時候，如果我們要不斷得著成功與福分，就必須願意面對關於自己的真相，並採取上帝所指示的矯正措施。

許多人沒發現對付這些問題的重要性，結果他們一直陷在舊有模式之中，例如婚姻的舊有模式、財務的舊有模式，或事業的舊有模式裡。他們隨意粉飾太平，好像問題根本不存在，希望沒人會注意到。從頭到尾，他們都不理會上帝微小的聲音。

有時我們會想：順服上帝太難了。我知道我應該饒恕那個人，但他傷我這麼深。又或是我知道我必須保持體態健康，但我真的不太有時間。我知道我應該停止過度工作，但我需要外快。

很重要的是，要了解上帝告訴我們的每件事都是為了我們好，上帝從不攔阻我們得著祂最好的一切，祂也不會故意讓我們日子更難過。恰恰相反的是，你的天父正在等候你的順服，好讓祂可以在你生命中賜下更多的恩惠與祝福。

你生命中有沒有任何事是上帝一直要對付，但你始終不斷拖延的？也許你不斷耽延或忽視祂的帶領，像是要讓你的財務狀況回到正軌，要你別再那麼愛論斷人，要你讓家庭遠離紛爭，或要你在工作上與人和好等等。要留心上帝正對你說的話。

也許上帝要對付你的交友問題，就是那些你最常選擇為伍的人。也許你明知有些朋友會帶來不良影響，並使你向下沉淪，但你不斷找藉口：「我不想傷害他們的感情，此外，如果我不和他們混在一起，我可能就沒朋友啦。」但事實上，如果你做了自己知道是正確的事，上帝就會賜你新的朋友。不僅如此，祂還會給你更好的朋友，是會使你進步而非拖你下水的朋友。沒錯，也許你在轉變時會經歷孤單期；但我寧願暫時孤單，知道自己正在進步，知道自己正在實現上帝對我的命定，也不要人們污染我，阻止我成為上帝創造我的樣式。

當你順服，你就蒙福。

當你順服，你就蒙福。為什麼

呢？因為你正撒下一顆將要生長茁壯的種子。也許它不會一夜間就發生，你卻會在某個時刻，以某種方式看到上帝做在你的生命中，讓它開花結果。

我要問你的是：你想要登得多高？你想要不斷得著更多嗎？你想要見識上帝更多的恩惠與賜福嗎？如果是，我們登得愈高，就必須愈有紀律，必須愈快順服。如果我們和那些放棄原則、對配偶不忠的不義之人混在一起，我們只是在自找麻煩。

「唉，約爾，他們都是好人，而且他們的行為也不會影響我，對我一點傷害都沒有。」

不對，你不明白你和他們的交往正如何使你退步。你不知道上帝要給你什麼，但除非你擺脫那些負面影響，否則祂無法、也不會給你。如果你照上帝所說的去做，你會看見上帝以新的方式施恩，而你整個人都會邁向更高的層次。

要明白，我們愈拖延處理自己的品格問題，接下來就會愈難解決問題。若你學習快快順服上帝的提醒，你會遠比現在更好。在你感到不對勁的那一刻，在你感到內在警鈴作響而有個聲音說：「這是不對的」的那一刻，就要採取必要步驟，遠離那種行為、言詞與態度。因為那很可能是上帝在對你說話，是祂嘗試讓你行在祂為你生命所舖的最好道路上。

上帝已賜給我們自由意志，祂不會強迫我們去做正確的事，也不會強迫我們做下好的決定。要不要聽從那微小的聲音，操之在我們每個人的手上；同時，我們不可太忙碌或太專注自我，以免錯失上帝試著告訴我們的話。要學習依照祂的帶領來行動。

上帝的指引通常會影響到我們生活中最實際的層面。最

近，有個年輕女子告訴我，她感到一陣強烈衝動要去找醫生做健康檢查。她看來健康得不得了，她活潑好動，精力旺盛，定期運動。然而，這種感覺一直持續著：「去看醫生，去做健康檢查。」那微小的聲音在對她說話。幾星期以來，她始終不加以理會並且不斷拖延：「喔，我好得很，這話不是對我說的。」

但她逃不開，最後終於決定與醫生約診。在例行健康檢查中，醫生發現她身體裡有個囊腫，而且是惡性的。值得感恩的是，由於還沒擴散，它能夠被完全切除。這位年輕女子不需要再進一步的治療，但手術之後，醫生告訴她：「還好你現在來了，因為幾年之後，這可能會變成大問題，可能會危及生命。」

這位年輕女子感恩不已。她後來告訴我：「約爾，我知道這是上帝救了我。如果不是上帝的提醒，我不會去做健康檢查的。」

我們必須聆聽那微小的聲音，因為上帝知道什麼對我們是最好的。

曾有人淚流滿面地來找我，對我說：「約爾，我知道我應該讓家人遠離紛爭；我知道我該花更多時間陪他們。我知道自己不應該這麼難相處。」

我們能明白該做的事，卻依然不予理會，這樣不是很奇怪嗎？不要讓你也成為那樣，現在就順服，好讓你日後不會有遺憾。

我與維多利亞在一九八七年結婚，在剛開始的幾年，就像所有年輕夫妻一樣，我們嘗試學習如何過著一體的生活。問題是，她沒照我想要的方式去學。我們沒有大問題，只有

小摩擦。我會爭論不重要的事情，不斷想要事情依照我的方式運作，不願意讓步。我永遠也忘不了那時上帝對我說的話，不是很大聲，但是在我的內心深處。祂說：「約爾，如果你不改變，以盡力讓家中保持和睦，你不僅會改變你娶的這位美麗女子，還會在未來造成重大問題。」這就是我需要的警告。感謝主，我夠聰明地聽從了那個警告，不再爲小事吵架並願意在婚姻中讓步，做出調整。今天，我們幸福美滿，關係極爲美好。

上帝也許在對付你的話語，警告你別再說傷人、譏諷或批評的話。你已經養成了壞習慣，而你內心知道，這正在毀滅你的人際關係。不要冥頑不靈，不要等到警鈴大作才行動。在多數情況，上帝不會用球棍給人當頭棒喝並說：「喂，你正在毀滅自己的婚姻，你最後會受傷、孤單。」

祂不會如此；祂會用微小的聲音對你說話，因此我們必須敏銳留心上帝的帶領，然後去做祂要我們做的一切，好讓生命變得更好。

我們太常找藉口說：「唉，我知道我應該對我的另一半好一點，我知道我對她不敬，但她也半斤八兩。我知道我脾氣不好，我知道我很難相處，但我生命中遭遇這麼多事，這根本就不公平。」

那些藉口都會讓我們陷在原地。要更上一層樓的方法，就是虛心對付上帝光照出的問題，這也許是簡單到你怎麼對配偶講話，包括你的語氣、聲調、肢體語言或面部表情是如何。如果你的態度太刺耳、短促或直接，你的話語可能會傷到別人，特別是愛你的人。

另一方面，當內心有個責備的聲音告訴你說：「這是不

對的，你可以做得更好。你可以更體貼。」如果你傾聽並做些簡單的調整，你將會看見關係邁向新的境界。

我認識一些忌妒心非常強的人。他們若看到有人蒙福、興旺，不但不會為這人高興快樂，反而會設法挑剔。有趣的是，這人原本可以享受相同的成功與成就，但他卻不願意付上代價。那人不願意順服他的良知，管理自己，或是做出這位成功人士追求進步時所做的犧牲。

我們每個人都可以更上一層樓。如果你學習快快順服並對付上帝光照你的問題，即使只是一些小事情，那麼上帝在你生命中所能成就的，將是無可限量的。

不久以前，我正在觀看電視講道，講道的人是個從事偉大事工的傑出人士；然而當我在看電視時，我開始批評這節目的製作。我熟知電視製作，因此很自然地想著：他們為何把攝影機放那裡？背景不好看，他不應該穿那樣，燈光也沒調對。

幾分鐘之內，我發現一堆我會採取不同做法的缺點。就在那時，我感受到那微小的聲音對我說：「約爾，不要這樣批評。要去看好的，要看他們做對的，要看看他們幫助了許多人。」

我感受到糾正，而我本可輕易地對之嗤之以鼻不予理會，因為沒人會知道。但我已經學到馬上說：「父啊，赦免我。求祢幫助我絕不再批評人，求祢幫助我做得更好，求祢幫助我總是看到好的一面。」

那是個讓我更上一層樓的機會。上帝向我顯明了一些事，雖然是小事情，但卻有可能會阻擋我變成應該要成為的最佳樣式。我不完美，但我已經學到要處理這類的事情，我

已經學到要虛心尋求能改進的方法。我知道上帝為我預備更多，因此我不想要退而求其次，或活在自滿之中。

你可以在生活中用許多方式逃避，你可以和不好的朋友廝混，卻仍然上天堂。你可以對人不敬，草率經營生意卻仍然過得很舒服。但我講的是更上一層樓，是要成為你所能成為中最好的。

舉例來說，也許上帝正在對付你的財務狀況。也許你入不敷出，花的比賺的更多。

太常發生的是，我們會購買自知不恰當的東西。我們買了自己無法負擔的房子、車子或甚至不需要的奢侈品。即使在我們簽下買賣契約時腦中已經警鈴大作，但我們不予理會，而現在我們陷入財務困境中。

如果我們可以一路順服會好多了，那麼你就不需要對付這許多的問題；這是你所能學到最重要的原則之一。要跟隨平安，傾聽你的良心；對付上帝光照出來的問題，不要耽延。你耽擱愈久，問題就愈大。

許多人納悶為何自己不開心？為何不受到祝福？為何影響力沒有增加？為何晚上睡不好？這通常是因為他們對不起良心。我們無法把事情埋入潛意識中，卻期待更上一層樓，並享受上帝最好的一切。

當大衛王與拔示巴犯下姦淫，他試圖遮掩罪行。更糟糕的是，他把拔示巴的丈夫送到戰場前線然後命令他的將領撤退，造成他的死亡。整整一年，大衛假裝一切安好；他繼續生活與工作著。無疑地，他想的是：如果我不對付這問題，如果我不理它，它就不會來煩我；它就不會影響我。

那是大衛一生中最可怕的一年，他過得很悲慘。聖經說

他虛弱無力；身體患病，出現各種問題。這就是我們拒絕對付問題的下場，因我們走出了上帝的保護與恩惠。當我們帶著罪惡感而活，就無法欣賞自己，於是會把氣發在別人身上。許多時候，就像大衛王一樣，我們軟弱、失敗，或處於平庸之中，而這都是因為我們心中有個監牢。

但是，朋友，沒有人必須活成那樣。我們的上帝是饒恕人、滿有憐憫的上帝。當你犯錯，你無須隱藏。當你做錯事，不要逃避上帝，卻要奔向祂。

在否認問題一年之後，大衛王終於在一位先知指出他的惡行時，承認自己的錯誤與罪行。大衛說：「上帝，對不起。求祢赦免我，求祢賜我清潔的心，恢復我的喜樂與救恩。」當大衛誠心認錯，上帝就使他復原。這就是大衛如何重拾他的喜樂、平安與得勝的方式，以致儘管他曾經一度悲慘地失敗，卻能繼續行偉大的事。

現在來思考一下：如果大衛拒絕對付自己的問題，他的餘生就會卡在失敗之中，卡在平庸之中。但他選擇改變，而上帝也幫助他改變。

你生命中是否有你拒絕對付的問題呢？當你懇求赦免，上帝就會使你痊癒，這就是祂把你安置回最佳路徑的時候，是祂賜你一個嶄新開始的時候。

切記，上帝正在修整我們每個人。我們都處在不同階段，因此我們永遠不應和別人比較。太常發生的是，當我們與別人比較時，就會幫自己找藉口。舉例來說，也許你所有朋友都要去看電影，但你看了電影簡介，覺得那並不是一部好片，你也知道那不是上帝幫你預備中最好的，於是你內心的警鐘響起，而你的良心則告訴你：「你值得更好的；不要

故意讓你心裡跑進髒東西。」

當場你就有個更上一層樓的機會。當然，你可以試圖叫你的良心閉嘴並說：「喔，這無傷大雅啦，我很堅強的，而且，我所有的朋友都愛主，他們還上教會。他們都是好人，他們都要去看那部片。」

不，也許你的朋友在屬靈的道路上是與你位於不同層次，要不然，他們或許正忽視上帝對他們說話的聲音；也許他們若拒絕退讓，不活在這樣低層次的話，他們就會更蒙福。你必須做自己內心認為恰當的事，這可能會影響你們的友誼，這可能表示你必須孤單度過一些晚上，或者，也許你無法參與每次比賽完就要去狂歡的球隊。

要記得，上帝要你做的一切，都是為了你好，是要讓祂的恩惠能夠更多傾倒給你。

不僅如此，上帝若叫我們去做任何事，祂都會給我們恩典做到。如果上帝要你饒恕某個人，也許你認為自己做不到，但你若願意踏出信心的一步，上帝的恩典將會與你同在以幫助你。除非你跨出去，否則你無法得著恩典。你必須採取第一步行動，而上帝會看到那信心的一步，並賜你超自然的力量，來幫助你克服你做正確決定時所面臨的任何阻礙。

朋友，上帝為你預備了上好的一切。不要卡在窠臼、平庸、壞習慣或惡劣的態度之中；要留心傾聽內心微小的聲音。要對付上帝光照你的問題，並且快快順服。要記得：你順服的程度，會直接影響到你的生命能攀向多高。

聖經上說：「因為多給誰，就向誰多取。」[1]上帝正預備你得著更棒的，祂要帶你超越你所想的，因此不要訝異祂會要求你更欣賞自己，並做得更好。

第 *26* 章

培養更敏銳的良知

你的良知通常被稱爲靈魂的指南針，它的功能就好比內鍵的監視器，很像一種警報裝置。當你要做無益的事或爲自己招徠麻煩的事時，你的良心就會讓你不安。不要忽視那警告，因爲那是你的良心在幫助你明白是非對錯。你所能擁有的最好朋友之一，就是你自己的良心。

如果我們可以保持敏銳的良知，就能避開許多問題與心碎。我聽到人們一直說：「我知道我不應該這麼做，但……。」或是：「我知道我不應該這麼說，但是……。」或是：「我知道我不應該買這個，但……。」

他們明白自己應該做的，因他們心中的警鈴已經作響。他們能夠感受到非難，但他們選擇違背自己的良知。有一天他們會回想起來，並看清上帝是如何一再地嘗試警告他們。

不要錯誤地罔顧你的良知，要尊重它。就像尊敬你的老闆或其他對你有權柄的人一樣，你也要學習如此對待良知。

上帝將會使用你的良知來幫助帶領你，並保守你遠離麻煩。也許你正與配偶對話而氣氛變得緊張，你能感覺自己怒氣開始升高，想要更咄咄逼人爭論下去，而忽然間，你內心的警鈴作響，有個聲音說：「別再追究，算了吧，閉上嘴巴。先離開一下，要保持和睦。」

這就是你的良知在嘗試使你遠離麻煩，是上帝嘗試在警告你。太多時候，我們不予理會卻選擇執意而為，最後我們大吵一架而覺得心煩意亂，以致毀了整個晚上。如果我們能留心良心正嘗試對我們說的話，這些都是可以避免的。

要學習敏銳。你的良心說停，就要停止。別再搶白最後一句話，要留心你內心所感受的，不要罔顧你良心的勸告。

有一次，我父親開車正準備上高速公路。他在趕時間，因開會已經要遲到了。他高速行駛著，在路上遇到一個大轉彎。就在那時，他內心警鈴大作，有個聲音說：「你最好減速，警察正在轉角處。」

我父親後來述說著那個聲音是如何清晰地出現，他強烈地感受到，但他因為趕時間而不予理會，也沒留意。果然，當他開到了轉彎處，有個警察正站在那裡拿著一把槍。警察把我爹攔下來，當他走近我父親的車窗時，爸爸笑容滿面地說：「警察大人，你絕不會相信，上帝已經告訴我說，你在這裡。」

這位警察看著我父親，就好像他來自外太空似的。他拿了我父親的駕照，並回到自己的巡邏車。幾分鐘之後當他返回，他搖著頭說：「聽好，牧師，我要放你走，但下一次當上帝對你說話，你最好聽進去。」

不要無視你的良知。當你覺得內心不安，退一步留心上

帝正試著對你說什麼。也許你正在與人對話之中，突然間，警鈴大作，你知道你應該管好口舌，並轉身冷靜一下。不要忽視來自良心的警告。也許當警鈴作響時，你正準備好要買下某樣東西、要吃下某樣東西，或正要進行某個不太光明正大的計畫。如果你學習敏銳並傾聽良知，上帝將使你趨吉避兇。祂會幫助你做下好的決定，祂會保守你遠避危險。

我最近遇到彼得，他是我們教會的一位約聘人員。當我看到他時，我幾乎認不出他，他看來好像出了什麼意外。他的臉瘀青，雙眼眼瞼下的肌膚又黑又紫，手臂上還有縫線。我說：「彼得，你到底發生什麼事？你是出車禍還是怎麼了？」

「不是，約爾，」他說：「幾天以前的一個晚上，我遇到劫車行兇。」

「什麼？」

「對，當時我正在下班回家的路上，停在紅綠燈前，這些傢伙來到車旁把我拉出車外。我身上沒帶錢包，因此他們只把我痛打一頓，然後把我扔在那兒。」

「這真是太可怕了，彼得。」

「沒錯，但是約爾，好笑的是，那天晚上在我回家時，有個聲音告訴我不要走那條路。就在這裡而且清楚得不得了。」彼得指著自己的胸膛說：「有個聲音說：『你最好走別的路。』那聲音強烈到我甚至可以和它爭論。我對自己說：『我一直都走這條路，這是最快的，我幹嘛要換條路走？』」

這位年輕人並不是篤信宗教的人，但他說：「我知道那是上帝在嘗試警告我，是上帝在保護我。」他停了一下，看

著我說：「約爾，如果我當初聽進去了，就能避開這些痛苦。」

在你陷入麻煩或作下錯誤決定之前，上帝總會警告你。你內心的警鐘會響起，也許所受到的警告不像彼得聽到的那麼戲劇化，但如果你敏銳留心，上帝將會帶領你，並幫助你避開不必要的混亂。

多數時候，我們在內心深處都明白自己應該做的，但太常見的是，我們就選擇不要去做。要了解，每次你忽視良知，下一次那個聲音就會更微弱。不幸的是，到最後你可能會完全淹沒自己良知的聲音。

舉例來說，也許你正要對某人說出難聽的話，忽然間，你的內心有聲音制止你，讓你感到不安，而那個聲音則是告訴你要管好你的口舌。但如果你忽視這個提醒，選擇不管它，結果你將會感受到罪疚感。如果你不回去把事情匡正並道歉，那麼下一次你在相同情況時，警鐘就不會響得那麼大聲。這聲音將不再那麼強烈，最後你可能因為太常無視於自己的良知，而讓它變得麻木不仁。因此我們必須每天這樣禱告：「上帝，求祢幫助我培養更敏感的良知，讓我敏銳聽聞祢的聲音。」

最近，我遇到一個長年在美國工作，家人卻在另一個國家生活的人；他告訴我，他涉入與另一個女人的親密關係中。他們維持這種關係已經好幾年，但他深感罪惡。他說：「約爾，我感覺糟透了，我知道這種關係不對，我真的想改變，但我好像就是做不到。」

「你的狀況很有意思，」我告訴他：「你屬於例外，因為多數漠視良知那麼久的人已經不會在意，他們沒什麼感

覺，也不在意。」

「真的嗎？」他問：「你認為我應該怎麼做？」

「首先，你應該感謝上帝，你仍然保有敏銳的良知，並要為你仍然有所顧慮而感恩。」接著我激勵他，在不安的感覺逐漸消逝之前，做出必要改變。

任何一種對上帝聲音的感覺遲鈍，都會影響到我們，特別是在我們長期蓄意犯錯，以致這聲音無法再使我們不安，或使我們不再認為這是壞事的時候；我們在那方面已經變得麻木。因此我要再一次提醒，我們必須每天這樣禱告：「上帝，求祢幫助我對祢的聲音靈敏，別讓我生命中的任何一方面，諸如我的態度、待人處事、言行舉止等等，變得遲鈍、冷淡或麻木。上帝，求祢幫助我保有更敏銳的良知。」

朋友，上帝獎賞順服。要走在上帝最好的道路上，而不要持續漠視你的良知。如果你誠實面對自己並渴望改變，上帝將會幫助你達成。經歷一點痛或改變，總比二十或三十年都卡在平庸之中要好。

我發現，我們愈順服，就愈容易順服，因為順服會帶來更多的順服。不幸的是，反之亦然，悖逆生出更多悖逆。結果，你可能更增進良知的敏銳度，或是你使它更為減少。每一次你順服，你的良知就更敏銳。當你順服，你就在讓更多的亮光進來。你的心會更柔軟，你會更快回應。你可以敏銳到，當你一感覺不安，就會留意並做出改變。真的，這就是上帝要我們成為的樣式。當我們聽見那微小的聲音，當我們首次感到那陣催促，就會很快地採取行動。

要明白：當你活出順服的生命，上帝的福分將會追著你跑，向你襲捲而來。當你順服，上帝的恩惠就讓你用都用不

完。

　　上帝不指望你一夜之間就改變，如果你的生命不在一週之內改進，祂也不會對你失望或用大筆一揮，把你除名。不會，祂要求的只是要你保持進步。祂不要你明年還在原地踏步，祂要用祂自己特別的方式帶領你，而如果你夠敏銳並盡力保持清潔的良心，上帝會很喜悅，而祂會在你的生命中釋放更多的恩惠。

　　祂就在我們本身現有的層次上與我們相會。因此我和你無須並駕齊驅，我只須真實地對待自己的心。因我知道上帝最常對付我的領域，對此我只要盡力不違背自己的良心。這也是我要挑戰你去做的部分。

　　我上大學時認識一個年輕人，他習慣對人很粗魯；有時候，他真的很無禮。有一天，我們和別的同學一起在一個餐廳用餐，而服務生搞錯他點的餐。我朋友馬上跳起來，掐住服務生的喉嚨，我的意思是說，他讓這服務生有得受，而且讓他在我們所有人面前難堪。

　　在我們回到宿舍一小時之後，我朋友來到我的寢室，並問說他可否借用我的車。我說：「當然可以，但你這麼晚要去哪裡？」

　　「約爾，我覺得糟透了，」他說：「我對那個服務生這麼差，我甚至無法入睡。我要回到餐廳向他道歉。」

　　這年輕人在那年改頭換面。他從嚴厲、冷酷而無禮的人，變成你所看過最仁慈、最體貼的人之一。如果你與上帝同工，祂也會幫助你改變。

　　沒有任何一個人是完美的。我們都會犯錯，但我們可以學習順服自己的良知，並心胸寬大地說：「對不起，我沒有

好好待你，下次我會做得更好。」如果你夠敏銳並保持清潔的良心，那麼上帝在你生命中將要成就的工作，是無可限量的。相反地，當你讓良心受罪，就無法欣賞自己。你不快樂，無法坦然無懼地禱告，因你覺得被定罪。你不期待好事，而你通常也不會遇見好事。

此時，你最好的做法就是退一步匡正事情，就像那位年輕人，你要嚥下驕傲，快快順服。要向你所得罪的人道歉，不要活在帶罪的良心之中。

或者，也許你必須說：「上帝，對不起；求祢赦免我對人有這種批評的態度。」

當你這麼做，你的良心會釋然，重擔會被挪去，你就能睡得香甜。不僅如此，上帝還會幫助你，使你下次做得更好。

幾年以前，在一次聚會之後，我父親來到電視製作區。有四、五位同仁與我聚在那裡，而當我父親走進來時，我們正大笑著玩得很開心，因為剛發生了些非常有趣的事。然而，由於某種原因，我父親認為我們正在取笑聚會裡的某個人，但其實事情完全不是那樣。

通常，我父親是個非常仁慈、有同情心的人，但現在，這件事好像讓他很生氣。他開始斥責我們，要我們知道，我們不應該取笑他人，諸如此類地講個不停。我說：「爸，事情根本不是這樣；根本一點關係也沒有。」但他不肯接受解釋。

他離開之後，我與其他同仁當然對他所產生的誤會感到心情很差。當天晚上我回到家幾個小時後，父親來到我房間。「約爾，我要和你談談。」他說：「今晚我搞砸了，我

知道我不對，知道我做錯了，我懇請你原諒我，我想要道歉。」在我回到家之前，我父親就已經撥電話給其他年輕人，並向他們致歉。那幾乎已經接近午夜了，但他不要帶著心中的重擔上床睡覺。

這讓我留下了深刻的印象！也讓其他年輕人留下何等深刻的印象！我父親是教會的領袖，但他卻沒有因為驕傲而不肯承認錯誤，反而必須道歉。你瞧，我父親有顆清潔的良心，難怪上帝賜福給他，難怪上帝大大使用他。

如果我們也能學習保有那般敏銳、純淨的心並快快順服，快快饒恕，快快道歉，快快改變自己的態度，那麼上帝也會喜悅我們。

要活出清潔的良心，進入上帝最好的計畫之中。耶穌在聖經馬太福音六章22節說，眼睛就是身上的燈。你「屬靈的眼睛」就是你的良心。耶穌繼續說，我們的眼睛若瞭亮，全身就光明。換句話說，如果你的良心清潔，生命就美好，你就會快樂，會擁有正面的視野並將享受上帝的賜福。

> 如果你的良心清潔，生命就美好。

馬太福音六章22節接下來的一節描述了現今許多人的光景。這節在擴大版(Amplified Version)的聖經是這麼說的：「我們的良知若充滿了黑暗，那黑暗是何等大呢！」許多人生命中背負著重擔，他們覺得不得安寧，總有事攪擾他們。他們不快樂，問題在於他們沒有清潔的良心。他們漠視警告太久了，在一些方面變得冷酷無情。

　　除非你做出必要調整，否則這種遲鈍不會改變。如果有事情是你明知不該做的，你卻正在做，那麼你要做些調整。或如果有事情是你明知應該做卻不做的，那麼你也要改變。就像我說過的，這也許不是什麼大事。也許你不是活在污穢的罪惡中，但也許上帝正在調整你，要你有更好的態度，或是要你花更多時間與孩子相處，或要你吃得更健康。不論是什麼，總要下定決心你要更留意自己的良心，以及要更快順服，而這就是重擔挪開之時。我很喜愛使徒保羅在聖經使徒行傳廿三章1節所說的：「我在上帝面前行事為人，都是憑著良心。」

　　這也應該成為我們的標竿。當我們的良心清潔，定罪就會逃跑；當我們有清潔的良心，就會快樂。別人也許會試圖論斷或定罪我們，但這些負面的批判都會從我們身上彈開。

　　有時人們會說：「約爾，你為何不多做一點這些、那些呢？」

　　我知道我不完美，但我也知道：我在上帝面前乃是憑著良心，我知道我已竭盡所能地討祂喜悅；這就是為何我能平平安安躺臥，睡得香甜，並時時面帶笑容。朋友，保持敏銳的良知，而你將發現生命會變得更棒、更好！

第 27 章

對付根源問題

我聽過有個擁有好幾匹馬的人的故事。有一天，其中一匹馬踢到木柵欄，嚴重刮傷腳，主人把牠帶到馬廄，清理傷口，並為牠包扎。幾個星期之後，這位飼主發現，這匹馬好像仍為傷口所苦，於是他請獸醫來檢查這匹馬。在做完檢查之後，獸醫開了一些抗生素。

馬兒吃了藥後，幾乎立即就對藥方有了正面的反應，情況大有起色。然而，一、兩個月過後，飼主又注意到傷口還是沒有痊癒；而且看起來似乎比之前更惡化。因此，獸醫又再幫馬兒開抗生素。

馬兒的情況再一次好轉，並持續幾個星期，但接著之前的狀況又開始重複，傷口就是不好。最後，飼主幫馬上鞍，把馬兒帶到獸醫診所。他知道必須找出傷口不會痊癒的原因。在診所裡，獸醫把馬麻醉，開始刺探馬腿的傷口。當他挖得夠深，就發現裡面有一大片木頭。原來是在幾個月之

前，馬兒踢到柵欄時，它就卡在馬腿皮膚底下深處。獸醫發現，每一次馬兒停用抗生素，這個因為異物侵入造成的傷口，其感染就會復發。他們一直在治療症狀，而非治療馬兒痛苦的真正根源。

許多時候，我們也是這樣，我們只是頭痛醫頭。「讓我改正我的行為；讓我重新開始。我要更友善，更有愛心、更體貼。我不要再亂花錢或刷卡負債；我不要再操控人；我不要再氣極敗壞。」我們嘗試改進是好事，但我們太常沒有對付問題的真正根源。無論我們想要變得多好，問題就是不斷重複發生，我們似乎就是無法得著自由。

為自己的行為找藉口、推卸責任，並把我們的行為合理化，通常比較容易。但如果我們想要經歷上帝最好的一切，就必須學習為自己的思想、言語、態度與行為負責。

太多人從未真正檢視內心以誠實面對自己，他們沒有探究問題的根源。相反地，他們只是對付結果，也就是表面的問題。他們也許負面，或是無法順暢處理人際關係；也許他們自尊心低落，有嚴重財務困難，或有些長期的問題。他們嘗試去改善自己的行為，這很可佩，但許多時候，他們的努力只能產生暫時的成果，因為他們拒絕對付毒根，所造成的結果就是，他們不斷結出壞果子。

聖經教導說，我們不應該讓毒根發芽而沾染我們全體的生命。這就好比你的前院長出雜草，你可以把草拔掉，但如果你只是把表面剪除，就沒有真正斬草除根。幾天之後，你看向院子，就會發現，又要去對付同樣的雜草。

若要做出持久、正面的改變，你必須更深探究而不只是看著你所做的，你必須自問：「這個問題的根源是什麼？」

「我為何會做出這種行為？」「我為何會在這方面難以自我控制？」「我的防衛心為何總是這麼強？」「我為何會覺得必須不斷向每個人證明自己？」

惟有當你回到根源並開始對付問題的根本，才能真正期待有正面的改變。

我們必須仔細檢視自己不斷掙扎的層面。這真的是配偶的錯嗎？這真的是我們所面對的情勢、教養或環境造成的嗎？抑或是有些埋藏在內心深處的東西，讓我們受到「沾染」呢？

這在你的人際關係中尤其重要。許多人都有拒絕的根，這些根來自於他們過去經歷過的傷害。有人得罪了他們，他們不但沒有放下這事，反而緊抓著，以致那種苦毒就污染了他們生命的所有部分。

我認識一些人，他們苦毒的根源是因缺乏安全感，而使他們變得防衛心很強。他們總在嘗試向人證明自己是誰，只要那個壞的根源還在，就會不斷結出錯誤的果子。

通常，我們好像就是無法與某個特定的人相處，而我們很肯定這是對方的錯。我們很確定問題出在我們的配偶，出在我們的老闆或同事身上。但等一下，有沒有可能你才是問題呢？是否可能你有驕傲的根，讓你不肯饒恕或讓你視而不見他人的意見呢？我們可以嘗試在表面矯正這些事情，但這就好像前面所舉的例子，只是把乾淨的紗布包紮在馬兒的腿上一樣。問題還是會一再回來，直到我們對付真正的根本原因為止。

曉娜與安迪的婚姻老是出問題，特別是在溝通方面。當他們對話時，如果安迪與曉娜意見不合，她就會變得防衛性

極強。她會生氣，失去冷靜，最後他們會大吵。「你爲何就是不能容許我有自己的意見？」安迪說：「爲何我與你意見不合，你就這麼生氣？你難道沒聽過，如果婚姻中的兩個人每件事都意見一致，那根本不需要另一個人了嘛！」

曉娜沒有好的回答，但她就是會在安迪與她意見不合時固執地反對。這種情況年復一年持續著，而這種情形造成的緊張就快撕裂他們的婚姻了。

有一天，曉娜決定坦誠面對自己，深入檢視自己的內心。而當她這麼做時，她發現，她這麼容易被激起防衛心的原因，是她極度缺乏安全感。她一生中遭遇過許多傷害與痛苦，她在前一段關係中，曾遭遇數不清的拒絕。現在，每當安迪與她意見不合，曉娜就覺得他在拒絕她。曉娜沒有就事論事，讓雙方有不同意見，反而當作是針對自己而感到介意。她試圖控制與操弄安迪，想要抑制關係中的緊張。

曉娜發現問題的眞正根源不是他們無法溝通，而是她自己的缺乏安全感，這不是一夕之間就發生；但是當曉娜開始對付這些感覺，向上帝求助時，事情漸漸開始改變。慢慢地，曉娜與安迪的關係開始改善，而關鍵是她找到了問題的根源。一旦她對付了毒根，最終果實的問題就自然解決。

我們必須了解，我們多數的問題都有更深的根源。我們也許會驚嘆多少事情正負面地影響著我們，而我們卻只是藉由對付果實來解決問題，也就是說，通常我們只是在對付表面的問題而不斷原地踏步。

以色列的百姓也曾做相同的事。他們在埃及與應許之地的曠野間流浪四十年，而那卻是一段只需要十一天行程的地方。他們問題的基本根源，就是他們已經養成了受害者心

態。當然，他們在埃及的最後一段歲月曾飽受虐待；他們被奴役時經歷過許多痛苦、不公平的遭遇，以致內心的痛苦一直跟隨著他們，即使在上帝以神蹟拯救他們脫離壓制之後，仍是如此。但出埃及進入沙漠時，他們因為缺乏食物與飲水而責怪摩西；他們責怪過去，抱怨食物，苦惱敵人。他們從沒想到自己才是問題所在，而因為他們的缺乏信心，他們年復一年不斷往返在相同的山間，無法真正有所進展。

　　也許你已經太長期受困在生命中的同一原點；也許你卡在變調的婚姻或毫無出路的工作之中；或者，也許你陷入債務窘境或負面心態之中；你很難相處，防衛心強，或滿肚子批評。

　　該是起而向前行的時候了。我們應該禱告：「上帝，求祢向我顯明關於自己的真實狀況。我不想明年還在原地踏步，所以，如果有任何事讓我退步不前，求祢向我顯明。天父上帝，求祢幫助我改變，求祢幫助我找出問題的根源。」

　　上帝正在敲叩我們心裡那扇新房間的門，那也許是我們之前一直未曾讓祂進入的房間。祂能進來的惟一方法，就是我們邀請祂；因為門的把手在裡面。我發現，我能讓上帝進入我心中的一些領域，卻不讓祂涉足其他區塊；因為有些區域是痛苦而羞愧的，而藏在其中的就是過往的傷害與痛苦，那也是我們收攏軟弱與缺點之處。我們不但沒有對付問題並清除陰暗角落的污垢，反而鎖住那些房間。我們為自己的行為找藉口；怪罪其他人。有時候，我們甚至責怪上帝。

　　「我就是這樣。」有人可能會說。

　　上帝不斷叩門。如果我們想要探求根源，那麼我們必須向內檢視，必須允許上帝用祂的話語全方位地照亮我們心房

的每一處。當我們感受到錯誤的感覺之時，不要隱藏它們，也別試圖把它們埋進那些房間之一，最佳之道反而是坦誠以對並問：「上帝，我為何會有這種感覺？」「我為何無法與配偶相處？」「我為何試圖操縱所有人？」「上帝，我為何總要固執己見？」「我為何這麼容易心煩意亂？」如果你坦誠，並願意面對真相而不是用藉口當擋箭牌，上帝將會向你顯明這些問題的答案。當你開始針對事實真相採取行動，就能更上一層樓。

如果你缺乏耐心，要夠誠實到能說：「上帝，求祢顯明為何我缺乏耐心，請祢幫助我對付這個問題。」

當你對某人感到怨恨，想要批評或挑錯，你第一件應該做的事就是禱告：「拜託，上帝，求祢向我顯明為何我不喜歡這個人。我的內心出了什麼問題？上帝，我是否在忌妒她的職位？忌妒他的財富？忌妒他們的才華？上帝，求祢顯明關於我的真相，我不想要再一年經歷相同的問題，我要更上一層樓；我要進入應許之地。」

要確保你沒有負荷過重。如果你生命中有不斷掙扎的問題，好像無法得著自由，那麼你必須懇求上帝向你顯明，是什麼一直在攔阻你。求上帝向你顯明，是否你有需要除去的毒根。如果上帝光照你某個問題，那麼你要勇敢對付它。

你能夠更喜樂，擁有更好的人際關係，你可以衝破任何攔阻你的事，但你必須做到自己該做的。要坦誠面對關於你自己的真相。我們不要像以色列百姓在出埃及後那幾年一樣，認為自己沒有進步是某個人的錯。

我知道，要挖出那些根源可能很痛苦，而專心對付表面的問題，維持現狀，避免改變則容易多了。要更上一層樓是

會伴隨著痛苦的，坦誠並真正去解決問題是會令人難受的，此外，要去饒恕別人的錯可能很難受。有時我們很難這樣承認：「我一直心懷苦毒。」或是：「我因為太缺乏安全感而變得防衛心很強。」或：「我因為過去的纏累而變得很難相處。」不僅如此，當你剝開表面而真正坦誠面對時，不要驚訝自己會感到些許壓力。請了解：不適只是暫時的，這是一種成長的疼痛，而一旦你過了這個關卡，就會登上勝利的新境界。改變的痛苦，遠比停留在平庸中的痛苦少多了。

也許你在原地踏步，年復一年原地打轉，無法真正快樂起來，那麼你必須誠實到能說：「上帝，求祢向我顯明問題。我是否正依賴別人使我快樂，我是否抱有不切實際的期待？我是否真的只有結了婚才會快樂？我是否讓環境壓制我？上帝，求祢光照我關於自己的真相。」

不久以前，有位男士告訴我，他只要一花時間享受人生，就會有罪惡感。他覺得受到定罪，好像做錯事一樣。多年以來，他全神貫注於工作，變成一個工作狂，完全不留時間給自己，也沒留時間給家人。諷刺的是，他的過度工作皆因罪惡感。他的生活失衡，這樣的情況年復一年地持續著，直到有一天，他決定敞開心讓上帝進入他的心房。他說：「上帝，我為何會有這種感覺？我為何只因為自己想要出門放鬆一下，享受與家人共處，就覺得有罪惡感？」

他發現在他成長時，他的父親非常嚴格。他來自軍人家庭，而他的父親不允許家中有任何樂趣，一切都很嚴肅。他並不真正知道正常的童年是如何，他被教導要工作，要認真，只有少許、甚至沒有玩樂時間。現在他長大成人，他發現自己變得就和他父親一樣。那些想法、態度、習慣，都是

他早年學習到的,不是因為它們是對的,而是因為那是他僅知的。一旦他認清了根源,就能擺脫重擔,真正開始享受人生。

或許你來自受虐環境,也許有人讓你痛苦、心碎;也許養育你的人很刻薄,或者,與你相關的人利用或虐待你。他們做了錯誤的決定,而現在你得對付那些決定所留下的盤根錯節。但請不要讓這成為藉口,你能夠更上一層樓,能夠設立新的準繩。

要明白,如果你想找出問題根源,就不能閒散地坐視不管或消極以對。你必須有決心地說:「我受夠並厭倦了病態與疲勞。我們也許長期以來一直都是這樣,但我不要一直繞著問題打轉,我要找到根源,而且我要開始為我的家人和自己做下更好的決定。」

我們必須做的第一件事,就是停止找藉口,停止責備過去。也許你經歷過許多心碎,那也許是你受困於壞習慣或人際關係出問題的原因。也許你飽受自尊低落之苦,這可能是原因,但是不要把它當作你在原地踏步的藉口;要扛起責任。許多人都遭遇過不公平的事,而他們任由那些經歷一輩子毒害他們。他們憤怒,心懷怨恨,難以相處。「唉,約爾,如果你經歷過我所遭遇的,你也會變成這個樣子。」

不,也許這是你為何如此的原因,但感謝上帝,你不必一直都是這樣。你能夠更上一層樓,但你必須扛起責任。你必須願意面對事實並說:「這是錯的,我拒絕活在苦惱與憤怒之中,我不想成為難相處的人。上帝,我求祢幫助我改變。」如果你抱持這種態度,上帝也會不斷幫助你。

有一次,有位女士到教會大廳來找我。她說:「約爾,

我希望你爲我禱告，我即將要結第五次婚了。」她繼續用敬虔的語氣說：「我希望你與我一起同心爲這次的結婚對象禱告，讓此人終於會是個善待我的人。」

我很想問她：「你可曾想過，你歷次婚姻的共通點是什麼？就是你，是你的內在出了些問題！」

在我們禱告之後，我問她：「你家族中有無其他人有相同的問題？」

「喔，有的，」她說：「我母親結過四次婚，而她正要離婚。」

我想著：仇敵喜愛我們不斷重複負面的循環模式，讓它們代代相傳。如果我們不扛起責任採取應對措施，它們就會不斷重演。我們的孩子、孫子與曾孫都得面對它們。

如果我有壞習慣，如果我缺乏安全感，如果我有錯誤觀念，我想要坦誠虛心到能夠對付問題而不找藉口，不責怪過去、父母、環境或配偶。我無法改變這些，但我能改變自己。

「但如果你認識我家人，你會發現，我們根本不正常。我們有好多壞習慣，我們一團糟。」

我無意冒犯，但每個家庭都有失調的地方，不要把這當藉口，我們都有尚待對付與克服的問題。

有些人說：「我很憂鬱，因爲我的父母也很憂鬱。」或：「我就像我爸一樣脾氣很壞。」「我會杞人憂天，是因爲我媽向來就愛擔心。」

不，你可以改變。你是上帝的孩子，因此你的內在擁有宇宙的大能。你可以破除任何癮癖，克服一切堅固營壘，你可以戰勝任何捆綁。聖經上說：「因爲那在你們裡面的，比

那在世界上的更大。」[1]這表示，世上沒有一種困難是你無法克服的，你可以完成上帝對你的命定，可以實現你的夢想。也許你有段負面的過去，但請明白，你無需經驗負面的將來。重要的不是你從何而來，而是你將往何處去。

我們能夠榮耀上帝的主要方式之一，就是為自己的行為負責，不責怪過去，不怪罪環境。但我們必須來到根源，如此才不須一輩子去收拾壞果子。要扛起責任，對付問題。你可以經歷上帝的美善，我知道，如果你要面對關於自己的真相，去探求問題的根源，並做出上帝要求的調整，我可以保證你的內在生活會改善，你會擁有更好的關係，而且你會更快樂、更滿足。

行 動 要 訣

第VI部 培育你的內在生命

1. 今天我要察知上帝對我生命光照出來的問題，而且我要快快順服並做出必要改變，好讓我能更上一層樓。
2. 我要更多留意我的良知，傾聽內在微小的聲音。我要快快回應上帝的帶領，盡全力保持敏銳的良心。
3. 我拒絕為自己找藉口；我要探求內心，對付問題的根本，而不只是對付結果。我要超越表面徵兆，向下探查問題的根源。我選擇克服不公平的境遇，尋求上帝從中帶出的益處。

第VII部

對生命懷抱熱忱

第 28 章

蒙福計畫

如果你想要變得更好，那麼採取必要的信心行動就顯得很重要了。因為光是相信還不夠，而與信心同樣重要的是，我們還必須跨出步伐並開始期待。在我們期待上帝美好的一切之時，也該擬定計畫。我們必須講得好像所禱告的就要發生似的，必須放膽跨出信心的步伐，表現得好像事情將要成就一樣。

當一對夫妻期待孩子誕生，他們會做一切準備動作。這是為什麼呢？因為他們知道孩子將要到來。事實上，在懷孕初期，他們既看不見、也摸不著寶寶，然而他們對醫生的報告有信心，因此他們開始做準備。

上帝將夢想放在每個人的心中。我們都有自己相信的事，例如，也許你相信你會戰勝病魔，相信自己會擺脫債務，或相信夢想會實現。關鍵就在此：我們必須不只是相信，因真正的信心會尾隨著行動。如果你患病，就必須開始

為康復擬定計畫；如果財務有困難，那就開始擬定興旺的計畫；如果婚姻觸礁，那就開始擬定看到關係恢復的計畫。要表明你的信心。

太常發生的是，我們說相信上帝會賜下美好的事物，然而所表現出的行動卻恰恰相反。要明白，你的信心只會朝兩種方向運作，就是正面或負面。我知道就有人計畫要得感冒，因我曾在商店裡聽到人們預測自己的未來：「唉呀，又到感冒季節了，我最好買些感冒藥以備不時之需。畢竟，去年感冒大流行，我雖然幸運地沒有被傳染，但是今年可能會中獎。」他們講得好像一定會發生，甚至還更進一步用行動支持他們的負面信心，買了感冒藥。難怪，幾個星期之後他們就被傳染而感冒了。儘管這是負面的信心，但還是奏效了。他們預期會感冒，還訂了計畫，然後也得了感冒。要記得，你的信心會朝兩個方向運作。

請不要誤解我的意思。採取預防措施屬於謹慎，我們家也有一些藥品。然而，我認為，我們不應該在每一次電視報導說感冒季節已來臨，就跑到藥局買藥。

好笑的是，有時我們對電視報導比對上帝的話還有信心。我喜愛詩篇說的：「雖有千人仆倒在你旁邊，萬人仆倒在你右邊，這災卻不得臨近你。」[1]也許公司裡的所有人都得了感冒，學校裡的所有人都得了感冒，但我相信上帝已經為我築起保護的圍籬，我也要保持信心，不去為患病擬定計畫。

如果我們看了夠多的新聞，讀了夠多的研究，就幾乎會被說服而認為自己會罹患心臟病、高膽固醇、糖尿病與其他各式各樣的疾病。「喔，你知道他們都這麼說的，每四人中就有一人罹患癌症。」一個悲觀的朋友這麼說。

也許這是真的，但讓我們相信，我們是其他沒罹癌的三個人之一，而不是那個罹患癌症的人。相信負面消息與相信正面事物一樣容易，因此要開始為長壽健康的生活擬定計畫。我們難免都會有不順之事，因此，當我們面對疾病，不要只是絕望地開始為此做準備。我聽過有人告訴我：「唉，約爾，我已經開始與關節炎共處。我正學習和高血壓共存。」

不，那不是你的高血壓；那不是你的疾病。停止宣告你擁有它們，並要開始擬定康復計畫。我們的心態應該是：這疾病不會久留，這會過去的，還要說：「我知道上帝使我足享長壽，將祂的救恩顯明給我。因此我憑信心宣告，我的每一方面都會一天比一天更好。」

不要停止夢想，要不斷把願景放在前面。我有個朋友出了一次意外，導致兩邊膝蓋都碎裂，醫生告訴他，他還能走路實在很幸運，但他今後絕對無法奔跑或從事體育活動。我的朋友非常失望，在住院三個月之後，他出院的第一件事就是加入健身俱樂部。他跨出信心的一步。事實上，他長達一年都無法去那個俱樂部，因他太虛弱了，但他下定決心不癱在那兒準備一輩子待在輪椅上；他為了再度行走而擬定計畫。那是五年多以前的事，而今天，這位年輕人跑得比我還快。他挑戰了逆境。發生了什麼事？他開始擬定計畫脫離傷害。他大可輕易地讓醫生的負面話語進入心中，而說服自己放棄，甘於平庸。但相反地，他相信上帝並開始為康復擬定計畫。

也許你曾遭遇某些負面事物或一些負面批評。不要讓那些負面事物生根，要不斷相信好事。並要記得，信心就在當下。每天起床時都要說：「天父，感謝祢現在就在我的生命

中作工，感謝祢，我現在就好很多，事情現在就爲了我的益處改變。」活在當下，因爲信心總存在於眼前。

避免爲失敗擬訂計畫

我們常爲壞事做準備。有個人告訴我，幾年以前，他父親有一天起床後，視力就變得很差，差到再也無法閱讀。這在他家族裡的長者之中，是個常見的疾病。這個人已經爲視力變差訂好計畫，他說：「約爾，我很喜歡閱讀。因此我現在已經開始購買我所有書籍的有聲書。這樣，一旦我視力惡化，就可以用聽的。」

這就是爲壞事做計畫，這就是把你的信心放在負面之處，不僅允許，甚至還歡迎壞事發生。我告訴他：「你必須繼續購買你向來所讀的紙本書。即使年紀漸增，也不要只因爲你有些朋友開始買大字體的書，或是你覺得這樣比較輕鬆，就跟著做。不，如果你不需要，就不要用輕省的方式，即使你真的需要了，也把它延到你真的再也無法閱讀較小字體之書時再做，不要放棄任何一線希望。」

維多利亞的視力一直很好。但過去幾年，她在近距離閱讀印刷字體時發生困難。我試著要她去看醫生，但她就是不要，一想到自己的視力受損，她就難以忍受。

最後，我說服她去看醫生。她去驗了光，而驗光師說她的眼睛很健康，她只需要配最低度數的閱讀用眼鏡，就是你在日用品店櫃台就可以買到的那種。但她仍然不願意戴眼鏡，要她戴眼鏡就好像要拔她的牙一樣。我喜歡她不打算只是消極地接受現實；她奮力對抗。她不斷延後，延後，再延

後。我們上餐館用餐時，她會把菜單拿離自己十八吋之外來看！這就像我爸向來說的：「上帝，祢要不就醫治我眼睛，要不就拉長我的手。」維多利亞拒絕這麼想：「唉，我想我大概是老了。」或是：「我想我的視力正在退化。」不，她不會計畫失敗。

有一天，我讀到一篇研究報告，其中有一份圖表顯示每到一個年紀，哪些器官會開始退化。那份研究報告說，當我們到了三十歲，我們的聽覺每年都會退化許多，我們的肌肉群每年都會消失許多，而腦細胞每年也會以一定的百分比減少。如果你開始相信那些報告並依此行動，就難怪你的身體會瓦解潰散！另外有一天，有人告訴我：「約爾，我才剛滿六十歲，聽力就大不如前。我知道這一天總會來到，因為每個人都告訴我，我的聽覺會走下坡。」

我告訴這個人：「你認同了錯誤的聲音，別再把你的信心放錯地方，要開始認同上帝所說關於你的話語。申命記卅四章7節說，摩西死的時候年一百二十歲，眼目沒有昏花，精神沒有衰敗。這表示他仍然耳聰目明，又健康又強壯。我不知道你的情況，但我相信我會活得和摩西一樣。不要聽信負面的報告，讓我給你個不同的報告吧。我要把我在上帝話語中找到的向你報告，事實上它說：『你六十歲時仍會聽得清楚，七十歲時仍會和廿五歲一樣心智敏銳，八十歲時你會充滿喜樂，充滿生命，充滿活力。』你何不開始計畫活出長壽、健康又滿足的人生？」

回顧一九九○年，我們正在整修湖木教會的舊會所，特別是講台區域。在那時，我父親已經年過七十。有一位與我一起同工的建築師說：「約爾，令尊有點老了，你難道不覺

得我們應該設一個通往講台側邊的輪椅坡道，一旦他需要輪椅，就可以派上用場？」這位建築師是個好人，他也是出於一番好意。但我心中所想的是：你不認識我父親，如果他聽到你這麼說，他會把你趕出去。我父親從不打算坐輪椅。

不要為因老化駝背無法活動而擬定計畫，要保持信心，對自己說健康的話語。要講述上帝賜你的長壽，然後伴隨著行動。

我認識一位九十歲卻獨自居住的人，他的臥室位於二樓。這表示他每天要上下樓梯好幾次。他的子孫曾嘗試說服他搬到樓下的一間空臥室，但他不肯，他心意已決。他說：「約爾，我知道，如果我讓步，就永遠無法回到樓上啦。」

他可能是對的。當然，我們應該運用常識，我們必須實際點；但我要說的就是，不要計畫失敗。你身邊的每個人也許都已老化、體弱多病，抱怨身體這裡不行、那裡不中用，但你可以成為例外。要相信你能過著長壽、健康的生活。

我父親所想的是，能活多久就證道多久；他不想退休。他向來對我說：「約爾，我絕不會中風。」他是憑著信心這麼說，因為他一輩子都在對抗高血壓。他會說：「我絕不會喪失行為能力，我絕不會不能講道。」

而他的信心成真。我父親在他回天家的十一天前，還在證道，上帝如他所願，因他夠勇敢地將信心置於此。他相信自己會一直產能滿滿到過世的那一天，而他果真確實如此。

我們很容易會想：「唉，熵定律(the law of entropy)告訴我們：一切都將瓦解。因此我的身體也將衰敗，這就是老化的一部分。這裡不中用，那裡又喪失功能，聽不見，看不清，體弱多病。」

不，不要掉進陷阱裡，特別是體弱多病的陷阱。這世上

已經夠多體弱多病的人了！要計畫健康，充滿喜樂，產能滿載直到上帝要你回天家的那一日。

在舊約裡，當迦勒八十歲時，他說：「上帝，再給我一座山。」他其實是說：「給我一些其他的事做，再給我一些任務吧。」注意，他正計畫活出得勝的生活。他本可說：「上帝，讓我退休吧。我的背痛，我幾乎看不見東西。醫療保險可不給付最新處方，我好煩心啊。」

不，他強壯、精力充沛，預備好迎接下一個挑戰，即使他已八十高齡。你永遠不會太老而無法為上帝行大事，你可以肯定的是，不管你幾歲，上帝都有要你實現的重要計畫。你不是只在白佔地土，等著上天堂。要拿回你的喜樂；找回你的熱情。不要和蜜餞一樣乾縮；相反地，要計畫快樂地活出每一天，生氣蓬勃、健康地多結果子。

有一對年長夫妻來參加湖木教會的領袖特會，在「問與答」的時間，他們站起來問說：「約爾，我們不是很肯定這把年紀要做什麼。」

這位男士盛裝打扮，皮膚看來好極了。儘管他們說他們已九十幾歲，但他的雙眼依然閃耀著生命，他的妻子則是美麗與優雅的化身。他們真是一對精神矍鑠的出色年邁夫妻。

我告訴他們：「有一件你一定得做的就是，到處走走，讓人們看看你們，作他們的榜樣。你們的喜樂、健康、平安與勝利，都可以對人有所啟發。」我說：「以你們的例子來說，任何未滿八十歲的人都是年輕的世代，你們必須讓他們看看，知道你們如何活到這個歲數仍然有健康、喜樂與平安。」

那對年長夫妻深深激勵我！我每週都告訴維多利亞，我

相信自己至少還有四十年強壯、多產的美好服事生涯，有四十年可以分享上帝話語、鼓勵人們、建造國度的美好歲月。不是有了美好的三十年，然後再來的十年我腰酸背痛，這裡不管用、那裡不能動，沒喜樂，沒平安。不會，我的信心基準就在四十年。我相信我八十歲時還和現在一樣有活力，仍然頭髮茂盛，仍然可以搞笑，仍然開我哥哥保羅的玩笑。我計畫活出長壽、健康、興盛、滿有喜樂的豐盛生命。你何不也這樣做呢？

我認識一位女士，她在七十歲時去做全身健康檢查。醫生看了她所有的報告之後，給她一個平均壽命預報。從她的健康、基因與家族史來看，他們基於醫學上的結論，預測她大概可以活到七十五歲。

這幾乎就是在告訴她，她活不過第二天，以致她失去了喜樂與平安而沮喪到足不出戶。基本上，她根本就放棄了生命。這持續了一陣子，直到有一天，她的家人帶她來找我。我告訴她：「不要為最壞的做打算，不要讓負面思想生根。上帝能做人類智慧與醫學所不能做的，而且我發現，那些專家雖然是好人，但有時候也會出錯。」我們進一步詳談，然後我試著鼓勵她，而從她臉上的表情，我可以看出她又有了信心。如今這位女士已經八十一歲了，還健康又有活力得不得了。

我最近看到她，她對我說：「約爾，我已經多活六年囉。」

我笑著說：「沒錯，而且當你活到九十歲，我們還要盛大慶祝喔！」我們會的。

儘管不要讓負面思想與宣告生根很重要，為自己的壽命設

下高標準也一樣重要。我父親始終相信，他能活著講道到九十歲。他其實沒有真正做到，但他向來常說：「我寧願往上射擊而打不準，也不願往下開槍而命中。」要設定高標竿。

我曾與一位七十幾歲的人打籃球，他保持良好體態，還能和二十來歲的小夥子一起在籃球場上蹦來跳去。有一天他說：「約爾，真有意思，當我四十歲時，醫生告訴我，我的膝蓋無法承受這種運動量，但我還是一直打球。五十歲時，他告訴我如果我還這樣又跑又跳，我的背會開始痛，但我還是繼續。六十歲時，他告訴我，我的體能也許無法永遠保持年輕，但還能和年輕人一起跑步。」他說：「等我七十歲回去體檢時，醫生最後終於告訴我，我想怎樣運動就怎樣運動。」

我笑著問他：「那你要動多久呢？」

他笑著說：「我要一直動到老。」

這就是我欣賞的。老化是一種心態問題。你的身體也許年歲漸增，但如果你的心靈保持年輕，你的身體還會變得更好。這位男士擁有廿五歲的心，他始終快樂且心存感恩，始終保持好心情。你可以看出他並未計畫變老、變衰弱，他計畫活出喜樂、活力與健康的生命。

也許你的家族有嚴重病史。你必須起而抵擋那些疾病，並相信上帝會賜你健康。你可以成為例外，可以是為你家族設立新標竿的人。你所要做的是：抱持不同的想法，運用不同措施，採取不同的行動。你不能又準備失敗又期望活在得勝之中；要讓信心不斷為你作工，而不是讓它與你作對。

歐斯汀奶奶，也就是我的祖母，是位活躍的女士。她大約只有五呎高，但她的信心可大了。在她年邁時，有一次她

去看醫生。醫生說：「很抱歉，歐斯汀太太，你已經開始罹患巴金森氏症。」

喔，當時歐斯汀奶奶並不知道那是什麼病，但她確定自己不想和這種病扯上關係。她怒髮衝冠，嚴厲堅定地說：「聽著，醫生，我不會罹患那種病。我拒絕罹患這種病，我太老而不會得這種病。」

她回家後一直都沒有罹患巴金森氏症，只是繼續做她本來就在做的事，計畫活出長壽、健康的生活。她沒有讓負面的話語生根。

我發現，我們不能只是希望事情消失；我們甚至無法禱告使它們消失，但我們能夠決定我們要計畫的。我們可以計畫老化、失去健康，但我們更可以計畫活出長壽、健康、蒙福與興盛的生命。

你今天計畫了什麼？疾病還是非凡的健康？勉強過活，還是蒙福生活？要原地踏步，還是要更上一層樓實現你的夢想？根據你的行動或缺乏行動，我們都正在計畫著某件事。

聖經裡有個關於一個寡婦的有趣故事。她的丈夫過世了而她沒有錢付帳單，債主上門捉住她的兩個兒子做抵押，而她僅有的值錢家當只有一小瓶油。先知以利沙出現在她家中，並指示她做件相當奇怪的事情。他說：「去找你所有的鄰居，盡可能向他們收集你能找到的大型容器，像是能裝油的大罐子。」以利沙特別囑咐她：「不要只收集一些；要盡可能地多多收集。」

無疑地，在自然律看來，這位寡婦好像只是在浪費時間。以利沙知道自己必須把她的信心導向正確的方向，因她已經預備失敗夠久了，而現在他正嘗試讓她開始預備得勝。

因此她收集了所有的空容器，把它們帶回家，而以利沙則要她把所剩的油倒進每個容器中。起初，她看起來好像只是把油從一個容器倒到另一個容器中，但聖經說她的油一直倒不完。她不斷倒了又倒，倒了又倒。上帝超自然地讓油倍增，直到所有容器都完全裝滿油。如果她當初還多找了十幾個容器，那些容器也一樣會完全裝滿。朋友，我們才是那個限制上帝的人；祂的資源是用不盡的。如果你不看環境，相信祂會行得更多，祂就會供應，即使這需要神蹟！

讓我來挑戰你。要為你的生命做大夢，為豐盛做準備。

「我想要把房貸付清，」我聽見你說：「我想要擺脫債務，但我無法看見這要怎麼成就。我的事業就只能這樣。我想要讓孩子讀大學，但現在這花費很高。」

不對。你有做準備嗎？你有開儲蓄帳戶嗎？你有任何容器嗎？「唉，約爾，開個帳戶卻沒錢存入是很傻的。」

以利沙時代的那個女人正是這麼做；她踏出信心的一步。光是相信還不夠，信心之後還要加上行動，要做你能做的。你在工作上是否有盡力，提早上工，多走一哩，多做一些？你的穿著是為成功做準備嗎？也許你只有一套正式的服裝，要把它洗乾淨，燙平，穿得好像你是老闆一樣。你有說成功的話嗎？「唉，除了我，每個人都升官了。老闆一直說要精簡人事，上週我的洗衣機還故障，不是這裡不順，就是那裡不順。」

一直陷入那種講話模式，只會讓你為失敗做準備；要改變態度並改變你的話語，要開始說：「今天會是蒙福的一天；這個月會很棒。這是我生命中最好的一年，我知道上帝為我預備最好的，祂的恩惠與慈愛隨著我。上帝的恩惠環繞我，我要期待加添、晉升與豐盛。」不要停留在那兒，要開

始為興盛做準備，要預備成功，而非失敗。

當我父親在一九九九年回天家而我開始牧會時，我所做的第一件事，就是取消我的週末電視檔期。我想：我以前從沒講過道，我確定我不會上電視講道。因此，我撥電話給我們在全國主要電視網的代表，當時我們在那裡有播放節目。他是個好朋友，我告訴他發生什麼事，以及我們要如何取消節目的播映。我在做什麼？我正在為失敗做準備，我正在為差勁的表現擬定計畫。我不認為自己可以講道；我無法想像任何人會聽我講話，因此，我在信心後面又加上行動，只是我正把信心往錯誤的方向延伸。

我當晚回家後，就隨口和維多利亞說我做了什麼。她說：「約爾，你必須拿回那個時段，全國人民都在等著看湖木教會將發生什麼事。」

當她這麼說時，我的內心起了某種共鳴，而且我知道那是對的。我們很快採取行動把播映時段取回來，而今，我們的節目在全世界播送著。許多時候，我們正在用自己的行動限制上帝。如果我沒有踏出信心的正確一步，我不知道我們今天還能不能出現在電視上。我們不能為失敗做準備卻期待去得勝。

也許你正為失敗作預備，準備勉強過活或失去健康。不要如此，要開始為好事做預備，為成功做預備，為豐盛做預備；要為得勝做預備，為長壽做預備，為健康做預備。要把你的信心引導至正確的方向，要開始為蒙福、興旺、健康、喜樂、豐盛、長壽的生命擬定計畫。如果你這麼做，上帝將會做得更多，超乎你所求、所想的。祂會將祂的福分與恩惠傾倒給你，而你會活得更美好！

第 *29* 章

不斷歌唱

要使自己變得更好的關鍵之一，就是不斷唱著上帝放在你心裡的歌，即使是五音不全！讓我解釋一下，太多人四處帶著負面與沮喪，任由問題與環境拖累他們。他們飽受壓力，每天如行屍走肉，對生命了無熱忱。我聽過有人告訴我：「約爾，我問題太多，無法享受人生。」或是：「我沮喪不快樂，是因為我諸事不順。」

事實上，上帝在我們每個人心中都放了一口快樂井。我們的環境也許是負面的，也許事情不順心。但如果我們能學習汲取這份喜樂，就仍然能快樂。即使是遭逢逆境，我們仍然能活出熱情。

關鍵之一就是聖經以弗所書五章18節說的：「要被聖靈充滿。」注意，你不是只被聖靈充滿一次，從此就過著幸福快樂的日子。聖經的意思是要一直被聖靈充滿，這表示我們要持續被聖靈充滿，這要怎麼做到呢？

這段經文的下一節揭示了祕訣：「當用詩章、頌詞、靈歌彼此對說，口唱心和的讚美主。」換句話說，讓你生活保持喜樂滿溢、克服生活壓力的方法，就是心中不斷唱著讚美頌。

我們一整天都要唱著，就算不是大聲歡唱，至少也要默默地讓讚美詩舞動我們的心。也許你並不是真正在唱詩歌，也許你只是在表達一種感恩的態度，是在你的思緒中想著上帝的良善。或者，也許你到處哼著曲調，也許只是在工作時吹個口哨那麼簡單，但一整天下來，你就在唱出心中的旋律。你在低聲說著：「主啊，今天謝謝祢，謝謝祢讓我健康活著。」

當你這麼做，就在填滿你的內在，而上帝就在幫你補給能量，祂在幫你補充喜樂與平安。一切往往因著壓力、失望與嚴酷生活而消耗的，上帝都要在你的生命中更新。當你不斷唱著讚美詩，就能不斷得到補給，也能更快補充你被生活所耗損的一切。這就是我們被聖靈充滿的方式。

「咦，我每個禮拜天都上教會，」麥可說：「我在工作之前讀經，這還不夠嗎？」

不夠，這是持續進行的過程。常常充滿表示我們必須養成習慣，每天更新補給，特別是在困苦的日子裡。

想像一下，有人在你孩子生日時送她一顆氣球，生日派對後的頭幾天，氣球還又新又漂亮。它會衝到拉線的頂端，在空中飄蕩著。如果你放手，氣球就會飛到高空中。然而，幾天之後，氣球開始變皺、縮小、下沉、變低、變小、變軟。每過一天，氣球就愈變愈低。最後，它就掉到地上，完全洩氣，失去生氣與魅力，更別說有飛得高的潛力了。

　　諷刺的是，你要幫這氣球補充、讓它擁有新開始與吸引力的，就是把它再次灌滿氦氣。如果你定期這麼做，那氣球會持續好幾個月，把歡欣與快樂帶給所有看到它的人。

　　同樣的原則也適用在我們的生命中。一整天下來，無論剛開始時多麼生氣蓬勃，我們都會「逐漸洩氣」，我們會感到緊迫的壓力，生活就是如此。例如：你被卡在車陣之中，於是就洩了一些氣出來。你發現沒有得到所渴望的合約，這樣，你氣球裡又漏了一些氣。你帶著一天所經歷的不順利回家，卻發現孩子生病而你必須處理；狗兒去翻垃圾桶，而你必須去清理，以致你的氣球又漏掉一些氣。你要充滿生氣並保持喜樂與平安的惟一方法，就是在心中唱讚美詩。

　　要明白，我不是說你一定要唱出歌聲，我是建議在你的思想中，要不斷表達感恩的心。你可以一整天低聲感謝上帝為你與家人所行的事。當你在家中忙碌，不要抱怨，反而要哼著小調。當你在洗碗盤時，播放一些不錯的讚美音樂，一起哼著旋律。

　　這會發生什麼事呢？你的心會唱著旋律，而當你這麼做，就是在不斷地充滿上帝的愛、喜樂與平安。

　　我父親不管到哪裡，不是在唱歌，就是在禱告或吹口哨。有時候，當他一開始吹口哨，我母親就會感到心煩。她會說：「約翰，你可以別再吹了嗎？我們能不能清靜一會兒？」

　　我父親會說：「喔，朵蒂，我只是很開心。我正在讚美主。」

　　我母親會說：「約翰，你正在吹綜藝節目的主題曲，你才不是在讚美主。」

哪一首歌對我爸來說不重要，重要的是他的態度。我父親一開心就會吹口哨，他正在心中說：「上帝，我很快樂。上帝，我愛祢。我真感恩自己是活著的。」他心中總是有一首讚美詩。

當你在洗碗時，可以站在水槽前抱怨說：「沒人感激我；我每天做的都是這些。」或者，你也可以哼首讚美、感謝的歌，這都操之在你。

「唉，我又沒有音樂天份，」你可能會說：「我又唱不好。」

我也唱不好。但這不是只關乎音樂；這是一種態度。在我們的思想裡，我們是在心存感恩。我們對未來感到興奮，期待來自上帝的好事，因此，我們讓一首歌不停地在心中播放。任何人都可以做得到，而且，如果你選擇，你也可以在洗澡或開車時哼唱。當你這麼做，就是在心中唱出旋律。

不久以前，我在半夜醒來還可以聽到自己唱一首自幼就會唱的歌。歌詞恰好是出於聖經：「祢，喔主，是我的盾牌，是高舉我的榮耀。」我一再地唱著，不是很大聲，但在我心深處，讚美之歌湧出，也就是在那時，上帝再一次充滿我。

當你開車上班，播放一張激勵人的讚美CD，善用這段時間；當你在家時，放些提振人心的音樂，留心你的變化，體察你餵養自己的東西。

不久以前，我邊開車邊開廣播，而我剛好調到一個播放老歌的電台。當我打開廣播時，第一句聽到的歌詞就是：「你沒用，你沒用，你沒用，寶貝你真沒用。」

我心想：我用不著聽這些！我每天不用聽這些垃圾就已

經夠多要煩的了。

這就是洩氣！如果你聆聽這種負面的聲音，當你完全洩氣時，請不要驚訝。

這就是今日許多人在做的。在他們的思想裡，自己心中沒有歌。他們成天想著負面的問題、傷害他們的人，以及他們有多少工作要做，還有生命有多不公平，然後納悶自己為何沒有精力，為何扶養小孩沒有樂趣，為何他們害怕上班。這是因為他們已經失去了他們的歌，他們沒有補充自己消耗的。你必須主動出擊，確保自己輸入正面的事物比負面事物還多。

很有趣的是，即使是正在學步的小孩子，在聽到你放音樂時，都會生氣勃勃。他們會開始搖擺、跳舞與拍掌，音樂讓他們精力充沛。有趣的是，你並不需要教他們這麼做。你不需要說：「我要放音樂囉；開始準備動吧。」

這對他們來說是自然而然的，因為上帝已經在他們心中放了一首歌。同樣地，上帝也在我們每個人的心中放進了韻律；但太常發生的是，我們讓生活的壓力使自己頹喪。我們在兒時心中有歌，我們開心、無憂無慮，對生命充滿期待。但隨著時間過去，我們養成了新的習慣，我們變得尖酸，像行屍走肉，對生活無所期待。我們必須重新發掘赤子般的信心，而當我們這麼做，我們也將會發現內在的歌。

有一天，我們七歲的女兒雅麗珊卓一早跑進來。她已經穿好衣服準備去上學，開心且充滿熱忱。她笑容燦爛地說：「爸爸，猜猜怎麼著？我已經唱了兩首歌，還翻了兩個觔斗。」

我看著她的雙眼說：「小寶貝，我喜愛你的熱忱。無論

你遭遇什麼，都要不斷唱歌、翻觔斗。」

對我來說有趣的是，我和維多利亞從未要求雅麗珊卓唱歌。她就是會唱，我一整天都可以聽到她在唱歌，因為上帝已在她心中放下一首歌。而我所做的則是，唱出內心向主歡呼的旋律，藉著唱出一首讚美詩來開啟新的一天。在洗澡時，我唱得真好！當我踏出浴室時，我根本不知道外面發生什麼事！我喜歡用讚美詩來開啟我的一天。即使你不大聲唱，至少也要在內心唱。說不定你甚至可能還會想要翻一、兩個觔斗呢！

無論做什麼，都要找回你的歌。如果你必須改變一些習慣，不再一直想著負面事物，那麼就去做！也許你生命中有缺憾，而這些缺憾原本可能更糟，但無論如何都別再想著哪裡不對勁兒，要開始為那些對的事感恩。一整天都要感謝上帝的良善，要默想祂的應許。如果你找回你的詩歌，你不僅會更享受人生，還會看見事情因著要使你得恩惠而改變。

我祖母學會了要怎麼做到。我小時候常和兄弟姊妹到祖母家去。每次我看到奶奶，她都在哼著歌。除非你很靠近她，否則你無法聽見，但當她在燙衣服的時候，她很平靜祥和；她面帶微笑，隨口哼著歌。在她做每一件事時，不論是清洗碗盤，烹煮晚餐，與我爺爺偕同旅行，她都在心中唱著旋律。我不記得曾看過祖母苦惱、挫敗、飽受壓力或擔憂的時候。她是我認識最寧靜、最喜樂的人之一，即使事情不順利，她的態度總是：「我不要為此擔心，我知道一切都會很好。」

有一次，我祖父母來我家吃感恩節晚餐，而我奶奶忘了帶主菜火雞。但這可沒有毀了她的一天，只不過是毀了我的

一天，卻不是她的一天。她仍然從容平靜，只是笑著說：「你相信我竟然做出這種事嗎？」沒什麼能奪走她的歌，難怪她活出長壽、健康的生活，因為她心中總是在對上帝唱著歌。

從你的內心開始

我在想，如果你我更像她一點，我們會多麼享受人生。如果我們不這麼嚴肅看待所有事情，並拒絕讓每個挫折或失望使我們沮喪兩星期，我們的心態會怎麼改變。如果我們單單在心中唱著讚美詩，我們的生活會變得多好！

也許最近你注意到自己不如平常笑得那樣多，你也不再開懷大笑；你已經讓生活的重擔使你頹喪；也許你已經慣於忍受生活而非真正享受生活；你已失去了曾有的火苗與熱情。

這都可以改變，但需要你來做決定，就是要養成新的習慣。第一是要養成刻意微笑的習慣。你可能會說：「我不喜歡笑，我有好多問題，好多事情不順心。」

不對，有時你就是必須憑著信心笑。如果你憑著信心笑，喜樂很快隨之而來。笑容會向你的全身散布訊息說，一切都會很好。當你微笑，化學激素就釋放到你的全身系統，讓你感覺更好。除此之外，當你微笑，你就擁有上帝更多的恩惠。這會有助於你的事業，微笑也會幫助你與人相處。許多研究都顯示，

> 要養成刻意微笑的習慣。

面帶微笑又親切的人、風度翩翩的人，會比其他嚴肅有敵意的人更有好的機會。

我讀到一篇報導，是關於一個大公司計畫招聘五百名新進員工。他們面試了五百人，並自動淘汰任何在面試中比其他人微笑少四倍的人。

有些人說，你的微笑是百萬資產，如果你不運用，就是在給自己幫倒忙。「唉，約爾，我不覺得我笑不笑有什麼關係。」

上帝很在意你的表情，祂在聖經裡提了五十三次。當你微笑，不僅對你自己有益，對別人也是個好的見證。人們會想要得著你所擁有的快樂；傳講我們的信心是一回事，但活出信心遠比這更好。我們所能擁有最好的見證就是快樂、面帶笑容，以及友善、親切好相處。

有些人看來總像是失去了僅剩的朋友，即使他們到教會聚會，看起來就像是參加上帝的葬禮！

有人問：「你好嗎？」

「喔，我只是在堅守到耶穌再來。」這位面容僵硬的仁兄回答。

不對，我們不應該只是像行屍走肉一樣撐著，要找回你的歌，別再讓生活的重擔使你頹喪。

當然，有時你會想：我諸事不順，我正在對付難題。但事實是，我們都有難捱的時候，有棘手的問題或待扛的重擔。不要讓問題與環境偷去你的喜樂。

也不要讓別人奪去上帝為你所預備一切上好的事物。太多人因為生活中有負面的人而被拖累；總是有人不去做對的事，也許你和總是在抱怨的人一起工作，或是與不斷沮喪、

沉溺在自憐中的人一起生活。不要和他們一同下坑，要保有你的歌。

幾年以前，我走過一大片被枯草覆蓋的田野，極目望去，除了乾掉、枯死、毫不吸引人的雜草，其他什麼也沒有。然而，當我走到路徑的某一點，我注意到一朵美麗的花，色彩鮮豔又容光煥發，它就開在那些枯草的中間。我馬上想著：這就是我們應有的樣式；也許我們有許多問題，也許你身邊有許多負面的人；但不要沉淪至他們的層次，只要在自己的定位上綻放光華。也許你與枯草結婚，但你仍可以開花。或者，也許你和一群枯草一起工作，就是那些抱怨老闆、講公司八卦、互相嚼舌的人。

你也許無法改變他們，但你可以處在他們當中而在自己的定位上盛開。要面帶微笑，心懷感恩的態度。不要讓其他任何人拖累你，相反地，要自己做榜樣，振興他們，讓他們也想要得著你所擁有的。

今天就宣告：「我不要讓又一個問題、又一個環境或又一個人阻止我讚美上帝。我要時時稱頌祂。我要找回我的詩歌。」

我知道我們的問題都是真實存在，而有時候，生活實在很艱難。但當你度過了這個問題，在你克服這個挑戰之後，總又會有新的挑戰要去克服，總會有其他事情要對付。如果你要等所有問題都消失之後，才找回你的歌，你將會錯失生命的喜樂。

使徒保羅遭遇各種逆境，經歷一切挑戰，但他說：「我們在一切事上都得勝有餘。」注意，他沒有說：「當這些困難都搞定，我就會快樂。」沒有。他所說的是：「即使在困

境之中，無論如何我還是要享受生命。」

第一要養成刻意微笑的習慣；其次要檢視自己的姿勢。要確保你站得筆直，抬頭挺胸。你是至高上帝的孩子，不應該垂頭喪氣、軟弱無力，覺得低人一等，認爲自己毫無魅力。

聖經說：「我們是基督的使者。」[1]這表示你代表全能上帝，因此要好好彰顯祂。甚至有許多良善、敬虔的人也養成了垂頭喪氣的壞習慣。如果你這麼做，就在潛意識裡表達自己缺乏信心，缺乏自尊。你必須抬頭挺胸，傳遞力量、決心與自信，在潛意識中說：「我以自己爲榮，我知道我是依照上帝的形像所創造，我知道自己是上帝眼中的瞳人。」

許多溝通都是非語言的。當我首次公開講道，我極力想要陳述自己的觀點，遂拉長脖子往前傾，想要有力地闡述論點。但有位精通溝通的朋友建議：「約爾，你正在製造反效果。當你把頭往外伸，還彎著腰，那是一種軟弱的象徵。如果你抬頭挺胸，你會更有說服力。這是力量與自信的姿勢，而人們更會相信你所說的話。」

我們的肢體語言一直在透露訊息，因此要確保你的肢體語言正訴說你想說的。你的表情、微笑、姿勢與舉止，在你活出更美好的過程中，會造成大不相同的效果。

身爲年輕人，我在一位朋友身上注意到這個特質。他是一位較年長的紳士，他看起來好像政治家；他的姿勢完美，穿著無懈可擊。他總是和藹、憐憫與體貼。他現年八十幾歲，表現得也正如這歲數該有的穩重。當我看到他，就想到王子或國王，他看來就像皇族。這是你我應該有的樣子，不是要自大，也不是說要驕傲吹噓；我說的是活出平靜、安穩

的信心。我們知道自己代表全能的上帝，因此讓我們學習挺
直腰桿，向前邁進。

當然，個性會在其中佔有一席之地。有些人天生就比較
有自信，有些人本來就比較笑口常開，像我可能連睡覺都在
笑。你可能恰恰相反，但不要把這當成尖酸刻薄度日的藉
口。我也有需要改變之處，雖然我天生就笑口常開，但其實
我生性安靜保守。我必須訓練自己更有自信，更勇於發言。

也許你自信滿滿，但你太嚴肅，你笑得實在不夠，你可
以訓練自己更常微笑。當然，最棒的微笑是發自內心的。事
實上，聖經說我們的喜樂可以湧流。這表示，當人與我們為
伍，我們的喜樂應該多到會傳遞到他們身上。當他們離開
時，他們應該會更快樂，更受鼓勵，更受啟發，比之前更
好。

要注意，當你與人相處，你是否一直索求而都沒有付
出？你是否指望他們讓你高興起來？應該要剛好相反，你必
須開始在心中唱歌。也許你從醫生那裡得知壞消息，以致你
兩腿發軟，這時你就應該站穩並說：「上帝，我知道祢仍然
掌管一切，我要保持笑容，不論如何都要讚美祢。」

聖經告訴我們要常常以頌讚為祭獻給上帝，[2]但並不表示
這樣做一直都很容易。然而，我們的心態應該是：「上帝，
我知道當我保有自己的歌並心懷感恩時，這不僅會啟動祢的
大能，也會幫我加油打氣，填滿我。因此儘管我的狀況如
此，我選擇無論如何都要讚美祢。」

朋友，你可以選擇你要唱的歌。不要在思想生活上怠
惰；對自己講述詩篇與讚美詩，整天對自己說話。也許你一
直對自己講錯誤的話，此時你必須開始宣告：「今天會是

美好的一天，主啊，感謝祢賜我力量。主啊，感謝祢賜我健康。」

找回你的詩歌，並說這樣的話：「天父上帝，我為著這一天感謝祢。感謝祢，我還活著。」每一次你這麼做，上帝就會用祂的喜樂、平安、力量、勝利與恩惠重新充滿你。而當你充滿上帝的愛與能力，就會有一個天然的副產品，那就是你將開始尋找上帝在你生命中的美善。我們會在下一章更深入探討這些。

第 *30* 章

從相信到期待

我希望你正在為上帝要給你的一切好事做預備。上帝已將夢想與渴望放在每個人的心中,而我們都有可以倚靠的應許,就是一些我們相信會成就的事情。但我們幾乎都必須等待,也許你正在等待關係有所改善,也許你正在等待結婚,也許你正在等待升遷,或者,也許你正在等待戰勝病魔。

生命中有許多部分都花在等待上面,而等待分為好的方式與壞的方式。我們太常因為事情沒有依照自己的時間表發生,就頹喪、灰心。即使我們心中擁有應許,卻會放棄並安於現況。我相信這是因為我們沒有依照好的方式去等待。

聖經說:「當你等候,要忍耐。」[1]注意,它沒有說,「如果你等候」;它說,「當你等候」。這段經文繼續說:「農夫忍耐等候地裡寶貴的出產。」關鍵就在於,我們必須帶著期待等候。我們不應該一直想著:我的情況永遠不可能

改變；我禱告了，我相信了，但我看不出要如何擺脫這團混亂。

不應該如此。帶著期待等候，表示我們懷著盼望與正面的心態。我們每天起床就要期待好事發生。也許會遭遇難題，但我們知道，今天可能是上帝翻轉情勢的一天，這可能是我得到突破的一天。

等候不應該是消極的。正確的等候，表示你正在守望著；你在說話時，就講得好像你所相信的將要發生，你做事，也做得好像它們將要發生似的。你正在做準備。

如果你期待某個人來共進晚餐，你不會等到貴客臨門才去準備餐點。你最有可能早早就開始準備，並會確保房屋窗明几淨，而且還會前一天就去採買。也許你會買些鮮花擺在餐桌上，並到麵包店買你最愛的甜點（當然，要低卡的）。你會預備一切，這是為什麼呢？因為你正在等待某個人。

我們在等候上帝的應許成就時，也必須抱持類似的態度。光是禱告還不夠，我們必須在禱告之後還加上行動。聖經上說：「信心若沒有行為就是死的。」[2]換句話說，我們可以這樣相信，可以這樣說話，但是若我們沒有在信心之後加上行動，對我們就毫無益處。

史考特是一位夢想上大學的年輕人，但他家沒有人擁有高中以上學歷。我在和他說話時，他馬上列出一串阻礙：「約爾，我不知道我負不負擔得起。我不知道我成績夠不夠好，我不知道學校會不會錄取我，我不知道我其他家人會怎麼想。」他正要說服自己放棄夢想。

最後，我阻止他，並說：「史考特，你何不踏出信心的一步呢？在你的禱告之後加上一些行動，並至少把申請表填

了。去校園逛一圈，和輔導聊聊，為成功做準備。如果你做你所能做的，上帝也會做你所不能做的。」

太常發生的是，我們相信一件事，但行為表現出來的卻是剛好相反，而其實我們正在為失敗做準備。也許你來自一個有離婚史的家族，你不但不要害怕結婚，也不要擔心你的婚姻會以離婚收場，反而必須開始計畫要怎麼慶祝你的第一個結婚紀念日、第五個結婚紀念日，以及第二十個結婚紀念日。要說出關於你婚姻活力與生命的話語，不要說：「我不確定我們的婚姻能夠撐過這種壓力。」也不要說：「如果我們成功，也許我們明年可以上郵輪慶祝一下。」要排除「如果」並開始說：「當我們成功時。」

我逗維多利亞說，我已經計畫好我們的結婚五十週年慶祝活動，我是想著：在她和我黏在一起長達五十年後，我要帶這個女孩到牛乳大王那裡慶祝一番。

但是，說真的，你要保持盼望與正面，並為成功做準備。我們必須了解相信與期待的不同。你即使沒有懷孕，還是可以相信你會有小孩。然而，一旦你從相信到期待，就進入了另一個層次，也就是說，當你期待，就會去佈置一個育嬰室。你會給還未出生的寶寶買衣服，你會撥電話給親戚朋友，讓他們知道這個好消息：「爸！媽！我將有寶寶啦！」即使只是在懷孕初期，你也會開始做一切準備。這會影響你的態度、飲食、運動、說話與想法。

有趣的是，你可能過了幾個月還說：「我看來還是一

相信與期待是不同的。

樣，我沒感覺到什麼不同。」

你看見或感覺到什麼並不重要，你從醫生那裡得知你將生出孩子，你只要知道這些就可以開始做準備了。

當上帝將一個夢想放在你心中，你也必須做相同的事。也許祂的應許之一正在你的心靈裡活躍著，使你有生以來第一次可以勇敢地相信家人會康復，自己的身體可以再度恢復健康，並知道夢想可以成真。第一件事就是要讓種子真正生根，但你不能停在那裡，你必須從相信到期待。

「我正在做，」你可能會說：「但我沒看到任何事發生。我的財務狀況並無改善，也沒看到任何門為我而開，我的健康不進反退。」

聖經告訴我們：「我們行事為人是憑著信心，不是憑著眼見。」[3]如果你真能看見所有事情發生，那你其實也不需要信心了。但當你在常態下無所倚靠之時，開始表現得好像上帝的話語就要實現了似的，並心懷盼望與正面態度，你就是在信心之後加上行動。這就引起了上帝的注意，就會讓祂在你生命中超自然地作工。發生了什麼事呢？是你從相信走到了期待。

當年在交涉要把湖木教會遷入康柏中心時，我們的領導階層就是這麼做的，那時這裡是國家籃球聯盟休士頓火箭隊所使用的場地。我對會眾宣布，我們在真正確定能入主該中心之前，就要募款來進行整修。在我們贏得市議會表決之後，有家公司對我們提起訴訟，要阻止我們搬進去。我們的律師說無法保證我們一定會勝訴，即使勝訴，案子也可能會因為各種上訴手段而繫於法院長達十年。

從合理的商業考量來看，我應該要等著看一切會如何發

展。但在我內心深處，我知道上帝要我們前進。因此，我從相信進步到期待，並開始做準備。就像年輕夫妻準備育嬰室一樣，我們開始擬定新計畫，做研究，把異象放在那裡。

這不是一直都很容易或安適的。許多時候，我會在半夜一身冷汗地醒過來，那些負面聲音會槌打著我的心，說：「約爾，如果你無法取得那座中心，你要怎麼辦？你會看來像個傻蛋！你已經鼓勵人為此奉獻，你將得把錢還回去。」諸如此類等等。

我會說：「上帝，我知道祢掌管一切，我不會因為看不見的事而動搖，我知道祢比我們的阻礙更大。上帝啊，我相信在適當的時刻，祢會讓事情為我的益處而改變。」

而一年半之後，這改變的的確確發生了。

農夫是怎樣等候的呢？是帶著期待等候。他怎麼照顧他的種子呢？他澆灌它，幫它除草，維持土壤柔軟。

我們要如何澆灌種子呢？要充滿讚美，要每天早上一起床就感謝上帝的應允正要來到。當負面的思想威脅著說，那不可能發生，你永遠不可能痊癒，你永遠不可能擺脫債務時，此時，你要把那些雜草除掉，只要簡單地說：「上帝，我知道祢是信實的，我的倚靠與信心在於祢。我知道祢為我的生命預備了上好的一切。」你要用期待與感恩的心來保護你的種子。

你是相信還是在期待呢？

「唉，約爾，我想要擺脫債務，」或者，你可能會說：「我想要有一天能擁有一間好房子，但我的生意進展得這麼慢，生活費又這麼高，我不知道這要怎麼成就。」

這種想法會讓你停留在原地，要決定用期待等候。要宣

告：「上帝，我知道祢可以成就人所不能的，祢是我的供應者。我的工作不是經濟的源頭，經濟情況不是我的源頭，然而上帝，我知道祢是我的源頭。」

要有更大的視界，要除去受限的心態並開始為上帝的賜福做準備，即使在小事上亦然。

幾年以前，我到朋友彼特與貝琪的公寓。那是個小房子，而即使他們快樂又滿足，他們卻知道，上帝將更大的渴望放在他們的心中。當這對年輕夫妻為斗室添購家具時，他們買了遠比適合房間尺寸更大的家具，做為信心的行動。沙發椅張張都擠在一起，緊靠著茶几，我都快走不過去了。

自然地，我並未對此說什麼，但我覺得這怪怪的。幾分鐘之後，貝琪說：「約爾，你得體諒一下我們的小寒舍，這些家具是為新房子買的。」

我不知道他們要搬家，因此我說：「真的嗎？你們要搬去哪裡？」

他們大笑，然後彼特說：「我們還不知道，我們只知道自己不會一直待在這裡，這只是暫時的。」

他們其實正在說：「這不是我們的命定，我們不要坐著接受目前的光景。上帝已將更偉大的事物放在我們的心中，而我們已經預備好更上一層樓。」

他們在那間公寓住了幾年，當我偶然遇到他們時，我常會問：「你們搬了沒？」

「還沒。」

「那什麼時候要搬？」

答案始終一樣：「很快！」我從未聽他們說出喪氣話。我從未看見他們灰心挫敗，他們總是保持盼望與期待。

有一天，貝琪在工作上有重大突破，得到升遷與大幅加薪。突然之間，所有事情都就定位了。

現在你能猜到那些特大號家具都到哪裡去了嗎？

不是，不是到他們的新房子，他們把那些家具送給了另一對相信自己將有夢中華屋的年輕夫妻，而貝琪與彼特為他們的新家添購了全新的家具。

當你在信心之後加上行動，就吸引了上帝的注意。何不踏出信心的一步，播下種子，做些對你與其他人表示你正為成功做預備的事呢？

也許你正遭逢疾病與痛楚，也許你得知關於自己健康的壞消息。如果是這樣，不要開始籌畫自己的葬禮。不要一直沮喪地想著其他所有死於這種疾病的人；要開始為痊癒做準備。

當我父親準備要進行心臟開刀手術，那時情況非常危急。醫生無法向我們保證手術會成功。

我父親沒有意志消沉，反而要我們把他的網球鞋與跑步運動服帶到醫院，放在他的床旁邊。情況說他短期內絕對無法跑步，但當他逐漸康復，他每一天都會看著那雙網球鞋。在他的心中，他正在說：很快地，有一天我要再來跑步。有一天我會恢復健康，有一天我會強壯。他正在澆灌他的種子，活出期待，而這就給了他堅持下去的力量。

聖經說：「但那等候耶和華的……。」[4]擴大版聖經詳細解釋「等候耶和華」的意思為：「那些期待，尋求，盼望祂的。」如果我們活出期待，保持盼望，為上帝的良善做預備，會發生什麼事呢？

聖經繼續說：「我們必如鷹展翅上騰，奔跑卻不困倦，

行走卻不疲乏。」換句話說，你不會垂頭喪氣，你將會勝過生活的挑戰。

如果你可以每天起床時都期待上帝會永遠翻轉你的困境，如果你能保持正面與盼望，那麼，上帝應許祂會賜下超自然的力量，讓你如鷹展翅上騰。

在你的禱告之後加入一些行動

然而，要記得，你必須在禱告之後加上行動。也許你已經禱告與相信，這樣真的很好；但不要停留在那兒，要不斷進取以更靠近上帝。要更進一步不只相信上帝能在你的生命中成就事情，還要期待上帝會在你身上，透過你並為著你行偉大的事。

我認識一位牧師，他夢想走遍世界分享上帝的話語，但在那時候，他沒有任何管道，也沒人邀請他去。

他沒有灰心失意地想著：我一定是錯過了，這一定不是給我的計畫，他反而踏出信心的一步。儘管他以前幾乎沒去過家鄉幾哩遠之外的地方，然而他出門去買了一組全新的旅行箱。當然他有更好的方法可以把這筆錢花在別的東西上，但在他內心深處，他知道有一天上帝要為他開啟幾會之門，因此這位牧師保持他的信心鮮活、強烈。

大約六個月之後，他接到第一封邀請函，邀請他到自己教會以外的地方講道，他興奮到把這封邀請函帶來給我父親看。今日這位男士走遍世界，他收到的邀約已使他應接不暇。在他從相信到期待並領受的過程，請注意他是怎樣在信心之後還加上行動。我們無法消極以對，還要擁有上帝最好

的一切。當我們真正期待，就在守望機會，是正在竭盡所能地實現自己的夢想。

在我姊姊塔瑪拉大約七歲的時候，她決定要養一些兔子。當時我們住在鄉間，已經養了好幾隻狗，甚至還有幾隻雞。但塔瑪拉也想要一些兔子，因此她對父親說：「爸爸，你可以買幾隻兔子給我嗎？」

我父親對孩子慷慨仁慈，但他已經要面對我們養雞而造成的夠多問題。牠們常逃出雞舍或院子，而我們得從鄰居那到處尋找牠們。

父親說：「塔瑪拉，我很愛你，但我們不能養兔子。」唉，他這樣對塔瑪拉講，簡直就是對牛彈琴，塔瑪拉根本沒在聽。相反地，她表現得好像她就要得到幾隻兔子似的。

這提醒我關於耶穌有一次要走去為一個生病的小女孩禱告之事。然而，在路上，祂遇到了一些事而耽擱。最後，有人來告訴祂的門徒：「告訴耶穌不必麻煩過來了，這小女孩已經死了。」

聖經上說：「（耶穌）碰巧聽到卻不予理會。」[5]現在，原則在此：有時候，若要保持信心，你必須不理會負面消息。有時人們會試圖說服你放棄夢想，有時醫生會告訴你他們無能為力，有時我們的思想甚至也會告訴我們所有原因，試圖說服我們的夢想、目標或禱告祈求難以成真。

耶穌聽到這壞消息，但祂選擇不予理會，祂選擇不受影響。這就是我姊姊塔瑪拉所做的；每隔兩、三天，她就去找父親，再向他要求一次：「爸爸，你有沒有再考慮一下兔子的事情呢？我真的好想養一隻。」

「塔瑪拉，我不需要再考慮，」父親說：「我們不會養

兔子。」

幾天之後。塔瑪拉又問一次：「爸爸，我還是想養兔子。」這樣持續了兩、三個月，塔瑪拉決心有一天她一定會養到兔子。

一直到有一天，我可以分辨她已經動搖了我父親，因為父親說：「塔瑪拉，就算我想給你養兔子，我也不知道要去哪裡弄一隻來。」

「我知道！」塔瑪拉回答：「我知道要去哪裡找兔子，我已經看過那個地方。」

父親說：「帶我去看看。」他們坐上車，開了約十五分鐘的高速公路車程，大概離主要幹道兩百哩遠處的一個樹林中，有個手寫的小標示，上面寫著：「兔子出售。」

塔瑪拉一直在找尋機會，而當你心中有夢，你會看見別人所看不到的。我和家人在這條路上已經來回好幾百遍，從來沒有人曾看到這個標示。最後，我父親說：「塔瑪拉，我很想給你養兔子，但我們根本沒地方養。」

她說：「喔，我們有的，我已經叫保羅幫我釘了個籠子。」

不用說，塔瑪拉養到兔子了。

許多時候，我們正等候上帝做些事，卻這麼說：「上帝，趕快用一個大銀盤端到我面前來吧。」

我們必須盡本份做好準備，做些功課，撒下一些種子，然後保持期待。

「唉，約爾，萬一我做了卻什麼也沒發生呢？」

那萬一你做了而事情成就了呢？即使事情最後沒有依照你期望地發展，你仍會活出更好的、正面的與盼望的生命。

許多人在等候情勢改變，而當他們在等候突破時，他們會變得不快樂：「從沒好事發生在我身上。」「我要什麼時候才能結婚呢？」「我要何時才能擺脫這問題呢？」

不，你必須把那個情勢交託給上帝。

在舊約裡，大衛王說：「上帝，我的時刻在祢的手中。」他所說的是：「上帝，我不知道事情要何時才會成就，但我明白祢知道什麼是對我最好的，因此我要期待好事，而即使事情今天沒有發生，我也不要帶著失望就寢。我要不斷相信自己離夢想的實現又更近了。」

要開始預備過蒙福的生活，要不斷把願景放在自己前面，切勿相信「永遠不會」的謊言：「我永遠不會痊癒，我永遠無法看到夢想實現。」不，要甩開那些，保持正面與期待。

> 切勿相信「永遠不會」的謊言。

你也許會說：「我都做了。我禱告，相信，期待，但我所愛的人還是死了。我就是不能理解。」

不，上帝對你的生命仍有偉大的計畫，你不能讓單一挫折或甚至是一連串的失望，阻止你繼續向前並相信上帝上好的一切。

約翰與凱倫和兒子的關係疏離。曾有一些事讓親子間對彼此不滿，以致這年輕人不肯和父母親講話，不肯來探望他們，也不願和他們扯上任何關係。這持續了好幾個月，嚴重到似乎他們永遠也不會和好。

但約翰與凱倫拒絕放棄他們的兒子。他們跨出信心的一步，為他們的兒子買了一本聖經，甚至還把兒子的名字刻在

聖經的首頁。這年輕人從不參與教會活動，因此由外在的一切看來，他的父母好像在浪費錢。但他們反正就把聖經放在茶几上，每一次他們經過那裡，就為有一天他們的孩子會返家、有一天他會步入正軌而感謝主。

幾年以後，他們接到兒子的電話：「爸，媽，」他說：「我想回家。」上帝超自然地修補了這段關係，而今天，我常在教會看到這位年經人，而且他還拿著聖經，那可不是一本普通的聖經，而是上面刻有他名字的聖經，就是那本躺在茶几上多年的聖經。

約翰與凱倫期盼地等候，他們為兒子返家做準備，而如今天他們全家都在收成這甜美的果實。

史黛西真是受夠了體重過重，她已經試過各種節食方法，然而好像全都沒用。最後，她宣告放棄而任由自己體重過重，即使她明知這不是上帝對她的心意。

在生命的任何層面，要甘於平庸都是很容易的。但有一天，史黛西受夠了，於是下定決心，開始在禱告之後加入行動。她到購物中心刻意幫自己買了一件小兩號的新衣服，雖然她知道自己穿不下。

她在幹嘛？她在為減重做準備，她在從相信進步到期待。後來她告訴我，她把那件衣服掛在衣櫃鏡子的正旁邊，好讓自己每天都可以看到，而這激勵了她。每一次她看到這件衣服，她都會說：「天父，感謝祢，我將減輕體重。感謝祢，我的所有腺體、所有器官、所有細胞都正常運作。感謝祢，我自制又自律。」

當我再次看到她，她正穿著那件新衣服。她說：「約爾，我不僅減掉了三十磅，現在我還感覺比之前更好。」

上帝獎賞這樣的人，就是把願景放在自己前方的人。要保持決心。如果塔瑪拉不是已經把籠子釘好，她永遠也養不成兔子。如果湖木教會沒有熬過那些困難，我們永遠也無法入主那棟新建築。

要伸展你的信心，在你相信上帝要為你成就的後面，加入一些行動。也許你正要放棄上帝放在你心中的夢想，因你認為你的生命不會再變得更美好。

生命可以變得更美好，但你必須重新燃起火焰。

「唉，約爾，我已經等好久了……。」

聖經說：「僅管異象延遲成就，但仍要誠心等候。」注意，我們不能消極等候；我們必須誠心且期盼地等候。在你這麼做時，會發生什麼事？聖經繼續說：「所說的必定成就，不再有任何耽延。」這表示，當我們保持信心、正面、期待與盼望，一切黑暗勢力都無法阻擋上帝實現祂的應許。

也許你還記得一位演員名叫蓋文・馬洛(Gavin MacLeod)，他最著名的作品，就是多年前一部膾炙人口的影集叫「愛之船」(The Love Boat)，他在其中飾演船長。他與妻子派蒂結縭七年，在婚姻中彼此有些碰撞，以致蓋文離開了。

他後來敘述自己在事業上如何遇到瓶頸，而沒有作下好的決定。他與派蒂離婚，而派蒂心碎崩潰，因她從不想要婚姻離散。

儘管派蒂接受離婚，卻沒有放棄，反而每天開始感謝上帝，有一天蓋文會回家而他們會破鏡重圓。她還踏出了更遠的一步，開始在信心之後加上行動。

派蒂後來說，她每晚準備晚餐時，不是只準備一人份

的，反而是準備兩人份的用餐環境。她在為蓋文回家做準備。

三年以後，派蒂聽到有人敲門。她開門看見蓋文站在門口，她微笑著說：「進來吧，你的晚餐要涼了。」他們不久之後又結婚了。

你是如何等候上帝預備的好事呢？要學習用期待來等候。每天一起床就藉著感謝上帝的應許正在不遠處，來澆灌你的種子。然後多踏出一步，開始為上帝放在你心中的夢想做準備。要談論得好像事情就要成就，要做得好像事情就要成就。要保持正確的心態，如果你從相信進步到期待，上帝應許，在適當的時候、在對的時刻，祂會賜給你心之所嚮。

第 31 章

對生命懷抱熱忱

如果你想要讓自己變得更好，那麼很重要的是，要感謝上帝為你成就的一切好事。太多人失去了對生命的熱情，他們已失去熱忱。曾經有一度，他們對夢想興奮不已，每天帶著目標與熱情起床。但現在隨著時光消逝，因著所遭遇的失望，還有生活的壓力，他們不再期待夢想，而全然失去了火熱。

也許你一度對所嫁娶的人滿懷興奮，你愛得既深又火熱，但現在你們的關係平淡無奇。你只是日復一日地起床、上班、回家。但上帝不想要我們活成那樣，我們應該每天帶著熱忱與對新一天的期待而起床，我們應該為自己仍然活著而感恩，為前方的機會和與我們生命相關的人而感恩。

要明白，生命大部分是一陳不變的，如果我們任憑它，可能還會變得停滯不前。你可以擁有一份精彩的工作，但它也可能變得無聊。或者，你可能與一位優雅、滿有愛心與關

心你的人結婚，但如果你不滋養這份關係，幫它加料，過一段時間，它可能也會停滯遲鈍。如果我們想要保持新鮮，就必須用心經營，因爲這不會自動發生。

我們必須每天激勵自己，一如使徒保羅告訴提摩太的：「要挑旺你的火。」他所說的是：「提摩太，不要讓你的火熱熄滅。要對生命滿懷熱情，要對夢想懷抱熱忱。」

也許現在，你很難對生活產生熱情，但要保持盼望。也許你只有一撮小火苗，幾乎生不起熊熊烈火，以致你正要放棄你的夢想。或許在某個關係中，你不再感到期待。但好消息是，火仍在那裡，如果你盡本分來搧風點火，它就可以再次燃起熱情。這表示，與其拖拖拉拉地想找出一切使你不快樂的原因，不如去改變你的焦點。別再看你生命中不對勁之處，而要爲生命裡對的事物獻上感恩。你的心態應該是：「我不要活在失敗與沮喪之中，我的夢想也許還未成眞；也許路上還有一些阻礙，但我知道上帝仍然掌管一切，我知道祂爲我預備了上好的，因此我要每天一起床就對生命滿懷期待。」

> 別再看你生命中不對勁之處，要爲生命裡對的事物獻上感恩。

也許你生命中不是所有事情都盡如人意，但如果你不學習樂於自己的定位，你將永遠也無法達到你希望的境界。也許你沒有完美的職業，但你應該爲至少還有工作而感謝上帝；有些人可很樂意從事你的工作呢。要挑旺你的火焰，帶著新的熱情上班，不要臭著臉拖拖拉拉地上工，花大半天上網。相反地，要全心爲雇主效力，全心

工作，盡力而為，保持熱忱。其他人可能鬆懈懶散，其他人可能態度尖酸；但你不是其他人，你是至高上帝的兒女。不要成為問題的一環，要成為解決之道。

　　熱情是會感染的，如果你面帶笑容去上班，充滿生氣，充滿喜樂，充滿得勝，要不了多久，你會感染其他人。整個工作場所會進入更高境界，而這都要歸功於你。

　　聖經說：「殷勤不可懶惰；要心裡火熱，常常服事主。」[1]你有沒有每天一起床就對夢想滿懷熱情呢？你是否為你的住所感恩呢？

　　「拜託，我住在一間小公寓耶，」你也許會說：「我快受不了了，我想要更大的房子。」

　　不對，你必須學習對目前的處境感到開心。要明白，到處抱怨地想著生命中的一切不順遂，是在羞辱上帝。也許你現在住的不是夢中豪宅，但你應該感謝上帝，自己還有遮風避雨的地方；感謝上帝，你並非無家可歸而活在日曬雨淋之中。

> 每一天都是上帝的恩賜。

　　「我和丈夫完全沒有共通點，我們已經處不來了。」

　　這個嘛，也許他不是完美的丈夫，但你可以感謝上帝，至少你有人可愛。你知道現今有多少孤單的人嗎？信不信由你，有些女人很樂意擁有你的丈夫，因此要為他獻上感恩。作丈夫的要為你的妻子獻上感謝。

　　我們必須認清，每一天都是上帝的恩賜，因此活在負面與失敗的心態中是何等令人羞愧。

當然，我們一路上都會遇到須要克服的障礙與挑戰，但我們的態度應該是：「感謝上帝，我還活著。我活在一個偉大的國家，我有家人，我有機會，因此我要善用每一天，竭盡所能。」

「唉，約爾，我想這麼做，但我剛才發現自己下週要加班，我還得去出差，我還得整天照顧這些孩子。」

不，你不是「須要」做任何事，你是「有幸」做這些事。上帝是賜給你生命氣息的神，如果上帝沒有為你開啓機會之門，你下週根本無法加班。你必須改變觀點，不要把事情看成是義務，或是你得做的，乃要抱持感恩的態度去做。換句話說：「我今天不是『得』去上班；我是『有幸』能夠去上班。」「我不是『必須』照顧這些孩子，他們都是祝福；我『有幸』能夠照顧他們。」「我不是『得』施捨；我是『有幸』給予。」

聖經說：「你們若甘心聽從，必吃地上的美物。」[2]順服是一回事，是好的，總比你不順服要好。但如果你真想經歷上帝最好的，就必須比順服多更多；你必須甘心樂意，必須抱持良好的心態來為之。

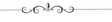

舉例來說，你因為必須付出而付出是一回事，你因為想要付出而付出，又是另一回事。工作領薪水是一回事，因工作而成為別人的祝福，又是一回事。由於結婚是好事而和某個人結婚是一回事，因你要是不結婚，別人可能會看不起你；但是維繫

當你抱持正確的動機來做對的事，上帝要在你生命中成就的，也是不可限量的。

婚姻，敬重、尊榮你的伴侶並協助他更上一層樓，又是一回事，這就是樂意順服。當你抱持正確的動機來做對的事，上帝要在你生命中成就的，也是不可限量的。我們超越單純的順服是很重要的，這很容易，每個人都可以做到；但若要讓自己變得更好，就要採取下一步，並樂意抱持良好心態來做對的事情。

羅傑因為灰心失意而來找牧師給些建議：「我的生活諸事不順，」羅傑說：「我找不出任何理由可以使我興奮、期待的。」

牧師想了一下，然後說：「沒關係，我們來做些簡單的練習。」他拿出一本黃格紙，在中央劃了一條線，說：「在線的左邊，我們要列出你生命中一切美好、順利的事。而在另一邊，我們要列出你所有的問題與一切讓你煩惱的事。」

羅傑狐疑地笑著說：「好吧，但我在好事欄可寫不出任何東西。」

牧師說：「沒關係，讓我們開始這練習吧。」
羅傑把頭低下。

牧師說：「聽到你的妻子過世，我很難過。」

聽到牧師這麼說，羅傑馬上發火說：「你在說什麼？我太太沒有過世，她還活得好好的。」

「喔，真的嗎？」牧師在好事欄寫著：「有個老婆，活得好好的。」然後他說：「那聽說你的房子被燒掉了，我很難過。」

「什麼？」羅傑叫著：「我房子沒被燒掉，我有棟美麗的房子。」

「喔，真的嗎？」牧師邊說邊在好事欄寫下這點：「有

棟美麗的房子。」然後他說：「我眞的很難過聽到你丟了飯碗，你被炒魷魚了。」

「你從哪兒聽來這些胡說八道？」羅傑不相信地說：「我的工作好得很。」

「喔，眞的嗎？」牧師邊說邊揚起眉毛寫著：「有份好工作。」

就在那時，羅傑恍然大悟。他說：「把那張紙給我。」牧師把黃格紙交給羅傑，羅傑接著就繼續列出幾十件他生命中的好事。在他寫完的時候，他帶著不同的態度離開了牧師辦公室。他的情況沒改變，但他的觀點已經截然不同。

我們很容易會專注在不順的事上，並把對的事與順心的事視爲理所當然。當你專注在好事上，就是你加強熱忱與期待的時候。如果你難以對生命保持興奮與熱情，你也必須要列一張表，寫出值得感恩之事。寫下上帝賜福於你的一切事，如果你健康狀況良好，寫下來：「我很健康。」如果你眼睛看得見，寫下來：「我看得見。」如果你長得很好看（就和我一樣俊美！），寫下來：「我很好看。」如果你有一份工作，寫下來：「我有工作，我有家人，我有幾個好朋友，我有很棒的孩子。」把清單列出來，並在每天出門之前，把它唸個兩、三遍。引導你的心志來到正確的方向是很重要的，因爲你的生命會跟隨你的思想。

在一天開始時，就要設定基調。如果能帶著感恩的態度與正面的心態出門，你不只會感覺更好，還會吸引上帝的好事。我們會吸引自己一直

我們會吸引自己一直所想的。

所想的。如果你一起床就想著：「我的生活只是行屍走肉，從沒好事發生在我身上，我知道我的婚姻維持不久。」那你就是在吸引失敗、挫折與平庸。然而，如果你能學習轉變心態，並抱持感恩的態度，想著你多麼蒙福、上帝多麼恩待你，那麼你就會吸引上帝的良善。

有時我們早上醒來，躺在床上想著：「我今天真不想去上班；我有好多困難；我真厭煩清理房子。」

不幸的是，你剛為差勁的一天舖了路，你為失敗做了準備。

當那些負面、挫折的思想來襲，你必須扭轉它們。拿出你的清單再讀一次，提醒自己：「我還活著；我很健康；我有個好伴侶；我有可愛的孩子；我擁有好多寶貴的東西。」把那張清單貼在你的浴室鏡子上，貼在你的書桌上，或是你一整天都可以看見的地方。在你進行日常事務時，就拿來讀一下，這會幫助你對生命感到興奮。

另一個點燃熱情的重要關鍵，就是保持前方的新鮮目標。有些人只因為不再追求任何事物而失去對生命的熱情。但你要明白，上帝創造我們不斷去追求超越現狀的事。如果缺乏動力，鮮少夢想，沒什麼真正的目標，那麼你一定會停滯不前。另一方面，如果你不斷追求新標竿，就會讓你對生命保持新鮮熱情。你的目標無須崇高遠大，可以是完成學業，或成為更好的雙親，或是增加收入的目標。你仍要在前方保持目標，要不斷成長，絕不要讓自己甘於自滿。在你實現一個目標之後，要立刻再設立一個。要不斷進步，不斷尋求新的挑戰。

如果你不健康，就設立健康的夢想。如果你負債，那麼

讓你的夢想成為:「我要擺脫債務並成為他人的祝福。」然後每天一起床就提醒自己正在朝目標邁進。

「但是約爾,我已經退休了,」你也許會說:「我正在放鬆心情,慢下步調。」不對,即使你已經從工作上退休,你也絕不會從上帝賜你的服事生活中退休。每天漫無目標是不健康的。

幾年以前,我和父親遇到著名的海底探險家雅克‧庫斯托(Jacques Cousteau)。當時我與父親正搭機前往亞馬遜叢林,而庫斯托先生也在同一班飛機上,因此我們開始聊天。他可能正值八十出頭,然而他對自己的人生有著驚人的熱情。他開始對我們說著他正著手的新計畫,興奮得巨細靡遺地對我們解釋著。當我們必須分開時,他告訴我們關於他的十年計畫,以及所有他希望能完成的事。我想,多數在他這個年紀的人根本想不到一週或一個月之後的事,但雅克‧庫斯托竟然還想得到往後十年,難怪他這麼生氣蓬勃。

如果你目前的任務是養兒育女,那麼你要抱持著熱忱養育,要懷抱熱情來做。也許你夢想創業,夢想擁有自己的房子,夢想來服事,那麼把這夢想放在你面前並不斷朝它邁進。

聖經的箴言書說:「沒有異象,民就放肆。」我父親在他工作的每個地方都放了一個地球儀,就放在家裡他閱讀的椅子前,以及在他辦公室的書桌前。爸爸的熱情在於與全世界分享上帝的愛,而那地球儀提醒了他這點。即使在我父親晚年要洗腎時,他也要我們看看是否有辦法讓他在印度洗腎。雖然爸爸自從洗腎之後就無法去印度,但這無法阻止他的夢想。事實上,這是在困境中幫助他每天帶著熱忱起床的

事情之一。

或許你也遇到一些阻礙或挑戰。沒關係，但不要放棄你的夢想。上帝仍要你做重要的事。然而，如果你錯誤地陷在不好的想法中，要不了多久，你就會籌畫著自己的葬禮。無論外在環境看來如何，要使你的夢想保持鮮活。也許你是個養育幼兒的母親，卻罹患了重大疾病，此時，要把孩子的照片放在你前方，每天一起床就說：「我要在這裡養育孩子成人，我要存活，不要死亡。」

或者，也許你財務有困難，但你夢想著要擁有自己的房子。要讓夢想保持鮮活，找一張你想擁有的房屋照片，把它放在你面前。你需要有些奮鬥的目標，然後努力工作存錢，並做下睿智的財務決定，你將驚嘆你的夢想會如何實現。

記住神蹟

有時，我們因為自己讓神蹟變得太稀鬆平常而失去熱忱，我們已經習慣了而讓它成為例行公事。舉例來說，也許你一度曾為你的工作感到興奮，你禱告，相信並知道上帝為你開了那扇門。上帝超自然地賜你那份職缺，而你也每天早晨等不及要去上班，你到公司並全心付出。而幾年之後的現在，新鮮感消退了。這成為慣常的程序，你不再真正享受工作，而且你還覺得灰心。你知道發生了什麼事嗎？

你讓神蹟變得平凡了。你必須回想，並憶起上帝是如何帶領你來到這境地，你必須燃起火焰。

我不是說我們都不會想進步，但太多時候，我們把應該熱情期待的事情，視為理所當然。

　　我有個朋友不斷抱怨他的工作。他告訴我公司怎樣苛待他，他領的薪水不夠，他無法忍受他的老闆，以及諸如此類之事。有一天，公司宣布他們要精減人事，辭退半數員工，而看來他好像也會被資遣。有趣的是，我朋友卻開始眞心喜愛他的工作。到了最後一刻，公司決定留下他，而此時的他會令你以爲他中了樂透彩！你會驚嘆那樣的事如何改變了一個人的觀點。如果你知道自己並不會一直保有目前的工作，你可能會對它抱有更多的熱忱。

　　如果你即將失去你的另一半，也許你對他會有更多的熱情。曾經，你興奮得無法將視線從他身上離開，但幾年過後，你已經任由自己變得厭倦、停滯與疏離。你們沒有以應該要有的方式互相喜悅，你沒時間擁抱、親吻與讚美。你太忙而無法來個枕邊細語，因爲你會錯過最喜歡的電視節目。

　　不，不要把你的另一半視爲理所當然。要竭盡所能找回火花，並再次振興當初使你們結爲連理的那份關係。要爲你的婚姻帶進一些新鮮元素，跳脫例行公事，以做些不一樣的事情。

　　我是個習慣很固定的人，而我必須讓自己跳脫固定公式。舉例來說，我和維多利亞每週五晚上會安排約會，我們通常只是出去吃飯，找個時間聊天，享受一下在一起的時光，但我們也會在約會的晚上做些冒險活動。不久以前，我們去參加小型賽車。另一次，我們到公園騎單車。

　　這需要一些創意，但有了努力，你就可以爲關係注入一些新鮮感。不要失去對另一半的熱情，不要讓這份奇蹟和你與這人的關係，變得平淡無味以致你把它看成理所當然。

　　也許曾有一度，你對上帝賜給你的房子感到興奮不已。

你禱告，相信，也知道上帝為你開了一扇門。但現在你想著，我得清理這房子，我的水溝好髒，我的洗碗機又壞了，還要付這麼高的稅。

你正專注在錯誤的事情上。上帝用那棟房子賜福於你，無疑地，那對你來說一度是夢想成真，不要讓這成為平淡無味的事。

我們永遠不該對上帝成就的事失去驚嘆，每次我開車經過湖木教會，我都會感到讚嘆。而且我也下定決心，二十年之後，我仍然要為此讚嘆。當我把車開進湖木教會的停車場，我說：「上帝，祢所成就的超乎我們所求、所想。」

上帝在聖經啟示錄告訴一些人：「有一件事我要責備你，就是你把起初的愛心離棄了。」換句話說，是你對上帝為你成就的事不再感到興奮。這也是我們太常做的事；我們讓一度如此偉大的事變得平淡無奇，也不再為此事心存感恩。

我聽過記者問一位心臟外科名醫如何保持熱忱。這位醫生建立了一些步驟而他已經實行過千遍以上，儘管現在手術看來只是種慣常的普通程序。

記者問醫生：「你會不會厭倦做這些呢？」

「不會，」他說：「因為我表現得好像每個手術都是第一次。」

他的意思是說：「我不把上帝允許我做的事視為理所當然，我不想讓它變得平淡無味到無法使我感到興奮。」

也許上帝在你生命中成就了偉大的事，祂已帶領你進入比你夢想還遠大的境界，祂把極好的人放在你的生命中，為你開啟偉大的門。不要對這些事太習慣而讓它們無法再使你

感到興奮。要選擇保持熱情，每天活出熱忱。

有時我聽人抱怨他們的孩子說：「唉，如果我不用整天卡在這裡照顧孩子，我就會更有熱情。」

不對，你搞錯重點了。你的孩子是個神蹟，如果你想要證明，只要想想他們出生的那一天。無疑地，當時你會淚流滿面，無比快樂，因你知道每個孩子都是上帝的恩賜，所以不要讓那份敬畏隨著時間消失。

最近，我急著出門，並試著趕快把家人集合好出發。有人送我們一台標籤製作機，那是一台打印標籤的小型機器。我們的孩子很喜歡玩這台機器。當時強納森把這台標籤製作機帶著，並正在打印一些訊息。

我說：「強納森，把那台東西放下，我們要出門了。」

他說：「爸爸，再給我幾秒鐘，我想要先把這打完。」

「不行，強納森，」我說：「把那放下，我們現在要出門了。」他和我就這樣一來一往地拌嘴，讓我開始煩躁不安。最後，他打完標籤並列印出來，上面寫著：「世界上最棒的爸爸。」

我心想：這樣的話，也許我們能在這兒多待一會兒，再多印一些標籤。

有時我們太急著做一些事，以至於一路上錯失了許多神蹟。花時間在孩子的身上，每天看著他們的眼睛，並告訴他們你有多愛他們，你有多以他們為榮。想想他們帶給你的喜樂與滿足，光是這點就應該讓我們每天帶著熱忱起床。而當你厭煩每天跟著他們屁股後面打掃房子，

神蹟無處不在。

或想要發脾氣時，要學習改變態度，並說：「天父上帝，感謝祢把這些孩子賜給我，感謝祢賜給我的一切禮物。」

神蹟無處不在。你生命中的人、上帝為你開啟的門，以及你一路走來所發生的事，都不是偶然。那是上帝的恩惠讓你在對的時刻，處在正確的定位，例如你遇到某個人而與他陷入愛河；或是你符合條件買下那個房子，而你知道在一般情況下，你是無法辦到的；或者，你意外獲得升遷。這些都不是偶然的，都是上帝在引領你的腳步，所以不要把這些視為理所當然。

今天你專注在什麼上面？你是否正變得更美好呢？你的家裡和你的心靈有沒有平安呢？你是否快樂、安歇、享受生命呢？我們必須明白，今天是獨特而無法取代的，我們必須善用這一天，彷彿這是我們最後的日子一樣。

我認識一對長輩，他們是個極佳的榜樣，總是微笑鼓勵他人，每個人都喜歡他們，特別是年輕人。不僅如此，在他們結婚幾十年之後，夫妻倆仍然彼此相敬如賓。

在這位老太太八十幾歲時，她回了天家。在葬禮上，她的丈夫，也是八十幾歲的人，講了一個有趣的故事。他說：「約十五年以前，我心臟病發。當我太太來到醫院，她說：『親愛的，這告訴我們，生命其實是多麼脆弱，你可能會死。』她說：『從現在開始，我們每晚上床就寢前，都要先親吻七次，來表達我們有多愛對方，表達我們沒把對方當作理所當然。』所以，在過去的十五、二十年裡，我們一定親吻七次才睡覺。」

你不覺得這很棒嗎？這位女士把每一天都活得好像她的最後一天。她在星期二回天家，但在星期一晚上，她還親了

她丈夫七次。在星期一晚上,她還告訴她丈夫自己有多愛他。而當她的生命結束時,她沒有後悔,她已經讓每一天都成為特別的一天。而在她生命中的最後一天,她還活出了愛、關懷與平安,並享受每一刻。這就是我想要活出生命的方式。

朋友,今天是個禮物,因此要善用它。甩開一切自憐或挫折的感受,並開始找尋感恩的理由。

使自己變得更美好,其實就是關乎你如何選擇你的人生觀。我聽過一個故事,是關於同一間病房中的兩個不同病人。每一天,靠近窗邊的病人對他的病友巨細靡遺地分享他所看到的,好讓他的病友即使臥病在床,還能享受窗外的景緻。

「今天,我看到美麗的日出,」他說:「孩童在那裡嬉戲玩耍,樹木繁盛茂密。」諸如此類的描述。每一天,這位臥病在床的病患都期待聽到室友報告外面的世界,那是他每天的精華時光。

有一天,窗邊的病患非常興奮地說:「哇,你應該來看看!有個遊行的隊伍經過,還有樂隊伴奏,大人、小孩都在慶祝,玩得好開心。」

幾個星期之後,窗邊的病人過世了,因此他的室友問護士可不可以讓他換到窗邊的床位,好讓他可以欣賞一切外界活動的美妙景觀。

「喔,當然好。」於是護士與其他護理人員把這位病人移往窗邊。但是當這位病人看向窗外時,他大吃一驚,因為他看到的只有一道磚牆,而十五呎之外的,則是醫院另一棟大樓的一側。病人呼叫護士回來,說:「喂,等一下!這是

怎麼回事？我那位過世的朋友幾星期以來，都向我描述那些多采多姿的景緻，但我除了看見一道牆，什麼都沒看見！」

護士微笑著說：「先生，你還不知道你朋友是盲人嗎？他選擇發自內心看見美麗人生。」

無論生命如何波折多舛，如果你尋找，仍然可以看見好的一面。如果我們抱持正確心態，即使是烏雲密佈，依然能看見陽光。即使事情不順我們的心，我們仍能夠滿有喜樂且不斷變得更美好。

我禱告求上帝賜我們感恩的心，禱告求使我們總能看見好的一面，而絕不把生命視為理所當然。如果你每天信靠上帝，依照祂對你生命的計畫而活，你就會更快樂、更健康，你還會超乎自己想像地更上一層樓。

下定決心你要熱情地活出每一天。每天一起床就想想一切你能心懷感恩的事。如果有需要，列出一張清單。把它擺在你面前，然後每天出門去追求上帝賜予你的夢想。

聖經說：「你們要思念上面的事。」[3]我相信天上的事就是正面的事，因此每天第一件事，就是把你的心志調頻到正確的方向。把你的心設定在成功與得勝，把你的心設定在享受每一天上面，然後更上一層樓，進入上帝的噴射氣流中！

朋友，要記得，在你裡面有偉大的種子。你受造不是要停滯不前，而是要超越自滿，不斷成長，不斷達到新的境界。你最好的日子還在前方等候著。

你還未看見，聽聞，或想像到上帝所為你預備那一切上好的。當你不斷伸展至下一個境界，持續改進你的生命，總是把你的潛能發揮到極致，如此你不僅會孕育出夢想，還會變得更美好，比你曾經夢想過的，還要更棒！

行 動 要 訣

第Ⅶ部 對生命懷抱熱情

1. 今天，我要尋找能讓我對生命保持熱情的明確目標。不管環境如何，我要養成習慣刻意微笑，我要在心中不斷吟唱喜樂的歌。我要心懷感恩，明白今天是個禮物。

2. 我要往正面方向操練我的信心，預備成功，並期待在生命中擁有上帝最好的一切。這一週，我要告訴親近我的人，我要活出長壽、健康與興旺的生命。我要採取行動，讓我的生活充滿健康的活動，並減少有害的活動、態度或生活型態方面的問題。

3. 我選擇從相信進步到期待。今天我要伸展並超越現狀，我要主動追求新標竿，把它們設在我的前方，期待達成它們。

4. 我要不斷明白，讓自己變得更好乃是關乎我如何選擇人生觀，我要持續尋求改進生命的方法；我要選擇對人有恩慈；我要追求與親近之人更有生命力的關係，我還要主動追求與上帝更深刻的關係。

5. 我選擇熱情地活出今天，正面地向這世界彰顯上帝。我要在信心之後加上行動，為家人與世界留下長遠的傳承。

我們關心你

　　我相信每個人心中都有一處惟有上帝才能填補的空缺，我不是要你找個宗教信仰或是參加某個特定的教會，我講的是：要藉由上帝的兒子耶穌基督，與你的天父建立關係。我相信，認識祂是生命真平安與真滿足的來源。

　　我鼓勵你這樣禱告：「耶穌，我相信祢為我而死，並從死裡復活，因此現在我要為祢而活。我棄絕我的罪並信要靠祢。我承認祢是我的救主與主，我懇求祢從現在起就引領我的生命。」

　　藉由這個簡短的禱告，你可以得著一個新鮮、清潔的開始，並與上帝建立親密關係。每天讀聖經；藉由禱告與上帝交談，並參加一個合乎聖經教導的好教會，使你在其中能結交讓你向上提升而非向下沉淪的朋友。把上帝擺在你生命的首位並遵循祂的教導，祂會帶領你到意想不到的境界。

　　如欲索取如何強化屬靈生命的免費資訊，我們鼓勵你與我們聯繫。我與維多利亞都愛你們，我們會為你們禱告。我們熱切期待收到你們的來信！如欲聯絡我們，來函請逕寄：

Joel and Victoria Osteen

　P.O. Box 4600

　Houston, TX 77210-4600 USA

你也可以透過以下網址連繫我們：www.joelosteen.com

注　釋

第1章　擴張跨入下一個境界

1.參閱羅馬書十一章29節

第2章　給夢想一個新開始

1.詩篇三十篇5節

2.參閱以賽亞書廿八章16節；羅馬書十
章11節

第3章　血統的力量

1.詩篇一三九篇16節

2.參閱啓示錄十二章11節

3.參閱哥林多後書五章17節

4.參閱創世記二章7節

5.加拉太書三章29節

6.參閱以賽亞書六十一章7節

7.參閱加拉太書三章13節

8.約翰福音八章36節

第4章　掙脫過去的堅固營壘

1.箴言廿六章2節

2.雅各書五章16節

3.參閱以弗所書六章12節

第5章　世世代代的祝福

1.參閱歷代志上四章40節

第7章　別再聽控告

1.羅馬書七章19節

2.以弗所書六章14節

3.腓立比書一章6節

4.希伯來書四章16節

5.參閱路加福音十五章20節

第8章　學習喜愛自己

1.馬太福音廿二章39節

2.參閱希伯來書十二章1-2節

3.馬太福音三章17節

第9章　讓你的話語為你效力

1.參閱以弗所書一章4-14節

2.雅各書三章10節

3.參閱羅馬書四章17節

4.參閱耶利米書一章4-9節

第10章　對自己有信心

1.參閱腓利門書6節

第11章　帶出人們最好的一面

1.參閱哥林多前書十三章4節

第12章　讓生命遠離紛爭

1.參閱哥林多前書十三章5節

2.參閱羅馬書十二章16節

3.雅各書四章17節

第13章 為家人堅守立場
1.參閱箴言卅一章28節

第14章 投資你的關係
1.參閱希伯來書三章13節

第15章 善待他人
1.加拉太書六章10節
2.參閱路加福音六章43-45節
3.馬太福音廿五章40節
4.參閱提摩太後書三章1-5節

第16章 培養良好的習慣
1.參閱哥林多前書十章13節
2.參閱腓立比書四章8節
3.馬太福音廿六章41節

第17章 養成快樂的習慣
1.參閱帖撒羅尼迦前書五章16節

第18章 處理批評
1.參閱馬太福音十章14節
2.參閱以賽亞書五十四章17節

第19章 讓自己保持快樂
1.雅歌一章6節

第20章 欣然擁抱你的處境
1.詩篇四十六篇10節
2.希伯來書四章3節
3.羅馬書八章28節
4.箴言三章6節

第21章 我心得安寧

1.詩篇三十篇5節

第23章 記得那上好的
1.參閱詩篇七十七篇11節

第24章 上帝掌管一切
1.參閱帖撒羅尼迦前書二章13節
2.詩篇三十篇5節

第25章 更上一層樓
1.路加福音十二章48節

第27章 對付根源問題
1.約翰一書四章4節

第28章 蒙福計畫
1.詩篇九十一篇7節

第29章 不斷歌唱
1.參閱哥林多後書五章20節
2.參閱希伯來書十三章15節

第30章 從相信到期待
1.參閱雅各書五章7節
2.雅各書二章17節
3.哥林多後書五章7節
4.以賽亞書四十章31節
5.參閱馬可福音五章36節

第31章 對生命保持熱忱
1.羅馬書十二章11節
2.以賽亞書一章19節
3.歌羅西書三章2節

關於作者

【作者】

約爾·歐斯汀是新世代的牧師，許多人稱他為「美國的希望之聲」。約爾被《教會報導》雜誌公認是美國最具影響力的基督徒，並被美國電視名人芭芭拉·華特斯(Barbara Walters)評選為十大優秀人士之一。

約爾·歐斯汀在美國與世界各地皆有廣大的觀眾群，他的每週電視佈道、紐約時報暢銷書、膾炙人口的巡迴演講，以及他每週前十名的個人網路廣播，在在都激勵了來自百國以上的千萬群眾。

約爾與妻子維多利亞，都是美國德州休士頓湖木教會的牧師，這教會是全美最大的教會。

活出全新的你

原　　著/約爾‧歐斯汀

譯　　者/程珮然

發 行 人/黃敏華

封面完稿/黃聖文

出 版 者/保羅文化出版有限公司

地　　址/台北市10356重慶北路二段67號6樓之5

電　　話/（02）2556-5659

傳　　眞/（02）2556-8659

電子信箱/paulpc01@ms79.hinet.net

劃撥帳號/19983591 保羅文化出版有限公司

版權所有‧翻印必究

出版日期/2008年5月第一版第一次印行

Become A Better You

Complex Chinese Translation copyright ©2008 by Paul Publishing Co., Ltd.

Original English Language edition Copyright ©2007 by Joel Osteen

All rights reserved.

Published by arrangement with the original publisher, Free Press, a division of Simon & Schuster, Inc. through Andrew Nurnberg Associates International Limited.

Printed in Taiwan

再版年度　22　21　20　19　18　17　16　15　14　13　12　11　10　09　08

再版刷次　15　14　13　12　11　10　09　08　07　06　05　04　03　02　01

國家圖書館出版品預行編目資料

活出全新的你/約爾‧歐斯汀(Joel Osteen)著
；程珮然譯.—第一版.—台北市；保羅
文化，2008.05
　面；　公分
譯自：Become a better you: 7 keys to
improving your life every day
　ISBN 978-986-83238-4-1(精裝)
　ISBN 978-986-83238-5-8(平裝)

1.基督徒　2.靈修　3.自我實現

244.93　　　　　　　　　　　97008006

本書如有缺頁或裝訂錯誤，請寄回本公司更換。